Univers des Lettres Bordas

Collection
André Lagarde et Laurent Michard

L A C L O S

LES LIAISONS DANGEREUSES

Extraits
avec une biographie chronologique de Laclos,
une introduction au roman épistolaire,
une analyse des « Liaisons dangereuses »,
des notes et questions, une étude littéraire,
une bibliographie.

par

D0928598

bordas

Pierre Choderlos de Laclos.
Pastel de Joseph Ducreux, fin XVIIIᵉ s. Musée National du Château
de Versailles. Ph. H. Josse © Arch. Photeb.

© BORDAS, Paris 1988
ISBN 2-04-016895-8/ISSN 0249-7220

VIE ET ŒUVRE DE
CHODERLOS DE LACLOS

« Il est possible que les créateurs soient tentés par certaines formes de vie qu'ils n'ont pas personnellement éprouvées. Si je viens avec vous à Versailles [...], je vous montrerai le portrait de l'honnête homme par excellence, du meilleur des maris, Choderlos de Laclos, qui a écrit le plus effroyablement pervers des livres » (M. Proust, *La Prisonnière*).

De quoi justifier la distinction proustienne entre l'ordre de la biographie et l'ordre de la création... L'absence, en outre, d'un narrateur dans le roman épistolaire n'est-elle pas, aussi, effacement de l'auteur derrière les personnages, qui tiennent la plume ?... Forme pure, car délestée de toute référence prégnante à une biographie, à un discours de l'auteur (on sait que Laclos réduit en grande partie l'aspect dissertatif de la lettre, à la différence de Rousseau, laissant aux deux libertins de belles analyses de moralistes) ? On mesurera le décalage entre les données biographiques, vie familiale, carrière militaire, et l'éclat de son roman, qui semble ne devoir rien en attendre... Mais des dates, des faits, mis en face de cette œuvre, peuvent susciter des images, des métaphores qui dessineront ou fixeront des hypothèses de lecture, ou la remettre en perspective avec son époque (les règnes de Louis XV et de Louis XVI) par la médiation de ses autres écrits, comme on le verra dans la présentation qui suit le sommaire chronologique.

1741   Pierre-Ambroise Choderlos de Laclos naît à Amiens ; son père était secrétaire de l'Intendance de Picardie, anobli mais sans titre. Sa mère est du même milieu des officiers royaux.

1759-1761   Il fait l'apprentissage de l'artillerie, puis est nommé sous-lieutenant.

1763   Le traité de Paris finit la guerre de Sept ans (abandon par la France de l'Inde et du Canada à l'Angleterre) et trouve précisément Laclos à La Rochelle à la brigade des colonies, qui y était en formation. Officier privé de champs de bataille, il va désormais connaître la vie des garnisons durant de longues années.

1763-1776   Bien noté, il gravit les échelons de la hiérarchie, en même temps qu'il séjourne à Toul, Strasbourg, Grenoble, Besançon. Comme d'autres officiers, Chénier, Parny, Florian, Rouget de Lisle, il compose des pièces de vers, publiées dans *L'Almanach des muses* : pièces galantes ou gauloises, spirituelles, dont l'aisance et le badinage, le libertinage et les traits d'ironie intéressent la lecture des *Liaisons dangereuses*.

1777 Il est chargé d'installer à Valence l'École d'artillerie. A Paris, c'est l'unique représentation d'un opéra-comique qu'il a tiré d'un roman de Mme Riccoboni.

1778 Ce serait le début de la composition des *Liaisons dangereuses*, à Besançon. Depuis le traité d'alliance avec les Insurgés d'Amérique, la France se trouve de nouveau en guerre avec l'Angleterre.

1779 Il est chargé des fortifications de l'île d'Aix, devant Rochefort, les Anglais cherchant à occuper les îles du littoral atlantique pour empêcher les relations avec l'Amérique. Il travaille à son roman.

1780-1782 Pour le terminer, il demande plusieurs congés, passés en particulier à Paris. Les deux premiers tirages des *Liaisons dangereuses* en 1782 sont de 2 000 exemplaires chacun, à quelques semaines d'intervalle. Peu empressé à rejoindre son corps à Brest, il reste finalement à La Rochelle, à la disposition du marquis de Montalembert, son protecteur.

1783-1786 Il commence sa liaison avec Marie-Soulange Duperré, fille d'un « commissaire des guerres », qu'il épouse en 1786, après en avoir eu un fils en 1784. Ce sont des années de travaux très divers, critique littéraire, poésie, et surtout un *Discours*, inachevé, adressé à l'Académie de Châlons-sur-Marne, qui avait demandé « quels seraient les meilleurs moyens de perfectionner l'éducation des femmes » (1783). Texte capital, qui est un commentaire, en un sens, des *Liaisons dangereuses*, car il donne toute sa portée à la « formation » dispensée par les deux libertins à leur protégée, Cécile Volanges, et à la guerre des sexes.
En 1786, cette intelligence éprise de paradoxe fait scandale avec un Contre-Éloge de Vauban, contribution au concours d'éloquence de l'Académie, qui en avait proposé l'éloge... « Laclos qui s'attaquera à la royauté légitime comme il s'était attaqué aux privilégiés dans les *Liaisons dangereuses*, s'attaque à une gloire nationale » (L. Versini, *Notice* de présentation de l'essai dans la Pléiade, p. 1512). Dans cette *Lettre aux Messieurs de l'Académie française*, il reproche à Vauban de n'avoir pas fait faire à l'art des fortifications les progrès dont on le crédite d'ordinaire. Essai polémique d'un artilleur contre Vauban, l'illustre représentant du génie, mais qui montre, à travers les arguments techniques, des vues politiques et militaires d'une grande portée.

1787 Laclos, en disgrâce à La Fère, écrit un *Projet de numérotage des rues de Paris*...

1788 Il se fait mettre en congé de l'armée et se met au service du duc d'Orléans dont il devient secrétaire des commandements. A Paris, il fréquente des salons.

1789 Activités politiques dans divers clubs et en vue des élections aux États-Généraux. Accusé d'avoir fomenté l'émeute des 5 et 6 octobre à Versailles, Laclos doit s'exiler à Londres avec son maître.

1790-1792 Rentré à Paris, Laclos écrit des textes politiques, anime le *Journal des amis de la Constitution*, s'inscrit au Club des Jacobins, propose la régence du duc d'Orléans à la tribune du Club, avec lequel il a des démêlés. Il organise la défense contre les Prussiens au camp de Châlons-sur-Marne, est réintégré dans l'armée et nommé à diverses fonctions.

1793 Son projet d'attaque contre l'Angleterre par l'Inde est rejeté et, après la trahison de Dumouriez, il est arrêté, comme orléaniste, et incarcéré à l'Abbaye. Libéré, Laclos est chargé d'expérimenter les obus, qu'il avait inventés en 1786. De nouveau arrêté, il est mis au secret, et menacé plusieurs fois d'exécution.

1794-1797 Libéré, il ne peut réintégrer l'armée. Il occupe plusieurs années le poste de secrétaire général des hypothèques, conçoit des projets bancaires et diplomatiques. Il publie en 1797 un compte rendu de l'édition des notes formant *Le Voyage de La Pérouse* (dernier voyage en 1785-1788) ; c'est une suite donnée à ses réflexions sur l'homme naturel et sur la nature du progrès.

1799-1802 Réintégré dans l'armée comme général de brigade, Laclos est nommé dans l'artillerie par le Premier consul, qui se souvient de son rôle au 18 brumaire. Il est envoyé à l'armée du Rhin, puis en Italie (état-major de l'artillerie, sous Marmont). En 1802, il est nommé inspecteur général d'artillerie et présente son invention d'un nouveau modèle d'affût.

1803 Nommé commandant de l'artillerie à Naples, il meurt à Tarente de malaria et de dysenterie, le 5 septembre.

INTRODUCTION
AU ROMAN ÉPISTOLAIRE

L'ère du soupçon

Est-ce un hasard si le roman épistolaire, et *Les Liaisons dangereuses* en particulier, ont trouvé un regard neuf chez des critiques, à l'époque où des romanciers, se faisant critiques, jetaient le soupçon sur telle ou telle forme d'écriture romanesque ? Déployant les mille figures d'une « géométrie » sensible, Jean-Luc Seylaz (« *Les Liaisons dangereuses* » *et la création romanesque chez Laclos,* Droz, 1958) faisait goûter la virtuosité dans le maniement de la forme épistolaire, et Jean Rousset (*Forme et Signification,* Corti, 1962, reprise d'un article de *La Nouvelle Revue Française*) introduisait à l'art consommé de la polyphonie épistolaire, en relevant un absent de marque, le narrateur : « Il semble qu'avec l'avènement de la forme épistolaire, le romancier, pour la première fois dans l'histoire du roman, renonce au récit. Il ne raconte plus, ni ne fait raconter par ses personnages. » Événement qui change la nature de l'événement romanesque : la lettre, dans sa matérialité, objet mis en circulation (et notre bonheur romanesque, ici, tient à de prodigieuses manipulations de lettres) est l'événement ; elle l'est, aussi, par la seule prise de parole, par la réception qui en est faite, par la place dans une série : « L'instrument du récit l'emporte sur le récit. »

La vocation du roman serait-elle (aujourd'hui) de raconter une histoire, demandait en substance Nathalie Sarraute en 1950 dans un article de la même revue, intitulé *L'ère du soupçon* ? Quel est « le propre » du roman ? Conter, le journaliste, le cinéaste disposent pour ce faire d'une matière plus riche ou de techniques plus subtiles. Notant les symptômes d'une crise de confiance dans le pacte romanesque liant auteur et lecteur, elle manifestait la gêne du premier.

La conscience honteuse de la fiction comme la priorité donnée à l'art combinatoire dans le roman rapprochent effectivement un virtuose de la forme épistolaire au XVIIIᵉ siècle d'un Robbe-Grillet (qu'on songe à l'agencement formel dans *La Jalousie*, 1957) ou d'un Michel Butor (*La Modification,* 1957 ; *Mobile,* 1962). C'est bien contre les conventions protégeant l'arbitraire de la fiction romanesque que s'est développé le genre illustré par *Les Lettres portugaises* (1669), *La Nouvelle Héloïse* (1761), *Les Liaisons dangereuses* (1782). C'est bien un miroir que tendait au « nouveau roman » le roman, genre encore « nouveau » (malgré son passé), du XVIIIᵉ siècle.

À l'époque classique, en particulier, la fiction romanesque, cherchant à s'accréditer par le recours à des éléments historiques, induisait une confusion devenue suspecte entre référent authentique et référent imaginaire. Depuis la tradition de « l'antiroman », au sens large, avec Scarron (*Le Roman comique*), Furetière (*Le Roman bourgeois*) entre autres, puis Diderot (*Jacques le Fataliste*), la prose narrative de fiction s'est interrogée au sein du roman même, sur son identité et sa légitimité, sa place dans l'espace littéraire classique ; pour se rédimer des soupçons qui pèsent sur elle (futilité, absence de modèles chez les Anciens), pour assurer la foi dans le genre, la littérature romanesque demandera des modèles aux récits non fictionnels, dont les Mémoires (cf. ici même, lettre 2 : la Marquise projette d'écrire les *Mémoires* de Valmont, dont la correspondance fera la substance). Besoin d'« authenticité », hantise du récit vrai, expliquent le succès de ces deux formes : la faveur du roman épistolaire correspond à la multiplication des *Mémoires*... fictifs. Car telles sont la demande antiromanesque et la défiance à l'égard d'une imagination inventant indiscrètement, qu'on en vient à la « fiction du non-fictif » (H. Coulet).

« La fiction du non-fictif »

Lettres trouvées dans un grenier, portefeuille retrouvé, papiers découverts dans une armoire (Marivaux, *La Vie de Marianne*), les auteurs rivalisent pour garantir la vérité du texte offert, et se piquent d'être seulement les éditeurs, feignent de respecter comme témoignages non élaborés d'une passion les longueurs, maladresses, négligences de style. Montesquieu veut nous faire accroire, dans la *Préface* des *Lettres persanes* (1721), qu'il s'est borné à recueillir les lettres échangées par ses Persans sans méfiance vis-à-vis de l'étranger qu'il était, ne faisant que « l'office de traducteur », et coupant dans les longs compliments orientaux, autre façon de donner le texte comme venu d'une autre main. On lira la *Préface du Rédacteur* de Laclos, typique de ces nouvelles conventions censées satisfaire le besoin d'un « langage du cœur parlant au cœur ». Brouillant les pistes, il était l'héritier de Rousseau, jouant avec le masque de l'authentique tour à tour revêtu et désigné, dans cette *Préface* et l'*Avertissement de l'Éditeur*, qui lui-même la précède et l'annule. On lit dans la première *Préface* à *La Nouvelle Héloïse* : « Quoique je ne porte ici que le titre d'éditeur, j'ai travaillé moi-même à ce livre, et je ne m'en cache pas. Ai-je fait le tout, et la correspondance entière est-elle une fiction ? Gens du monde, que vous importe ! » Et voilà que dans la seconde *Préface* Rousseau oppose énergiquement la chaleur d'« une lettre que l'amour a réellement dictée » à la factice agitation d'une épître composée par un bel esprit dans son cabinet... Mme de Merteuil (lettre 33) niera pareillement qu'on puisse contrefaire l'accent authentique de la passion (cf. le débat, intégré au roman, sur les pouvoirs et le crédit du genre épistolaire). Inversement, les imitations des lettres d'amour fictives de l'Antiquité appelées *Héroïdes* sont accueillies non pour ce qu'elles sont, des exercices de style, mais comme le cri pathétique de l'amour vrai...

Trompe-l'œil où tous, éditeurs, lecteurs, auteurs se prennent à plaisir ; c'est déjà une première manifestation du jeu des masques, fondement de l'intrigue même des *Liaisons dangereuses*, une manipulation du langage au seuil même de l'œuvre où les mots du libertinage actionneront les victimes-marionnettes, jusqu'à leur donner la mort... Mais le clivage entre discours romanesque entaché d'invraisemblance et discours épistolaire « naturel » oppose aussi le littéraire et le non-littéraire dans la problématique classique.

Une écriture au présent

La disparition du narrateur entraîne un transfert de compétences vers les personnages eux-mêmes, chargés désormais de prendre, et eux seuls, la parole. C'est une *écriture au présent*, qui est à même de répondre au besoin de lire des textes « authentiques » : aucune médiation, indiscrète (et incapable de se légitimer) d'un narrateur, aucun intervalle (du moins veut-on le croire...) entre le personnage et le scripteur.

Montesquieu, dans *Quelques réflexions sur les « Lettres persanes »*, observait justement : « Ces sortes de romans réussissent ordinairement, parce que l'on rend compte soi-même de sa situation actuelle, ce qui fait plus sentir les passions que tous les récits qu'on en peut faire. » Écrite dans la solitude du cabinet, sans témoin (mais sous le regard du destinataire..., et sous le regard complaisant du scripteur lui-même qui s'y mire...), la lettre, comme l'écrit Laurent Versini, « abolit les écrans que le recul du temps et la narration à la troisième personne interposent entre le lecteur et le héros » (*Le Roman épistolaire*, p. 54).

Une écriture au présent, une « écriture au féminin »

Les femmes, faisait observer La Bruyère, « trouvent sous leur plume des tours et des expressions qui souvent en nous ne sont l'effet que d'un long travail et d'une pénible recherche ; elles sont heureuses dans le choix des termes, qu'elles placent si juste, que tout connus qu'ils sont, ils ont le charme de la nouveauté [...], il n'appartient qu'à elles de faire lire dans un seul mot tout un sentiment [...] ; elles ont un enchaînement de discours inimitable, qui se suit naturellement, et qui n'est lié que par le sens » (*Les Caractères*, I, 37).

Le succès du roman par lettres est lié au développement d'une écriture qu'on a appelée « féminine » : il suffira de citer Mme de Tencin, Mme de Graffigny, liée à Rousseau, à l'abbé Prévost, auteur des *Lettres d'une Péruvienne* (1747), ou encore la correspondante de Laclos, Mme Riccoboni, qui donna les *Lettres de mistriss Fanni Butlerd* (1757). Publiant récemment pour un large public certaines de ces œuvres à succès, Mme Landy-Houillon note : « Alors qu'elle semble avoir définitivement perdu sa gloire de la période courtoise, la femme, ange déchu malgré soi, retrouve, non plus à travers la mythologie littéraire de l'époque, mais par la pratique effective d'une certaine littérature, une primauté incontestée qui n'est plus celle de l'amour [...]. La lettre est un "genre" mineur, marginal, sinon méprisé [...] qui n'appartient pas au domaine étroitement circonscrit des arts poétiques et que l'on peut sans trop de conséquence abandonner au "triomphe du sexe" » (*Introduction* aux *Lettres portugaises, Lettres d'une Péruvienne et autres romans d'amour par lettres,* Garnier-Flammarion, p. 18).

Sensibilité, frémissement des passions, « primitivisme » d'un discours échappant à la forte emprise rhétorique, et tout de simplicité (on réédite alors les lettres de Mme de Sévigné pour leur « naturel »), imagination primesautière et mobile, autant de qualités habilitant les femmes à écrire des lettres d'amour. Selon aussi tout un courant médical de l'époque,

que l'analyse citée évoque en ces termes : « Les femmes semblent promptes, grâce aux courtes oscillations de leurs fibres cérébrales, à enregistrer fidèlement les mouvements les plus subtils de la sensibilité que recueille précieusement le feuillet » (p. 19).

Mais prendre la plume, c'est aussi faire entendre la voix du sexe tout entier, c'est déjà un acte d'indépendance, dans une société que les épistolières de roman dénoncent volontiers comme aliénante pour la femme (en particulier par les carences et l'arbitraire de l'éducation, ou de ce qui en tient lieu). C'est toute une critique en règle de la condition féminine (du moins dans certaines couches sociales) et un réquisitoire, parfois, contre une société d'hommes déniant à la femme la libre maîtrise de ses passions. Enjeu psychologique et enjeu sociologique se superposent : car l'héroïne romanesque, toujours (par définition) abandonnée ou délaissée, victime de l'inconstance et de la duplicité des hommes, trouve, dans la solitude de son cabinet et le repliement sur soi, une belle matière à l'analyse sentimentale et à l'effusion élégiaque comme à la méditation sur l'infortune du cœur féminin. « Consacré aux femmes, écrit le plus souvent par les femmes, le roman par lettres est fait pour les femmes » (L. Versini, *Laclos et la tradition,* p. 260).

L'échange épistolaire : un texte-objet

Mais avant même d'être un énoncé, la lettre est un objet qui va traverser l'espace. Humble évidence, trop oubliée par la tradition universitaire, en général quelque peu dédaigneuse des conditions matérielles de toute énonciation.

Feuillet de papier détachable, sa rédaction, sa transmission, sa réception, sa conservation, sa reproduction ou sa disparition, ses manipulations sont déjà autant d'actes, sources de tension dramatique, de surprise, d'effets de toute sorte. Et n'est-ce pas une coïncidence extraordinaire que telle lettre des *Liaisons dangereuses* ou de *La Nouvelle Héloïse*, pure fiction, puisse, au hasard de la mise en page d'une édition actuelle, se confondre avec la feuille même du livre que nous tenons ?... L'imagination pourrait aisément se persuader que le lecteur tient la missive même (mais sans les frémissements d'une écriture manuscrite).

Départ, interception du courrier, autant d'événements que Laclos s'est gardé de négliger (lettre 34), exploitant toutes les données matérielles de la communication épistolaire. Paroles-actes qui viennent se prendre sur le papier, qui dépose désormais contre leurs imprudents auteurs. De tous les écrivains ayant choisi cette forme, c'est sans doute Laclos qui l'a considérée, d'abord, au sens le plus concret du terme. Déjà, dans *Les Lettres portugaises* (1669), Guilleragues laisse la religieuse Mariane considérer en fin de lettre, leitmotiv magnifique, toute la matérielle réalité de la missive, substitut mobile de son propre corps : « Adieu, je ne puis quitter ce papier, il tombera entre vos mains, je voudrais bien avoir le même bonheur » (lettre 1). Elle-même défaille quand s'achève la lettre : « Votre pauvre Mariane n'en peut plus, elle s'évanouit en finissant cette lettre » (lettre 2). C'est aussi la contrainte du messager qui attend et va arracher le papier : « Il y a longtemps qu'un officier attend votre lettre

[...] il faut la finir. Hélas ! il n'est pas en mon pouvoir de m'y résoudre, il me semble que je vous parle quand je vous écris... » ; et plus loin, l'officier se faisant plus pressant encore : « Vous ne m'écrivez point, je n'ai pu m'empêcher de vous dire encore cela ; je vais recommencer et l'officier partira ; qu'importe qu'il parte ? J'écris plus pour moi que pour vous » (lettre 4).

Mais au Pérou, dans le roman de Mme de Graffigny, ce seront les « quipos », à défaut d'écriture, qui serviront de truchement à Zélia et Aza : ces « petits cordons de différentes couleurs », noués avec passion par l'héroïne, deviennent un « objet » romanesque original, avant la découverte auprès des Conquérants des « petites figures qu'on appelle *lettres* sur une matière blanche et mince que l'on nomme *papier* » (lettre 16).

L'échange épistolaire : un jeu mondain

Les Liaisons dangereuses sont données comme la collection de lettres confiées par un personnage, Danceny, qui les tient de Valmont, à Mme de Rosemonde, qui s'est trouvée dépositaire des autres correspondances, papiers tombés finalement entre nos mains, de lecteurs.

Devant le chef-d'œuvre du genre, nous voilà admiratifs comme les « honnêtes gens » de l'époque : le goût de la « conversation », au sens classique de commerce mondain, amène à éditer des modèles épistolaires, appelés *Secrétaires*, dont on est très friand. Le roman épistolaire s'est développé à partir de cette tradition non romanesque ; depuis le XVIe siècle se diffusent des leçons de civilité et de style dans des recueils de lettres, des *Épîtres vénériennes*, des *Jardins amoureux* : un grand humaniste et homme d'État, Étienne Pasquier, ne dédaigne pas de produire des *Lettres amoureuses* (1555), présentées, avant Laclos, comme authentiques, dans un même préambule ambigu, assorties des mêmes coquetteries (faut-il les publier ?) et tendues par une conception pessimiste de la passion qui se nourrit de l'écriture même, pour ses délices et son malheur. On retiendra de la « préhistoire » du roman épistolaire qu'il est l'aboutissement de textes qui ne sont pas des récits, épîtres en vers de l'Antiquité, appelées *Héroïdes* (Ovide), genre à succès dans toute l'Europe jusqu'au XVIIIe siècle, avec les innombrables imitations où se joue la « rhétorique mensongère des séducteurs » ; ces lettres ont pu se conjuguer avec des parties narratives ; que l'on songe au célèbre succès de *L'Astrée*, d'Honoré d'Urfé, paru au début du XVIIe siècle, où 129 lettres jouent toutes sortes de rôles, et fournissent matière à des actes (dissimulations, découvertes, interceptions).

Le XVIIIe siècle a découvert Mme de Sévigné et constitué, à son tour, des florilèges des meilleurs épistoliers pour toutes les circonstances de la vie mondaine. Laclos n'invente rien quand il fait dicter à tel personnage une lettre par un scripteur plus adroit : la pratique était courante de séduire par la plume plus persuasive d'un autre... Et la première lettre de son roman est significative, qui inaugure la nouvelle vie de Cécile Volanges, sortie du couvent, par la possession d'un secrétaire. Son *être romanesque* se trouve excellemment défini. Inversement, les deux protagonistes sont, au dénouement, privés du droit d'écrire, et Mme de Merteuil, de surcroît, voit sa correspondance lui échapper par la publication.

Maîtrise de cet art essentiel de la communication, qui assure la maîtrise sur les autres, et chez Mme de Tourvel, Mme de Rosemonde aussi une élégance, expression de « l'honnêteté », sensible chez bien des mondains réunis par Lanson dans son *Choix de lettres du* XVIIIe *siècle* (Hachette), peut-être la meilleure introduction à la fiction...

La référence à des textes « para-littéraires » à propos du roman épistolaire fait naître deux questions : à quelles conditions, d'abord, un ensemble de lettres peut-il être qualifié de roman ? Il y faut l'invention d'une intrigue et d'une progression narrative, mais aussi et surtout que la lettre soit justement un mode de l'action, créant la trame, ou du moins, insérée dans le tissu même de la fiction ; il y faut aussi l'intention délibérée de réaliser une œuvre d'art. D'où une deuxième remarque, formulée par l'éditeur de Mme de Sévigné, Roger Duchêne : « Pour devenir œuvre littéraire, la lettre doit supporter victorieusement ce changement d'échelle, cette métamorphose monstrueuse qui transforme un message confidentiel en communication publique » (*Écrire au temps de Madame de Sévigné : lettres et texte littéraire*, Vrin, 1981).

Du formalisme des recueils de modèles, à l'époque, on retiendra l'extrême importance sociale de la lettre, prolongement de la conversation, qui exige une incessante attention au choix des mots, des tours, des registres. Et comment faire parler chacun des personnages avec sa voix propre ? « Le langage seul peut leur donner un âge, une situation sociale, une personnalité, et souligner leurs particularités psychologiques » (J.-L. Seylaz, *« Les Liaisons dangereuses » et la création romanesque chez Laclos,* p. 58). Laclos était conscient de la difficulté de concilier le « bien-dire » de l'époque et l'accent qui devait individualiser chacun. Ni monotonie, ni disparate : Rousseau avait posé le problème.

L'échange épistolaire : un jeu textuel

Art de persuader devenu « art de pervertir » pour des libertins « dont l'érotisme de tête trouve une satisfaction plus grande à raconter leurs plaisirs qu'à les éprouver » (L. Versini, *Laclos et la tradition*, p. 309), la pratique épistolaire cultive les vertus de la suggestion, du demi-mot, du persiflage, de la fausse confidence... Ces jeux linguistiques se doublent, avec l'agencement des lettres, d'une admirable combinatoire ; l'ingéniosité manifestée sur ces deux plans est un régal pour le lecteur. C'est un réseau d'échanges complexe, où la disposition même des messages est source d'effets. L'entrecroisement des correspondances a fait l'objet, depuis celle de J.-L. Seylaz, d'études précises, qui ont montré comment Laclos a porté à son achèvement, aux deux sens du terme, la forme épistolaire, expression privilégiée du XVIIIe siècle.

Jean Rousset a pu juger l'auteur comme « un Valmont de la composition, un tacticien virtuose » : « Il a entre les mains un jeu de lettres auquel il s'agit de donner un certain ordre [...] ; il a à choisir l'une ou l'autre des ordonnances possibles de son jeu de lettres. » Le lecteur est devant une collection d'images données par les divers épistoliers, devant un puzzle ; à lui de recomposer les points de vue partiels, de relier entre elles les données dispersées, en accommodant sans cesse son regard, selon la perspicacité présumée plus ou moins grande du destinataire, la clair-voyance et l'habileté relatives du scripteur. Le lecteur est convié à une fête de l'intelligence, impliqué dans l'échange mondain, qui requiert une vigilance continue de ses participants, et accommodé à maîtriser, à sa façon, la communication épistolaire...

Laclos a totalisé la tradition romanesque qu'il a accueillie. Jean Rousset distingue « la suite à une voix », « pur soliloque sans réponse », dont le chef-d'œuvre est *Les Lettres portugaises*, jamais oubliées tout à fait ; le duo dont une voix seulement se fait entendre, avec Crébillon, *Lettres de la marquise de*** au comte de R**** : « La lettre est moyen de simuler ou de dissimuler tout autant que se dire spontanément », et la guerre des sexes à demi-mots passera de cette monophonie dans la polyphonie de Laclos ; avec *La Nouvelle Héloïse*, Rousseau orchestre les voix des scripteurs multiples et variés, procède à de continuelles rotations des points de vue, autant d'éclairages sur le même événement (le retour de Saint-Preux à Clarens, la mort de Julie). Une lecture moins fragmentaire des *Lettres persanes* révélerait avec Montesquieu une expérimentation habile de la forme épistolaire, mettant en face d'un expéditeur des correspondants dont les différences commandent la teneur et le ton de ses propres lettres, ou des correspondants distincts en face d'un destina-taire unique, à qui ils écrivent le même jour. Les délais forcément très longs d'acheminement introduisent des décalages à valeur dramatique entre l'information reçue et la réponse que les personnages lui apportent : dans un espace plus resserré, les créatures de Laclos connaîtront ce genre de péripétie.

La rotation des points de vue : un puzzle magistral

Kaléidoscope de points de vue partiels, foyers d'observation dispersés, que le lecteur doit seul articuler, relativisme de la vision matérialisé par le groupement, les interruptions, les interférences des envois, comment la forme épistolaire ne parlerait-elle pas aux lecteurs du XXe siècle ?

Texte-objet mobile, la lettre se prête à tout un travail de marqueterie qui déplace, décale, détourne les pièces ; figures qui s'entrelacent ou se juxtaposent, en se répondant — ironiquement — à distance. Ballet mon-dain, jeu de miroirs, mais écheveau aussi bien... L'étude des manuscrits a montré comment Laclos défaisait un ordre (les lettres 15 à 24 étaient d'abord dans la succession 15, 21, 22, 23, 20, 16, 17, 18, 19, 24).

Roman de la « stéréoscopie des images superposées », a-t-on dit (J.-Y. Tadié) d'*A la recherche du temps perdu*, où la limitation du champ visuel est systématiquement exploitée, dans toutes ses conséquences, et qui a frayé des voies aux recherches ultérieures des romanciers. Y a-t-il ici un regard plus sûr, plus complet que les autres ? Les regards offerts au lecteur, dans leur pluralité, peuvent-ils prétendre à la vérité ? Con-naissance morcelée, caractère indécidable du regard porté par l'auteur Laclos sur ses créatures, regard qui se dérobe, ironiquement sans doute, mais jusqu'à quel point ?...

Le lecteur doit prendre en charge le « procès-verbal », l'instruction incertaine de l'affaire Tourvel-Valmont-Merteuil, à travers un jeu complexe de pièces. « La réalité de Mme de Tourvel se compose de ce qu'elle dit à ses correspondants, de la façon dont elle le dit et aussi de ce qu'elle ne dit pas et que nous apprenons par ailleurs, de ce qu'elle fait et de ce que les autres disent d'elle » (J.-L. Seylaz, p. 73). Au lecteur, pièces en main, de confronter des « points de vue » divergents, ces images réfléchies dans des miroirs tendus en différentes positions, et de différentes formes. Dira-t-on, pour autant, que ces jeux « tendent à faire disparaître la notion même de réalité dans le tourniquet des apparences » (M. Delon, *Les Liaisons dangereuses*, P.U.F., coll. Études Littéraires, p. 50) ?

Une structure de base : la séparation

« Le discontinu est le statut fondamental de toute communication : il n'y a jamais de signes que discrets » (R. Barthes, « Littérature et discontinu », in *Essais critiques*, Paris, Seuil, coll. Points, p. 185). On a pu remarquer que la structure profonde du genre était la séparation : l'absence provoque l'écriture, et la figure ressuscitée de l'absent(e) modèle le discours autant qu'elle est informée par lui ; le roman de Laclos joue de toutes les raisons et de tous les aspects de l'absence, subie ou volontaire, stratégique ou circonstancielle ; l'on entendra les révoltes, les impatiences, les élégies et les nuances de l'ironie que la séparation suscite. Jeu de poursuites d'un salon parisien aux couloirs d'un château à la campagne, distances que la lettre accuse et réduit tout ensemble jusqu'à cette annulation prodigieuse de la distance qu'est la lecture des lettres par effraction — la nôtre aussi bien...

Dans la séparation des signes notée par R. Barthes, une esthétique du discontinu, que notre époque privilégie, trouve son fondement, et sans doute est-ce une raison majeure de relire les romans épistolaires du XVIIIe siècle : succession de messages dispersés, discontinuité, attention privilégiée accordée à l'agencement de chaque série de lettres, travail de montage requérant la perspicacité et les manipulations du lecteur, autant de voies d'accès qui peuvent séduire, dans une époque qui a connu les ingénieuses combinaisons de romans comme ceux d'A. Robbe-Grillet ou de Michel Butor *(La Jalousie, La Modification, Mobile)*. Par là, ce texte très ancré dans des formes de communication et de sociabilité datées — avec leurs codes linguistiques, leurs enjeux sociologiques et moraux, métaphysiques surtout (c'est la « lecture » que l'on voudrait donner de façon privilégiée) — se rapproche de nous. Dans ce puzzle magistral (avec des leitmotive, des façons récurrentes d'attaquer une lettre, des conduites qui se répètent par système ou par passion), la dernière partie de ce volume essaiera de tracer des lignes de sens : R. Barthes définissait l'écrivain par « le pouvoir de *surprendre* au détour d'une forme [...] un sens ; et dans cette "surprise", la forme guide, la forme veille, elle instruit, elle sait, elle pense, elle engage ».

L'AVENTURE ÉPISTOLAIRE :
ÉCRIRONT-ELLES ?
— ANALYSE DU ROMAN —

Première partie (1-50)

La première lettre confère à une ingénue entrant dans le monde un attribut mondain, un secrétaire, signe de sa nouvelle vie — avec la remise de la clé — et le roman débute avec l'apparition des instruments mêmes de la correspondance... Dans l'ultime lettre, Mme de Volanges annonce la sortie du monde de sa fille, inaugurant sa nouvelle vie par l'habit de postulante. Du danger des liaisons, et d'abord épistolaires.

La première partie du livre — 50 lettres — s'achève justement par une supplication de Mme de Tourvel, conjurant son séducteur de ne plus lui écrire, et cela... en rédigeant une éloquente missive. Deux proies prises dans le filet des lettres. Mais durant cette première partie, deux projets concurrents, aussi : Mme de Merteuil réussira-t-elle à faire de Valmont l'instrument de sa vengeance sur le comte de Gercourt, qui lui fut infidèle, en pervertissant, avant le mariage, celle qu'on lui destine, la jeune Cécile Volanges ? Mais Valmont a d'autres vues, conquérir la présidente de Tourvel, qui séjourne, en même temps que lui, chez Mme de Rosemonde, à la campagne. Les lettres (6, 21, 23, 25) qu'on n'ose appeler « bulletins de campagne », envoyées par Valmont à sa complice, vont amener entre eux une tension, en suscitant la jalousie et le dépit de la marquise, désobéie. Tandis que de courts billets apparaissent, échanges entre elle et l'ingénue dont elle va faire sa protégée, l'ancienne confidente de Cécile, l'amie de collège Sophie Carnay, va s'effacer peu à peu du jeu épistolaire. C'est aussi qu'un nouveau correspondant est apparu : le chevalier Danceny, qui chante « comme un ange » pour la petite Volanges, à qui il sert de maître de musique, glissant dans les cordes de la harpe des lettres que le secrétaire va recueillir (16), comme Mme de Tourvel garde celles de Valmont, qui en a eu la preuve (44). Dès lors l'emprise de la marquise sur Cécile Volanges s'affermit, elle la « forme » pour son futur mari, Gercourt (20), en attendant une lettre de la présidente à Valmont que celui-ci lui apporterait comme gage de son triomphe (20).

L'épisode fameux de la bienfaisance (21) marque un tournant : d'une part, Mme de Tourvel est conduite à se faire, par écrit, l'avocate de Valmont face à Mme de Volanges qui le déteste ; et d'autre part Valmont, tout en jouant la comédie, se sent gagné par des émotions inconnues de lui, tandis qu'il progresse dans l'estime de la présidente. Les secours distribués aux pauvres lui fournissent le point de départ de fausses confidences, orales et écrites (première lettre à Mme de Tourvel, 24) sur lui-même, et de discours insidieux, destinés à attendrir et affaiblir sa victime. Mais le libertin est lui-même victime de la fidèle et dévote présidente. Ainsi se met en place un échange épistolaire de poursuitefuite (première lettre de celle-ci à Valmont, 26). La juxtaposition des lettres 26 et 27 (Cécile Volanges à la marquise de Merteuil) est éloquente : « Comme vous avez bien senti qu'il me serait plus facile de vous écrire que de vous parler ! », s'écrie l'ingénue. Et en effet, des lettres de Danceny à la jeune fille, et de celles de Valmont à la présidente émanent les échos de l'amour rebuté, ou qui se présente comme tel. Le chevalier fait l'expérience qu'il est pénible de renfermer un sentiment en soi-même (28), et ce sont les premières héroïdes, lettres des tourments de l'absence, où la passion s'avive à se dire. Les uns après les autres les personnages amoureux ont écrit ; les refus subis, la clandestinité les engagent davantage dans leurs discours.

Il est symptomatique de voir se succéder une lettre (33) où la marquise fait le point sur le pouvoir des lettres d'amour, et une lettre (34) où Valmont démonte les mécanismes de la circulation et du départ du courrier, prélude à une nouvelle offensive épistolaire contre Mme de Tourvel (35, 36, 42), qui a l'imprudence de répondre et, par le fait même, se laisse piéger. Sa correspondance avec Mme de Volanges permet d'enregistrer les progrès de Valmont, dans le jeu duquel elle entre parfaitement ; à la lettre 37 répond la lettre 38, où la marquise expose les « progrès » de son « élève » dans la sensualité et la curiosité pour les choses de l'amour, et le dégoût pour son futur mari.

La découverte (44) des lettres de mise en garde de Mme de Volanges contre Valmont va permettre aux deux projets divergents du début de se rejoindre : « Puisque l'âge de cette maudite femme la met à l'abri de mes coups, il faut la frapper dans l'objet de ses affections ». Valmont va revenir auprès de sa complice.

Deuxième partie (51-87)

Pourtant, le début de la deuxième partie maintient cette séparation-défiance du début : « Je suis fâché de partir sans vous voir », lance Valmont (70), le 11 septembre, alors qu'il avait quitté le château de Mme de Rosemonde le 29 août... Sans doute le roman n'est-il possible que si la correspondance se poursuit, et elle requiert l'éloignement. Mais celui-ci a valeur symbolique : le libertin n'est-il pas travaillé par l'amour, n'opère-t-il pas sa « conversion », au sens spatial d'abord ?

L'entrelacement des échanges Valmont-Merteuil et Valmont-Tourvel donnait l'impression d'un dialogue de sourds entre les deux protagonistes. Dans quelle mesure la « prise en charge » désormais de Danceny par Valmont, parallèle au couple Merteuil-Cécile Volanges, change-t-elle les rapports profondément ? Leur complicité s'exerce aux dépens de Mme de Volanges (51, 53, 54, 57)... et du jeune duo ; lettre de joie de Cécile Volanges (55) toute à son amour pour Danceny, billet désespéré de celui-ci à Valmont (60), lettre de celle-là à Sophie Carnay (61) et rupture de la mère avec le chevalier séducteur (62), les manœuvres ont parfaitement réussi, favorisant puis trahissant les ingénus, profitant ensuite du désarroi des trois victimes pour achever leur domination sur elles : de bulletin en bulletin le lecteur aura vu le piège se refermer et d'autant mieux qu'il était dans la confidence. Signe cruel de ce triomphe : les victimes sont même dépossédées de leurs lettres, incluses dans l'échange principal (64,

65). Mais ce n'était qu'une étape : Merteuil rabat le gibier, déjà affaibli, vers Valmont : elle a décidé la mère à envoyer sa fille dans cette campagne où Valmont n'a qu'à revenir (63)...

Deux épisodes marquent pourtant son indépendance : le vaudeville mené en maître chez une ancienne conquête (71) et, surtout, le mot, rapporté par lui, avec complaisance, de Prévan sur la marquise (70) : intrusion d'un provocateur dans leur correspondance, défi qui doit embarrasser la rouée et n'est pas pour déplaire à Valmont, qui étale comme un avertissement le triomphe de Prévan sur les trois amies inséparables (79). Valmont devient le correspondant de Cécile Volanges, nouveau progrès dans sa domination (73, 84), en même temps qu'il sert de truchement entre les deux jeunes gens, pris désormais au jeu de l'échange clandestin, mais transparent pour les deux lecteurs indiscrets ; la « formation » de Cécile Volanges à la dissimulation et à la ruse fait des progrès (84), tandis que la marquise réplique aux prouesses et aux avis de Valmont doublement : par le récit de sa propre formation, en une lettre qui se place au milieu du livre et qui s'achève par un défi à Prévan (81), et par la victoire sur celui-ci (85), victoire sur Valmont aussi, devant lequel elle étale son triomphe en des termes humiliants.

Troisième partie (88-124)

Aussi la marquise disparaît-elle de l'échange, centré sur Valmont, tout à sa double séduction, et passage obligé entre Danceny et Cécile Volanges : il sait exploiter leur éloignement, utilisant la nécessité de la médiation épistolaire pour accuser la distance spatiale, avivant le désir de la vaincre et s'employant à créer désormais une autre distance entre eux en semant le doute et les motifs de s'aigrir.

Aux proclamations orgueilleuses de Mme de Merteuil dans la deuxième partie, il va répliquer par le tableau de ses progrès dans la perversion de l'ingénue et des progrès de madame de Tourvel « dans un sentier qui ne permet plus de retour » (96). Et en effet, si elle le prie de s'éloigner et de ne pas l'exposer à des entretiens trop dangereux, c'est « au nom de l'amitié tendre », qui fait désormais l'aveu de son impuissance (90) et veut se lier par un pacte qui conserverait au séducteur le bénéfice de son renoncement et entretiendrait une image flatteuse de lui. Les lettres de madame de Tourvel seront désormais autant d'illusions et de sophismes pour fonder une relation dont le bonheur de Valmont ou son propre repos seraient la justification. Il ne reste plus au libertin qu'à exploiter cette capitulation en amenant la présidente à une surenchère de délicatesse à son égard, en inversant systématiquement le sens de ses scrupules, pour la tourmenter davantage. La lettre 99 annonce une victoire : la défaillance de Mme de Tourvel, tombant évanouie entre les bras de Valmont au terme d'une conversation destinée à affaiblir les défenses, répond à la chute de Cécile Volanges racontée dans la lettre 96.

Péripétie : la présidente s'est enfuie (100), comme la jeune fille avait repris ses distances dès le lendemain ; et, en un nouveau parallélisme, chacune des deux victimes fait appel à une confidente : Mme de Rose-monde, surtout, va désormais recueillir les aveux et les tourments de

Mme de Tourvel, leur échange épistolaire faisant entendre dans la polyphonie des scélérats et de leurs disciples deux voix pures de mensonge :
que l'on songe à la « fausse confidente » qu'est Mme de Merteuil pour
Cécile Volanges et sa mère ou à la lettre de Valmont à un religieux. Car
dans cette troisième partie, les deux protagonistes donnent des preuves
éblouissantes de leur talent à se conformer à des idées et à des façons de
s'exprimer de l'adversaire pour endormir sa méfiance, se faire bien venir,
et le faire servir à ses desseins (lettre 104, de la marquise à Mme de
Volanges, parallèle à la lettre 102, de Mme de Tourvel à Mme de
Rosemonde, et formant antithèse avec elle, doublée de la lettre à la fille,
105, où le cynisme éclate en une leçon « magistrale »).

Tandis que l'échange devient plus diversifié, il se dérègle aussi : la
correspondance des ingénus, qui n'en sont plus, passe par Valmont, mais
se fait sous sa dictée (118) ; d'autre part, la lettre 105 si compromettante
pour « l'éducatrice » doit être remise à Valmont, une fois lue. Et celui-ci
charge son chasseur Azolan d'intercepter, à son tour, la nouvelle correspondance entre Mmes de Rosemonde et de Tourvel (110 et 115).

Malgré la maîtrise de Valmont sur sa « pupille », dont l'éducation
sexuelle comporte pédagogie active et récits exemplaires (110), la marquise domine, qui n'hésite pas à lui lancer, comme à un élève, justement,
après le départ inopiné de Mme de Tourvel : « Dès que les circonstances
ne se prêtent plus à vos formules d'usage [...], vous restez court comme
un écolier » (106). Ou encore lui fait-elle honte des bruits qui courent à
Paris sur son compte (on le dit « retenu au village par un amour romanesque et malheureux », 113), et lui enjoint-elle de revenir : on avait déjà
entendu le « Revenez donc, Vicomte » à la lettre 2, et ce rappel, dans
tous les sens du terme, en dit long sur leur divergence réelle et obstinée.
La lettre 113, où elle lui donne une nouvelle leçon de psychologie
féminine — la typologie des femmes de plus de cinquante ans —, s'achève
par une révélation : le nouvel amant est... Danceny, et elle prie le vicomte
de favoriser leur rapprochement... Réponse persifleuse de Valmont, qui
annonce qu'il a donné au futur époux de la jeune Volanges une postérité
(115). Pour pouvoir rencontrer Mme de Tourvel à Paris, il feint une
conversion, dans une lettre à un religieux où il dit son désir de rendre
la correspondance qu'il a eue avec elle (120). La campagne d'hypocrisie
est engagée aussi auprès de sa tante, Mme de Rosemonde, dont les lettres
tiennent la présidente informée de la pieuse conduite et des états d'âme
attendrissants du vicomte : ainsi Valmont écrit-il, indirectement, à Mme
de Tourvel (112, 119, 122) !...

Quatrième partie (125-175)

« Il était six heures du soir quand j'arrivai chez la belle recluse » : la
lettre 125 ouvre la dernière partie, bulletin de triomphe, longtemps
retardé par la fuite de Mme de Tourvel, surtout, et qui doit être enfin
la décisive réplique aux faits glorieux de la marquise. Tout le travail de
sape, exécuté par le vicomte depuis la lettre 6, et magistralement conduit
en se dotant de nouveaux moyens depuis la fuite de Paris (lettres intercep-
tées, lettres hypocrites, lettres « indirectes »), aboutit à ruiner les défenses
de Mme de Tourvel.

Mais la dernière partie est aussi le triomphe de l'ironie, sous plusieurs formes : ainsi, par les contingences du courrier, la lettre 126 de Mme de Rosemonde, encourageant sa correspondante à ne plus regarder en arrière vers une passion dont elle ne lui parle plus qu'au passé, est-elle placée immédiatement après, et arrivera bien trop tard à sa destinataire... Pathétique et régulier échange désormais entre la femme comblée et la sûre conseillère (128, 130, 132), jusqu'au moment où l'ironie de Valmont frappe : c'est encore la courtisane Émilie (cf. 47 et 48), mais le contexte a bien changé : Mme de Tourvel a été témoin (135, 138). Le geste de Valmont est-il l'expression de son incertitude ou de sa mauvaise conscience de libertin, et donc de l'ironie du romancier envers le conquérant assuré de ne pas céder aux délices du sentiment ?... Il s'en défend mal auprès de cette lectrice perspicace qu'est la marquise, qui prend beaucoup d'humeur et de la victoire et de ce qui lui apparaît à l'évidence comme de l'amour (127, 133, 134, 138, 141).

L'ironie du romancier pointe aussi, désormais, à l'égard de celle-ci (131) : curieuse lettre où la place consentie à l'amour est tour à tour cyniquement accordée et nostalgiquement évoquée (« Dans le temps où nous nous aimions, car je crois que c'était de l'amour, j'étais heureuse »). A Valmont qui exigeait sa récompense — une soirée avec Mme de Merteuil — elle répond en exigeant une clause nouvelle : recevoir les lettres de la présidente. Lui aussi — mais faut-il le croire ? — se dit gagné par la nostalgie : « Notre prétendue rupture ne fut qu'une erreur de notre imagination » (133), et si désireux des retrouvailles... Le lecteur doublement surpris demeure incertain : la fin du roman sera-t-elle une réconciliation des deux complices contents l'un de l'autre et conscients d'être sans égaux ? Le retour vers le passé obéit-il chez eux aux mêmes mobiles (jalousie de la marquise ? reprise en main de Valmont par lui-même ?) ? Ou n'est-il qu'une feinte, un ultime effort de l'habileté pour masquer une définitive distance entretenue par la correspondance accumulée ?

On est sans doute plus convaincu de l'état réel des sentiments de Valmont par le compte rendu de sa visite d'excuse à Mme de Tourvel (lettre de celle-ci à Mme de Rosemonde, 139) que par les propos qui voudraient rassurer sa complice (138). La relation du malaise de Cécile Volanges enceinte de Valmont ne suffit pas à faire diversion (104, 141) ; celui-ci se déconsidère aux yeux de la marquise, qui lui propose une ultime « épreuve » pour lui permettre de se racheter : c'est le fameux modèle de lettre de rupture qu'elle lui dicte — renversement de position significatif pour le maître des lettres dictées, et aboutissement de la relation de maître à disciple qu'il avait dû subir (141)... Le dérèglement du jeu épistolaire connaît ainsi un progrès décisif.

Valmont peut donc reparaître, après l'envoi de la lettre de rupture, « brillant d'un nouvel éclat » (144) : peut-être le conflit entre la tête et le cœur n'est-il pas apaisé du tout, la gloire de ne s'être pas déjugé aux yeux de la marquise et des rivaux en scélératesse semble avoir pour lui quelque goût d'amertume. Une nouvelle fois son implacable correspondante ne s'y trompe pas (145), et elle convient avec Danceny d'un rendez-vous pour le lendemain... Dérèglement de l'échange : c'est Mme de Volanges qui désormais donnera des informations sur Mme de Tourvel, qui disparaît comme épistolière, réfugiée dans un couvent, « partagée entre des accès de transports effrayants et des moments d'un abattement léthargique » (147, 149). Effet puissant d'antithèse avec les lettres enflammées de Danceny à la marquise (148, 150) ; Valmont les surprend en tête à tête (151), et la correspondance des deux complices va prendre désormais un autre ton, tandis que l'échange même achève de se dérégler puisque pour toute réponse à la lettre 152 la marquise se contente d'écrire au bas de la missive reçue de Valmont : « Hé bien ! la guerre. » Celui-ci somme Danceny de choisir et favorise son retour vers Cécile Volanges (155-157), tout en cinglant la marquise (à propos de Danceny : « Les amants si jeunes ont leur danger », 158). En contraste, et comme une basse continue, les bulletins de santé donnés par Mme de Volanges : celle-ci ne s'efface que pour laisser la parole à Mme de Tourvel, dont nous entendons le chant du cygne (161). Dès lors tout se précipite : la marquise a instruit Danceny des procédés de Valmont auprès de Cécile Volanges ; Valmont succombe dans un duel avec lui ; l'annonce de sa mort, enfin, est la dernière épreuve pour Mme de Tourvel (165).

L'épilogue est le temps des révélations dans le monde : Valmont a pris soin de livrer à Danceny qui l'a diffusée la correspondance la plus scandaleuse de la marquise, prise au piège de l'écriture, et c'est Mme de Rosemonde qu'il en fait dépositaire (169). Le lecteur apprend l'entrée au couvent de Cécile Volanges et l'éclat dont Mme de Merteuil a été la victime, en présence de Prévan, à la Comédie-Italienne : après les huées, c'est la petite vérole ; ayant perdu un œil et son procès, elle s'enfuit, croit-on, vers la Hollande (175).

Illustration p. 20 : « J'ai dirigé sa promenade de manière qu'il s'est trouvé un fossé à franchir... »
(Gravure de L.-M. Halbou, d'après J.-F. Le Barbier, 1794. Bibliothèque Nationale, Paris. Ph. © Arch. Photeb.)

LES LIAISONS DANGEREUSES

AVERTISSEMENT DE L'ÉDITEUR

Nous croyons devoir prévenir le public, que, malgré le titre de cet ouvrage et ce qu'en dit le rédacteur dans sa préface, nous ne garantissons pas l'authenticité de ce recueil et que nous avons même de fortes raisons de penser que ce n'est qu'un roman.

5 Il nous semble de plus que l'auteur, qui paraît pourtant avoir cherché la vraisemblance, l'a détruite lui-même et bien maladroitement par l'époque où il a placé les événements qu'il publie. En effet, plusieurs des personnages qu'il met en scène ont de si mauvaises mœurs, qu'il est impossible de supposer qu'ils aient
10 vécu dans notre siècle ; dans ce siècle de philosophie, où les lumières, répandues de toutes parts, ont rendu, comme chacun sait, tous les hommes si honnêtes et toutes femmes si modestes et si réservées.

Notre avis est donc que si les aventures rapportées dans cet
15 ouvrage ont un fond de vérité, elles n'ont pu arriver que dans d'autres lieux ou dans d'autres temps ; et nous blâmons beaucoup l'auteur, qui, séduit apparemment par l'espoir d'intéresser davantage en se rapprochant plus de son siècle et de son pays, a osé faire paraître sous notre costume et avec nos usages, des mœurs
20 qui nous sont si étrangères.

Pour préserver au moins, autant qu'il est en nous, le lecteur trop crédule de toute surprise à ce sujet, nous appuierons notre opinion d'un raisonnement que nous lui proposons avec confiance, parce qu'il nous paraît victorieux et sans réplique ; c'est
25 que sans doute les mêmes causes ne manqueraient pas de produire les mêmes effets, et que cependant nous ne voyons point aujourd'hui de demoiselle, avec soixante mille livres de rente, se faire religieuse, ni de présidente, jeune et jolie, mourir de chagrin.

Avertissement de l'éditeur

1. Quels sont les indices d'ironie dans ce texte seuil ? L'allusion par antiphrase au « siècle de philosophie », aux « Lumières » (§ 2) peut-elle orienter notre lecture du roman ? L'œuvre se donne-t-elle une portée morale (cf. l'épigraphe de Rousseau) ? Mais en même temps ne la récuse-t-elle pas par l'auto-ironie des dernières lignes accusant le caractère romanesque et la moralité facile du dénouement ? Quelles catégories de lecteurs ce texte se chargerait-il d'« avertir » ?
2. Pour la revendication d'authenticité de la correspondance (cf. le sous-titre), voir p. 7. On notera ici comment l'ironie envers les conventions (la fiction de l'authentique) tourne elle-même à la convention.

PRÉFACE DU RÉDACTEUR

Cet ouvrage, ou plutôt ce recueil, que le public trouvera peut-être encore trop volumineux, ne contient pourtant que le plus petit nombre des lettres qui composaient la totalité de la correspondance dont il est extrait. Chargé de la mettre en ordre par
5　les personnes à qui elle était parvenue, et que je savais dans l'intention de la publier, je n'ai demandé, pour prix de mes soins, que la permission d'élaguer tout ce qui me paraîtrait inutile ; et j'ai tâché de ne conserver en effet que les lettres qui m'ont paru nécessaires, soit à l'intelligence des événements, soit au dévelop-
10　pement des caractères. Si l'on ajoute à ce léger travail, celui de replacer par ordre les lettres que j'ai laissé subsister, ordre pour lequel j'ai même presque toujours suivi celui des dates, et enfin quelques notes courtes et rares, et qui, pour la plupart, n'ont d'autre objet que d'indiquer la source de quelques citations, ou
15　de motiver quelques-uns des retranchements que je me suis permis, on saura toute la part que j'ai eue à cet ouvrage. Ma mission ne s'étendait pas plus loin*.

J'avais proposé des changements plus considérables, et presque tous relatifs à la pureté de diction ou de style, contre laquelle on
20　trouvera beaucoup de fautes. J'aurais désiré aussi être autorisé à couper quelques lettres trop longues, et dont plusieurs traitent séparément, et presque sans transition, d'objets tout à fait étrangers l'un à l'autre. Ce travail, qui n'a pas été accepté, n'aurait pas suffi sans doute pour donner du mérite à l'ouvrage, mais en
25　aurait au moins ôté une partie des défauts.

---

　* Je dois prévenir aussi que j'ai supprimé ou changé tous les noms des personnes dont il est question dans ces lettres et que si, dans le nombre de ceux que je leur ai substitués, il s'en trouvait qui appartinssent à quelqu'un, ce serait seulement une erreur de ma part, et dont il ne faudrait tirer aucune conséquence.

On m'a objecté que c'étaient les lettres mêmes qu'on voulait faire connaître, et non pas seulement un ouvrage fait d'après ces lettres ; qu'il serait autant contre la vraisemblance que contre la vérité, que de huit à dix personnes qui ont concouru à cette
30 correspondance, toutes eussent écrit avec une égale pureté. Et sur ce que j'ai représenté que, loin de là, il n'y en avait au contraire aucune qui n'eût fait des fautes graves, et qu'on ne manquerait pas de critiquer, on m'a répondu que tout lecteur raisonnable s'attendait sûrement à trouver des fautes dans un
35 recueil de lettres de quelques particuliers, puisque dans tous ceux publiés jusqu'ici de différents auteurs estimés, et même de quelques Académiciens, on n'en trouvait aucun totalement à l'abri de ce reproche. Ces raisons ne m'ont pas persuadé, et je les ai trouvées, comme je les trouve encore, plus faciles à donner qu'à
40 recevoir ; mais je n'étais pas le maître, et je me suis soumis. Seulement je me suis réservé de protester contre, et de déclarer que ce n'était pas mon avis ; ce que je fais en ce moment.

Quant au mérite que cet ouvrage peut avoir, peut-être ne m'appartient-il pas de m'en expliquer, mon opinion ne devant
45 ni ne pouvant influer sur celle de personne. Cependant ceux qui, avant de commencer une lecture, sont bien aises de savoir à peu près sur quoi compter, ceux-là, dis-je, peuvent continuer : les autres feront mieux de passer tout de suite à l'ouvrage même ; ils en savent assez.
50 Ce que je puis dire d'abord, c'est que si mon avis a été, comme j'en conviens, de faire paraître ces lettres, je suis pourtant bien loin d'en espérer le succès : et qu'on ne prenne pas cette sincérité de ma part pour la modestie jouée d'un auteur ; car je déclare avec la même franchise que, si ce recueil ne m'avait pas paru
55 digne d'être offert au public, je ne m'en serais pas occupé. Tâchons de concilier cette apparente contradiction.

Le mérite d'un ouvrage se compose de son utilité ou de son agrément, et même de tous deux, quand il en est susceptible : mais le succès, qui ne prouve pas toujours le mérite, tient souvent
60 davantage au choix du sujet qu'à son exécution, à l'ensemble des objets qu'il présente, qu'à la manière dont ils sont traités. Or ce recueil contenant, comme son titre l'annonce, les lettres de toute une société, il y règne une diversité d'intérêt qui affaiblit celui du lecteur. De plus, presque tous les sentiments qu'on y exprime,
65 étant feints ou dissimulés, ne peuvent même exciter qu'un intérêt de curiosité toujours bien au-dessous de celui de sentiment, qui, surtout, porte moins à l'indulgence, et laisse d'autant plus aper-

cevoir les fautes qui s'y trouvent dans les détails, que ceux-ci
70 s'opposent sans cesse au seul désir qu'on veuille satisfaire.

Ces défauts sont peut-être rachetés, en partie, par une qualité
qui tient de même à la nature de l'ouvrage : c'est la variété des
styles ; mérite qu'un auteur atteint difficilement, mais qui se
présentait ici de lui-même, et qui sauve au moins l'ennui de
75 l'uniformité. Plusieurs personnes pourront compter encore pour
quelque chose un assez grand nombre d'observations, ou nouvelles, ou peu connues, et qui se trouvent éparses dans ces lettres.
C'est aussi là, je crois, tout ce qu'on y peut espérer d'agréments,
en les jugeant même avec la plus grande faveur.

80 L'utilité de l'ouvrage, qui peut-être sera encore plus contestée,
me paraît pourtant plus facile à établir. Il me semble au moins
que c'est rendre un service aux mœurs, que de dévoiler les
moyens qu'emploient ceux qui en ont de mauvaises pour corrom-
pre ceux qui en ont de bonnes, et je crois que ces lettres pourront
85 concourir efficacement à ce but. On y trouvera aussi la preuve
et l'exemple de deux vérités importantes qu'on pourrait croire
méconnues, en voyant combien peu elles sont pratiquées : l'une,
que toute femme qui consent à recevoir dans sa société un homme
sans mœurs, finit par en devenir la victime ; l'autre, que toute
90 mère est au moins imprudente, qui souffre qu'un autre qu'elle
ait la confiance de sa fille. Les jeunes gens de l'un et de l'autre
sexe, pourraient encore y apprendre que l'amitié que les personnes de mauvaises mœurs paraissent leur accorder si facilement,
n'est jamais qu'un piège dangereux, et aussi fatal à leur bonheur
95 qu'à leur vertu. Cependant l'abus, toujours si près du bien, me
paraît ici trop à craindre ; et, loin de conseiller cette lecture à la
jeunesse, il me paraît très important d'éloigner d'elle toutes celles
de ce genre. L'époque, où celle-ci peut cesser d'être dangereuse
et devenir utile, me paraît avoir été très bien saisie, pour son
100 sexe, par une bonne mère qui non seulement a de l'esprit, mais
qui a du bon esprit. « Je croirais », me disait-elle, après avoir lu
le manuscrit de cette correspondance, « rendre un vrai service à
ma fille, en lui donnant ce livre le jour de son mariage ». Si
toutes les mères de famille en pensent ainsi, je me féliciterai
105 éternellement de l'avoir publié.

Mais, en partant encore de cette supposition favorable, il me
semble toujours que ce recueil doit plaire à peu de monde. Les
hommes et les femmes dépravés auront intérêt à décrier un
ouvrage qui peut leur nuire ; et comme ils ne manquent pas
110 d'adresse, peut-être auront-ils celle de mettre dans leur parti les

rigoristes, alarmés par le tableau des mauvaises mœurs qu'on n'a
pas craint de présenter.

Les prétendus esprits forts ne s'intéresseront point à une femme
dévote, que par cela même ils regarderont comme une fem-
115 melette, tandis que les dévots se fâcheront de voir succomber la
vertu, et se plaindront que la Religion se montre avec trop peu
de puissance.

D'un autre côté, les personnes d'un goût délicat seront dégoû-
tées par le style trop simple et trop fautif de plusieurs de ces
120 lettres, tandis que le commun des lecteurs, séduit par l'idée que
tout ce qui est imprimé est le fruit d'un travail, croira voir dans
quelques autres la manière peinée d'un auteur qui se montre
derrière le personnage qu'il fait parler.

Enfin, on dira peut-être assez généralement, que chaque chose
125 ne vaut qu'à sa place ; et que si d'ordinaire le style trop châtié
des auteurs ôte en effet de la grâce aux lettres de société, les
négligences de celles-ci deviennent de véritables fautes, et les
rendent insupportables, quand on les livre à l'impression.

J'avoue avec sincérité que tous ces reproches peuvent être
130 fondés : je crois aussi qu'il me serait possible d'y répondre, et
même sans excéder la longueur d'une préface. Mais on doit sentir
que, pour qu'il fût nécessaire de répondre à tout, il faudrait
que l'ouvrage ne pût répondre à rien ; et que si j'en avais jugé ainsi,
j'aurais supprimé à la fois la préface et le livre.

Préface du Rédacteur

1. Comment s'articulent le discours de la *Préface* et celui de
l'*Avertissement* ? Après la note ironique, quelle peut être la fonction de la
Préface ?
2. Quels sont les arguments destinés à donner l'illusion de l'authentique ?
Précisez les termes du problème littéraire posé dans les § 2-3 et les derniers § (cf. deuxième préface de Rousseau à *La Nouvelle Héloïse*).
3. A quelles catégories de lecteurs le texte s'adresse-t-il ? Leur demande
et leur curiosité sont-elles les mêmes ? La pensée du rédacteur vous paraît-
elle cohérente ? ambiguë ?

● **Laclos émule des libertins ?**

Dès lors que l'on ne pourrait plus se référer à un garant du sens, peut-on
parler d'un sens indécidable ? Votre lecture du roman modifie-t-elle les
réflexions que les deux textes liminaires avaient suscitées ?

● **Laclos « éditeur », « rédacteur »**

Étudiez le jeu de masques successifs au seuil d'un texte qui se prétend
par ailleurs étranger à la littérature.

PREMIÈRE PARTIE

LETTRE PREMIÈRE

CÉCILE VOLANGES À SOPHIE CARNAY
aux Ursulines de...

Tu vois, ma bonne amie, que je tiens parole, et que les bonnets et les pompons ne prennent pas tout mon temps ; il m'en restera toujours pour toi. J'ai pourtant vu plus de parures dans cette seule journée que dans les quatre ans que nous avons passés
5 ensemble ; et je crois que la superbe Tanville* aura plus de chagrin à ma première visite, où je compte bien la demander, qu'elle n'a cru nous en faire toutes les fois qu'elle est venue nous voir *in fiocchi*[1]. Maman m'a consultée sur tout ; elle me traite beaucoup moins en pensionnaire que par le passé. J'ai une femme
10 de chambre à moi ; j'ai une chambre et un cabinet dont je dispose, et je t'écris à un secrétaire très joli, dont on m'a remis la clef, et où je peux renfermer tout ce que je veux. Maman m'a dit que je la verrais tous les jours à son lever ; qu'il suffisait que je fusse coiffée pour dîner, parce que nous serions toujours seules,
15 et qu'alors elle me dirait chaque jour l'heure où je devrais l'aller joindre l'après-midi. Le reste du temps est à ma disposition, et j'ai ma harpe, mon dessin et des livres comme au couvent ; si ce n'est que la mère Perpétue n'est pas là pour me gronder, et qu'il ne tiendrait qu'à moi d'être toujours à rien faire : mais comme
20 je n'ai pas ma Sophie pour causer et pour rire, j'aime autant m'occuper.

Il n'est pas encore cinq heures ; je ne dois aller retrouver Maman qu'à sept : voilà bien du temps, si j'avais quelque chose à te dire ! Mais on ne m'a encore parlé de rien ; et sans les
25 apprêts que je vois faire, et la quantité d'ouvrières qui viennent toutes pour moi, je croirais qu'on ne songe pas à me marier, et que c'est un radotage de plus de la bonne Joséphine**. Cependant

---

* *Pensionnaire du même couvent.*
  ** *Tourière du couvent.*

---

1. « En grande toilette ».

Maman m'a dit si souvent qu'une demoiselle devait rester au couvent jusqu'à ce qu'elle se mariât, que puisqu'elle m'en fait
30 sortir, il faut bien que Joséphine ait raison.

Il vient d'arrêter un carrosse à la porte, et Maman me fait dire de passer chez elle tout de suite. Si c'était le Monsieur ? Je ne suis pas habillée, la main me tremble et le cœur me bat. J'ai demandé à la femme de chambre si elle savait qui était chez ma
35 mère : « Vraiment, m'a-t-elle dit, c'est M. C★★★. » Et elle riait. Oh ! je crois que c'est lui. Je reviendrai sûrement te raconter ce qui se sera passé. Voilà toujours son nom. Il ne faut pas se faire attendre. Adieu, jusqu'à un petit moment.

Comme tu vas te moquer de la pauvre Cécile ! Oh ! j'ai été
40 bien honteuse ! Mais tu y aurais été attrapée comme moi. En entrant chez Maman, j'ai vu un monsieur en noir, debout auprès d'elle. Je l'ai salué du mieux que j'ai pu, et suis restée sans pouvoir bouger de ma place. Tu juges combien je l'examinais ! « Madame », a-t-il dit à ma mère, en me saluant, « voilà une
45 charmante demoiselle, et je sens mieux que jamais le prix de vos bontés ». A ce propos si positif, il m'a pris un tremblement tel, que je ne pouvais me soutenir ; j'ai trouvé un fauteuil, et je m'y suis assise, bien rouge et bien déconcertée. J'y étais à peine, que voilà cet homme à mes genoux. Ta pauvre Cécile alors a perdu
50 la tête ; j'étais, comme a dit Maman, tout effarouchée. Je me suis levée en jetant un cri perçant ;... tiens, comme ce jour du tonnerre. Maman est partie d'un éclat de rire, en me disant :

Lettre 1

1. Quels traits se dégagent de ce portrait indirect de Cécile Volanges par elle-même ? Quelles sont les ressources et les limites de la forme épistolaire dans la présentation des personnages, en l'absence d'un narrateur ?
2. La nouvelle vie de Cécile s'inaugure par l'usage d'un secrétaire dont elle détient la clé ; une fois achevé la lecture du roman, dégagez rétrospectivement les fonctions de ces attributs dans l'intrigue.
3. Quelles indications cette lettre donne-t-elle sur les rapports de la mère et de la fille ?
4. *« J'ai vu un monsieur en noir »* (§ 4) : comment l'auteur fait-il jouer ensemble la relation des faits, les citations des personnages et les commentaires de l'ingénue ? Cette scène de comédie peut être appréciée aussi comme un tableau de genre, dans le goût de l'époque : quels en sont les éléments ?
5. Quelles critiques sous-jacentes de l'éducation dans les couvents (cf. p. 174) cette lettre contient-elle ?

« Eh bien ! qu'avez-vous ? Asseyez-vous et donnez votre pied à
Monsieur. » En effet, ma chère amie, le monsieur était un cor-
55 donnier. Je ne peux te rendre combien j'ai été honteuse : par
bonheur il n'y avait que Maman. Je crois que, quand je serai
mariée, je ne me servirai plus de ce cordonnier-là.

Conviens que nous voilà bien savantes ! Adieu. Il est près de
six heures, et ma femme de chambre dit qu'il faut que je m'ha-
60 bille. Adieu, ma chère Sophie ! je t'aime comme si j'étais encore
au couvent.

P.-S. Je ne sais par qui envoyer ma lettre ; ainsi j'attendrai
que Joséphine vienne.

Paris, ce 3 août 17**.

LETTRE II

LA MARQUISE DE MERTEUIL AU VICOMTE DE VALMONT
au château de...

Revenez, mon cher Vicomte, revenez : que faites-vous, que
pouvez-vous faire chez une vieille tante dont tous les biens vous
sont substitués ? Partez sur-le-champ ! j'ai besoin de vous. Il
m'est venu une excellente idée, et je veux bien vous en confier
5 l'exécution. Ce peu de mots devrait suffire ; et, trop honoré de
mon choix, vous devriez venir, avec empressement, prendre mes
ordres à genoux : mais vous abusez de mes bontés, même depuis
que vous n'en usez plus ; et dans l'alternative d'une haine éternelle ou d'une excessive indulgence, votre bonheur veut que ma
10 bonté l'emporte. Je veux donc bien vous instruire de mes projets :
mais jurez-moi qu'en fidèle chevalier, vous ne courrez aucune
aventure que vous n'ayez mis celle-ci à fin. Elle est digne d'un
héros : vous servirez l'amour et la vengeance ; ce sera enfin une
rouerie de plus à mettre dans vos Mémoires : oui, dans vos
15 Mémoires, car je veux qu'ils soient imprimés un jour, et je me
charge de les écrire. Mais laissons cela, et revenons à ce qui
m'occupe.

Madame de Volanges marie sa fille : c'est encore un secret !
mais elle m'en a fait part hier. Et qui croyez-vous qu'elle ait

---

* *Ces mots* roué *et* rouerie, *dont heureusement la bonne compagnie commence
à se défaire, étaient fort en usage à l'époque où ces lettres ont été écrites.*

20   choisi pour gendre ? le comte de Gercourt. Qui m'aurait dit que
je deviendrais la cousine de Gercourt ? J'en suis dans une
fureur !... Eh bien ! vous ne devinez pas encore ? oh ! l'esprit
lourd ! Lui avez-vous donc pardonné l'aventure de l'Intendante ?
Et moi, n'ai-je pas encore plus à me plaindre de lui, monstre
25   que vous êtes** ? Mais je m'apaise, et l'espoir de me venger
rassérène mon âme.

Vous avez été ennuyé cent fois, ainsi que moi, de l'importance
que met Gercourt à la femme qu'il aura, et de la sotte présomp-
tion qui lui fait croire qu'il évitera le sort inévitable. Vous
30   connaissez ses ridicules préventions pour les éducations cloîtrées,
et son préjugé, plus ridicule encore, en faveur de la retenue des
blondes. En effet, je gagerais que, malgré les soixante mille livres
de rente de la petite Volanges, il n'aurait jamais fait ce mariage,
si elle eût été brune, ou si elle n'eût pas été au couvent. Prouvons-
35   lui donc qu'il n'est qu'un sot : il le sera sans doute un jour ! ce
n'est pas là ce qui m'embarrasse : mais le plaisant serait qu'il
débutât par là. Comme nous nous amuserions le lendemain en
l'entendant se vanter ! car il se vantera ! et puis, si une fois vous
formez cette petite fille, il y aura bien du malheur si le Gercourt
40   ne devient pas, comme un autre, la fable de Paris.

Au reste, l'héroïne de ce nouveau roman mérite tous vos soins :
elle est vraiment jolie ! cela n'a que quinze ans, c'est le bouton
de rose ; gauche, à la vérité, comme on ne l'est point, et nulle-
ment maniérée : mais, vous autres hommes, vous ne craignez pas
45   cela ; de plus, un certain regard langoureux qui promet beaucoup
en vérité : ajoutez-y que je vous la recommande ; vous n'avez
plus qu'à me remercier et m'obéir.

Vous recevrez cette lettre demain matin. J'exige que demain à
sept heures du soir, vous soyez chez moi. Je ne recevrai personne
50   qu'à huit, pas même le régnant chevalier : il n'a pas assez de
tête pour une aussi grande affaire. Vous voyez que l'amour ne
m'aveugle pas. A huit heures je vous rendrai votre liberté, et
vous reviendrez à dix souper avec le bel objet ; car la mère et la
fille souperont chez moi. Adieu, il est midi passé : bientôt je ne
55   m'occuperai plus de vous.

*Paris, ce 4 août 17**.*

** *Pour entendre ce passage, il faut savoir que le comte de Gercourt avait quitté
la marquise de Merteuil pour l'intendante de ***, qui lui avait sacrifié le vicomte
de Valmont, et que c'est alors que la marquise et le vicomte s'attachèrent l'un à
l'autre. Comme cette aventure est fort antérieure aux événements dont il est question
dans ces lettres, on a cru devoir en supprimer toute la correspondance.*

Lettre 2

• **Un brillant exorde (§ 1)**

1. Pourquoi Mme de Merteuil diffère-t-elle d'exposer l'« excellente idée » qui lui est venue et recourt-elle à ce brillant exorde ?

2. Elle met en œuvre un vocabulaire emprunté au registre des rapports du chevalier et sa dame, et au registre de la relation entre la divinité et son zélateur. Que révèle-t-elle par le recours à ces modèles (cf. p. 185) ?

3. « *Une rouerie de plus à mettre dans vos Mémoires* » : quelle est la portée de cette référence aux *Mémoires* dans l'échange épistolaire ? Quel éclairage ce projet donne-t-il au libertinage ? Laclos a rédigé dans le *Journal des Amis de la Constitution*, en 1791, un compte rendu de textes présentés comme les *Mémoires du Maréchal de Richelieu*, « contenant ses amours et intrigues » et a fustigé ce prince des roués, et toute une caste à travers lui (cf. p. 180).

Pourquoi la marquise en serait-elle la rédactrice ? Curieux projet... A partir de l'intrigue qu'elle veut mener et relatée dans les lettres, elle jette les jalons d'un autre récit que nous ne lirons pas...

4. « *Revenez, mon cher Vicomte, revenez* » : étudiez les attaques des lettres de Mme de Merteuil à Valmont (« attaques » aux divers sens du terme).

• **Un nouveau roman, le plan de Mme de Merteuil (§ 2 à 5)**

1. Quels sont les mobiles de ce plan ? Quels sont les arguments visant à décider Valmont ?

2. La mise en œuvre de l'argumentation est brillante : étudiez les tours et les figures qui caractérisent le brio de la marquise.

3. « *Comme nous nous amuserions le lendemain* » : quel sens le jeu a-t-il chez les libertins ?

• **La construction de l'intrigue**

1. Gercourt, ancien amant de la marquise, est précisément l'homme choisi par Mme de Volanges, cousine de la marquise, pour sa fille... Artifice que la note de l'auteur ne cherche même pas à voiler, au contraire. Ou souci de vraisemblance, comme l'affirme L. Versini : « *Les Liaisons dangereuses* sont aussi une affaire de famille : Mme de Volanges, cousine de Mme de Merteuil, a fait le mariage de Mme de Tourvel, Valmont est assez lié à Danceny pour avoir sa confidence ; le château de Mme de Rosemonde pourra ainsi réunir avec vraisemblance la plupart des personnages dans l'univers clos de la tragédie » (éd. Pléiade, p. 1173).

2. « *L'espoir de me venger* » (l. 25) : *Les Liaisons dangereuses,* une chaîne de vengeances (comparer la marquise et Mme de La Pommeraye dans *Jacques le Fataliste* de Diderot) ?

3. L'ensemble de la lettre 2 fournit le premier exemple, par contraste violent avec la lettre 1, de l'admirable *polyphonie épistolaire* de Laclos. Elle offre aussi les premières pièces d'un portrait de Mme de Merteuil.

LETTRE IV

LE VICOMTE DE VALMONT À LA MARQUISE DE MERTEUIL
à Paris.

Vos ordres sont charmants ; votre façon de les donner est plus aimable encore ; vous feriez chérir le despotisme. Ce n'est pas la première fois, comme vous savez, que je regrette de ne plus être votre esclave ; et tout *monstre* que vous dites que je suis, je ne
5 me rappelle jamais sans plaisir le temps où vous m'honoriez de noms plus doux. Souvent même je désire de les mériter de nouveau, et de finir par donner, avec vous, un exemple de constance au monde. Mais de plus grands intérêts nous appellent ; conquérir est notre destin ; il faut le suivre : peut-être au bout
10 de la carrière nous rencontrerons-nous encore ; car, soit dit sans vous fâcher, ma très belle marquise, vous me suivez au moins d'un pas égal ; et depuis que, nous séparant pour le bonheur du monde, nous prêchons la foi chacun de notre côté, il me semble que dans cette mission d'amour, vous avez fait plus de prosélytes
15 que moi. Je connais votre zèle, votre ardente ferveur ; et si ce Dieu-là nous jugeait sur nos œuvres, vous seriez un jour la patronne de quelque grande ville, tandis que votre ami serait au plus un saint de village. Ce langage vous étonne, n'est-il pas vrai ? Mais depuis huit jours, je n'en entends, je n'en parle pas
20 d'autre ; et c'est pour m'y perfectionner, que je me vois forcé de vous désobéir.

Ne vous fâchez pas et écoutez-moi. Dépositaire de tous les secrets de mon cœur, je vais vous confier le plus grand projet que j'aie jamais formé. Que me proposez-vous ? de séduire une
25 jeune fille qui n'a rien vu, ne connaît rien ; qui, pour ainsi dire, me serait livrée sans défense ; qu'un premier hommage ne manquera pas d'enivrer, et que la curiosité mènera peut-être plus vite que l'amour. Vingt autres peuvent y réussir comme moi. Il n'en est pas ainsi de l'entreprise qui m'occupe ; son succès
30 m'assure autant de gloire que de plaisir. L'amour qui prépare ma couronne hésite lui-même entre le myrte et le laurier, ou plutôt il les réunira pour honorer mon triomphe. Vous-même, ma belle amie, vous serez saisie d'un saint respect, et vous direz avec enthousiasme : « Voilà l'homme selon mon cœur. »
35 Vous connaissez la présidente de Tourvel, sa dévotion, son amour conjugal, ses principes austères. Voilà ce que j'attaque ;

voilà l'ennemi digne de moi ; voilà le but où je prétends atteindre ;

> Et si de l'obtenir je n'emporte le prix,
> 40   J'aurai du moins l'honneur de l'avoir entrepris.

On peut citer de mauvais vers, quand ils sont d'un grand
poète*.

Vous saurez donc que le président est en Bourgogne, à la suite
d'un grand procès (j'espère lui en faire perdre un plus important).
45 Son inconsolable moitié doit passer ici tout le temps de cet
affligeant veuvage. Une messe chaque jour, quelques visites aux
pauvres du canton, des prières du matin et du soir, des prome-
nades solitaires, de pieux entretiens avec ma vieille tante, et
quelquefois un triste wisk, devaient être ses seules distractions.
50 Je lui en prépare de plus efficaces. Mon bon ange m'a conduit
ici, pour son bonheur et pour le mien. Insensé ! je regrettais
vingt-quatre heures que je sacrifiais à des égards d'usage. Combien on me punirait, en me forçant de retourner à Paris ! Heureusement il faut être quatre pour jouer au wisk ; et comme il n'y
55 a ici que le curé du lieu, mon éternelle tante m'a beaucoup pressé
de lui sacrifier quelques jours. Vous devinez que j'ai consenti.
Vous n'imaginez pas combien elle me cajole depuis ce moment,
combien surtout elle est édifiée de me voir régulièrement à ses
prières et à sa messe. Elle ne se doute pas de la divinité que j'y
60 adore.

Me voilà donc, depuis quatre jours, livré à une passion forte.
Vous savez si je désire vivement, si je dévore les obstacles : mais
ce que vous ignorez, c'est combien la solitude ajoute à l'ardeur
du désir. Je n'ai plus qu'une idée ; j'y pense le jour, et j'y rêve
65 la nuit. J'ai bien besoin d'avoir cette femme, pour me sauver du
ridicule d'en être amoureux : car où ne mène pas un désir
contrarié ? O délicieuse jouissance ! Je t'implore pour mon bonheur et surtout pour mon repos. Que nous sommes heureux que
les femmes se défendent si mal ! nous ne serions auprès d'elles
70 que de timides esclaves. J'ai dans ce moment un sentiment de
reconnaissance pour les femmes faciles, qui m'amène naturellement à vos pieds. Je m'y prosterne pour obtenir mon pardon, et
j'y finis cette trop longue lettre. Adieu, ma très belle amie : sans
rancune.

*Du château de..., 5 août 17**.*

* La Fontaine.

Lettre 4

- **La rhétorique de Valmont : refus d'obéir et dissimulation du refus**

1. Quel en est le mouvement général, de l'exorde à la conclusion ?
2. Quelles facettes du personnage l'argumentation manifeste-t-elle ?
3. Quels sentiments la marquise inspire-t-elle à Valmont ?

- **Badinage et persiflage (§ 1)**

1. A quoi tend ce préambule avant l'exposé du « plus grand projet » de Valmont ?
2. Quels sont les éléments (syntaxe, vocabulaire, rhétorique) qui animent le badinage ? Quels sont les effets d'écho par rapport à la lettre 2 ?
3. Valmont virtuose du badinage et du persiflage : comment passe-t-il de l'un à l'autre ? (Dans son édition, L. Versini note la définition du persiflage par l'abbé Prévost en 1745 : « Art de railler agréablement un sot pour des raisonnements et des figures qu'il n'entend pas, ou qu'il prend dans un autre sens », et en 1755 : « Sous ce mot on comprend aussi tout badinage d'idées ou d'expressions, qui laisse du doute ou de l'embarras sur leur véritable sens. »)

- **Les métaphores filées (§ 1-2) :** la métaphore guerrière, la métaphore religieuse et apostolique ; le langage parodique de Valmont.

1. Comment se développent-elles ? Quelles résurgences ont-elles dans la suite de la lettre ?
2. En quoi introduisent-elles à une connaissance du personnage, de ses intentions ?
3. Dans quelle mesure révèlent-elles des valeurs cultivées par les libertins ?
4. Quelles résonances cornéliennes (l'écho est ici dégradation) le langage de Valmont fait-il entendre ?

- **« Vous connaissez la présidente de Tourvel » (§ 3-4)**

1. La future conquête : quelles sont les cibles et les composantes du projet de Valmont ?
2. Quels effets tend à produire l'apparat rhétorique des premières lignes du § 3 ?
3. Comment sont dosées les informations, l'ironie, et les sous-entendus dans le récit du stratège Valmont ?

- **« Une passion forte » (dernier §)**

1. Est-il possible de cerner la nature exacte des sentiments de Valmont d'après ses aveux ?
2. Comment jouent ensemble dans ce § lyrisme, badinage, parodie, persiflage, art de la formule ?
3. Commentez cette analyse de L. Versini : « Les libertins s'avouent souvent touchés par une grâce inconnue lorsqu'ils rencontrent une honnête femme ; la vertu et le naturel sont pour ces blasés la forme suprême de la nouveauté. C'est loin de la foule et de la ville que la vertu touche le plus le libertin. De là le lieu commun qui [...] lie étroitement nature, solitude, et vertu » (éd. Pléiade, p. 1179).

LETTRE V

LA MARQUISE DE MERTEUIL AU VICOMTE DE VALMONT

Savez-vous, vicomte, que votre lettre est d'une insolence rare, et qu'il ne tiendrait qu'à moi de m'en fâcher ? mais elle m'a prouvé clairement que vous aviez perdu la tête, et cela seul vous a sauvé de mon indignation. Amie généreuse et sensible, j'oublie
5 mon injure pour ne m'occuper que de votre danger ; et quelque ennuyeux qu'il soit de raisonner, je cède au besoin que vous en avez dans ce moment.

Vous, avoir la présidente de Tourvel ! mais quel ridicule caprice ! Je reconnais bien là votre mauvaise tête qui ne sait
10 désirer que ce qu'elle croit ne pas pouvoir obtenir. Qu'est-ce donc que cette femme ? des traits réguliers si vous voulez, mais nulle expression : passablement faite, mais sans grâces : toujours mise à faire rire ! avec ses paquets de fichus sur la gorge, et son corps qui remonte au menton ! Je vous le dis en amie, il ne vous
15 faudrait pas deux femmes comme celle-là, pour vous faire perdre toute votre considération. Rappelez-vous donc ce jour où elle quêtait à Saint-Roch, et où vous me remerciâtes tant de vous avoir procuré ce spectacle. Je crois la voir encore, donnant la main à ce grand échalas en cheveux longs, prête à tomber à
20 chaque pas, ayant toujours son panier de quatre aunes sur la tête de quelqu'un, et rougissant à chaque révérence. Qui vous eût dit alors : vous désirerez cette femme ? Allons, vicomte, rougissez vous-même, et revenez à vous. Je vous promets le secret.

Et puis, voyez donc les désagréments qui vous attendent ! quel
25 rival avez-vous à combattre ? un mari ! Ne vous sentez-vous pas humilié à ce seul mot ? Quelle honte si vous échouez ! et même combien peu de gloire dans le succès ! Je dis plus : n'en espérez aucun plaisir. En est-il avec les prudes ? j'entends celles de bonne foi : réservées au sein même du plaisir, elles ne vous offrent que
30 des demi-jouissances. Cet entier abandon de soi-même, ce délire de la volupté où le plaisir s'épure par son excès, ces biens de l'amour, ne sont pas connus d'elles. Je vous le prédis ; dans la plus heureuse supposition, votre Présidente croira avoir tout fait pour vous en vous traitant comme son mari, et dans le tête-à-
35 tête conjugal le plus tendre, on reste toujours deux. Ici c'est bien pis encore ; votre prude est dévote, et de cette dévotion de bonne femme qui condamne à une éternelle enfance. Peut-être surmon-

terez-vous cet obstacle, mais ne vous flattez pas de le détruire :
vainqueur de l'amour de Dieu, vous ne le serez pas de la peur
40 du Diable ; et quand, tenant votre maîtresse dans vos bras, vous
sentirez palpiter son cœur, ce sera de crainte et non d'amour.
Peut-être, si vous eussiez connu cette femme plus tôt, en eussiez-
vous pu faire quelque chose ; mais cela a vingt-deux ans, et il y
en a près de deux qu'elle est mariée. Croyez-moi, vicomte, quand
45 une femme s'est *encroûtée* à ce point, il faut l'abandonner à son
sort ; ce ne sera jamais qu'une *espèce*.

C'est pourtant pour ce bel objet que vous refusez de m'obéir,
que vous vous enterrez dans le tombeau de votre tante, et que
vous renoncez à l'aventure la plus délicieuse et la plus faite pour
50 vous faire honneur. Par quelle fatalité faut-il donc que Gercourt
garde toujours quelque avantage sur vous ? Tenez, je vous en
parle sans humeur : mais, dans ce moment, je suis tentée de
croire que vous ne méritez pas votre réputation ; je suis tentée
surtout de vous retirer ma confiance. Je ne m'accoutumerai
55 jamais à dire mes secrets à l'amant de madame de Tourvel.

Sachez pourtant que la petite Volanges a déjà fait tourner une
tête. Le jeune Danceny en raffole. Il a chanté avec elle ; et en
effet elle chante mieux qu'à une pensionnaire n'appartient. Ils
doivent répéter beaucoup de duos, et je crois qu'elle se mettrait
60 volontiers à l'unisson : mais ce Danceny est un enfant qui perdra
son temps à faire l'amour, et ne finira rien. La petite personne
de son côté est assez farouche ; et, à tout événement, cela sera
toujours beaucoup moins plaisant que vous n'auriez pu le rendre :
aussi j'ai de l'humeur, et sûrement je querellerai le chevalier à
65 son arrivée. Je lui conseille d'être doux ; car, dans ce moment,
il ne m'en coûterait rien de rompre avec lui. Je suis sûre que si
j'avais le bon esprit de le quitter à présent, il en serait au
désespoir ; et rien ne m'amuse comme un désespoir amoureux.
Il m'appellerait perfide, et ce mot de perfide m'a toujours fait
70 plaisir ; c'est, après celui de cruelle, le plus doux à l'oreille d'une
femme, et il est moins pénible à mériter. Sérieusement, je vais
m'occuper de cette rupture. Voilà pourtant de quoi vous êtes
cause ! aussi je le mets sur votre conscience. Adieu. Recomman-
dez-moi aux prières de votre présidente.

Paris, ce 7 août 17**.

Lettre 5

• **Mme de Merteuil et la présidente de Tourvel**

« Vous, avoir la présidente de Tourvel ! mais quel ridicule caprice ! »
1. Quels sont les différents arguments avancés par la marquise contre le projet de Valmont ? Que cherche-t-elle à toucher en lui ? Comment sont distribués ces arguments ?
2. *« Avec ses paquets de fichus sur la gorge »* : l'art du portrait physique chez la marquise (§ 2). Quels tons emploie-t-elle en adressant ce portrait à Valmont ?
3. Le portrait moral (§ 3). Quelles distinctions Mme de Merteuil fait-elle successivement ? Selon quels mouvements s'enchaînent-elles ?
4. Par quels moyens rhétoriques impose-t-elle ses définitions, renverse-t-elle les éventuelles objections ?
5. De quelle manière et à quelle place vient la mention de l'âge de la présidente ? Quelle portée peut-elle avoir ?
6. *« Une espèce »* : que signifie le mot à l'époque ? Cf. *Le Neveu de Rameau* : « De toutes les épithètes la plus redoutable, parce qu'elle marque la médiocrité et le dernier degré du mépris. Un grand vaurien est un grand vaurien, mais n'est point une espèce. » Pourquoi le mot, fréquent dans les salons, est-il en italique ? (Pour la propension des deux protagonistes à utiliser l'italique, cf. p. 177.)

• **L'apologie de la volupté**

Antithèse de la prude, la marquise fait au passage l'apologie éloquente du *« délire de la volupté »* (l. 30-31).
1. Comment dans cette phrase les séquences verbales sont-elles distribuées ?
2. Quels sont les effets rythmiques ?
3. Quels rapports les mots entretiennent-ils entre eux dans chaque séquence ?
4. Comparez avec l'éloquence de Valmont dans le dernier § de la lettre 4 : le mot « amour » a-t-il dans le contexte le même sens chez l'un et l'autre ?

• **L'achèvement de l'exposition :**

L'apparition de Danceny et de Belleroche, le chevalier.
1. Comment s'enchaînent, pour piquer la jalousie de Valmont, la présentation de Danceny et l'allusion à Belleroche ?
2. De quels tons la marquise use-t-elle tour à tour ?
3. On appréciera l'originalité de Laclos dans la mise en place de cinq personnages principaux au lieu du quatuor traditionnel.

LETTRE VI

LE VICOMTE DE VALMONT À LA MARQUISE DE MERTEUIL

Il n'est donc point de femme qui n'abuse de l'empire qu'elle a su prendre ! Et vous-même, vous que je nommai si souvent mon indulgente amie, vous cessez enfin de l'être, et vous ne craignez pas de m'attaquer dans l'objet de mes affections ! De quels traits vous osez peindre madame de Tourvel !... quel homme n'eût point payé de sa vie cette insolente audace ? à quelle autre femme qu'à vous n'eût-elle pas valu au moins une noirceur ? De grâce, ne me mettez plus à d'aussi rudes épreuves ; je ne répondrais pas de les soutenir. Au nom de l'amitié, attendez que j'aie eu cette femme, si vous voulez en médire. Ne savez-vous pas que la seule volupté a le droit de détacher le bandeau de l'amour ?

Mais que dis-je ? Madame de Tourvel a-t-elle besoin d'illusion ? non ; pour être adorable il lui suffit d'être elle-même. Vous lui reprochez de se mettre mal ; je le crois bien : toute parure lui nuit ; tout ce qui la cache la dépare : c'est dans l'abandon du négligé qu'elle est vraiment ravissante. Grâce aux chaleurs accablantes que nous éprouvons, un déshabillé de simple toile me laisse voir sa taille ronde et souple. Une seule mousseline couvre sa gorge ; et mes regards furtifs, mais pénétrants, en ont déjà saisi les formes enchanteresses. Sa figure, dites-vous, n'a nulle expression. Et qu'exprimerait-elle, dans les moments où rien ne parle à son cœur ? Non, sans doute, elle n'a point, comme nos femmes coquettes, ce regard menteur qui séduit quelquefois et nous trompe toujours. Elle ne sait pas couvrir le vide d'une phrase par un sourire étudié ; et quoiqu'elle ait les plus belles dents du monde, elle ne rit que de ce qui l'amuse. Mais il faut voir comme, dans les folâtres jeux, elle offre l'image d'une gaieté naïve et franche ! comme, auprès d'un malheureux qu'elle s'empresse de secourir, son regard annonce la joie pure et la bonté compatissante ! Il faut voir, surtout au moindre mot d'éloge ou de cajolerie, se peindre, sur sa figure céleste, ce touchant embarras d'une modestie qui n'est point jouée !... Elle est prude et dévote, et de là vous la jugez froide et inanimée ? Je pense bien différemment. Quelle étonnante sensibilité ne faut-il pas avoir pour la répandre jusque sur son mari, et pour aimer toujours un être toujours absent. Quelle preuve plus forte pourriez-vous désirer ? J'ai su pourtant m'en procurer une autre.

J'ai dirigé sa promenade de manière qu'il s'est trouvé un fossé
40　à franchir ; et, quoique fort leste, elle est encore plus timide :
vous jugez bien qu'une prude craint de sauter le fossé*. Il a fallu
se confier à moi. J'ai tenu dans mes bras cette femme modeste.
Nos préparatifs et le passage de ma vieille tante avaient fait rire
aux éclats la folâtre dévote : mais, dès que je me fus emparé
45　d'elle, par une adroite gaucherie, nos bras s'enlacèrent mutuellement. Je pressai son sein contre le mien ; et, dans ce court
intervalle, je sentis son cœur battre plus vite. L'aimable rougeur
vint colorer son visage, et son modeste embarras m'apprit assez
que son cœur avait palpité d'amour et non de crainte. Ma tante
50　cependant s'y trompa comme vous, et se mit à dire : « L'enfant
a eu peur » ; mais la charmante candeur de *l'enfant* ne lui permit
pas le mensonge, et elle répondit naïvement : « Oh non, mais... »
Ce seul mot m'a éclairé. Dès ce moment, le doux espoir a
remplacé la cruelle inquiétude. J'aurai cette femme ; je l'enlèverai
55　au mari qui la profane : j'oserai la ravir au dieu même qu'elle
adore. Quel délice d'être tour à tour l'objet et le vainqueur de
ses remords ! Loin de moi l'idée de détruire les préjugés qui
l'assiègent ! ils ajouteront à mon bonheur et à ma gloire. Qu'elle
croie à la vertu, mais qu'elle me la sacrifie ; que ses fautes
60　l'épouvantent sans pouvoir l'arrêter ; et qu'agitée de mille ter-
reurs, elle ne puisse les oublier, les vaincre que dans mes bras.
Qu'alors j'y consens, elle me dise : « Je t'adore » ; elle seule,
entre toutes les femmes, sera digne de prononcer ce mot. Je serai
vraiment le Dieu qu'elle aura préféré.

65　　　Soyons de bonne foi ; dans nos arrangements, aussi froids que
faciles, ce que nous appelons bonheur est à peine un plaisir.
Vous le dirai-je ? Je croyais mon cœur flétri, et ne me trouvant
plus que des sens, je me plaignais d'une vieillesse prématurée.
Madame de Tourvel m'a rendu les charmantes illusions de la
70　jeunesse. Auprès d'elle, je n'ai pas besoin de jouir pour être
heureux. La seule chose qui m'effraie, est le temps que va me
prendre cette aventure ; car je n'ose rien donner au hasard. J'ai
beau me rappeler mes heureuses témérités, je ne puis me résoudre
à les mettre en usage. Pour que je sois vraiment heureux, il faut
75　qu'elle se donne ; et ce n'est pas une petite affaire.

---

* *On reconnaît ici le mauvais goût des calembours, qui commençait à prendre,
et qui depuis a fait tant de progrès.*

Je suis sûr que vous admireriez ma prudence. Je n'ai pas encore prononcé le mot d'amour ; mais déjà nous en sommes à ceux de confiance et d'intérêt. Pour la tromper le moins possible, et surtout pour prévenir l'effet des propos qui pourraient lui reve-
80 nir, je lui ai raconté moi-même, et comme en m'accusant, quelques-uns de mes traits les plus connus. Vous ririez de voir avec quelle candeur elle me prêche. Elle veut, dit-elle, me convertir. Elle ne se doute pas encore de ce qu'il lui en coûtera pour le

---

Lettre 6

- **Valmont et Mme de Tourvel**

« De quels traits vous osez peindre madame de Tourvel ! »
1. Le portrait antithétique composé par Valmont : dans quelles tonalités réplique-t-il à la marquise avant de peindre Mme de Tourvel (§ 1) ? Quelle est son évolution vis-à-vis de la marquise (comparer les attaques des lettres 4, 5, 6) ?
2. *L'aspect physique :* qu'est-ce qui séduit Valmont ? Comment le rythme des phrases et leur cadence font-ils valoir les charmes de la présidente, et témoignent-ils du trouble du conquérant (De « Vous lui reprochez », § 2, jusqu'à « les formes enchanteresses ») ?
3. *Le portrait moral :* d'après un relevé systématique des adjectifs, noms et verbes peignant le personnage, peut-on dire, avec certains critiques, qu'elle est l'incarnation de la « femme naturelle », telle que Laclos l'a imaginée dans son texte *Des femmes et de leur éducation*, ch. XI et XII ? Cf. Rousseau, *La Nouvelle Héloïse* (I, 8, 38 pour le caractère de Julie ; et I, 23, pour la gorge de Julie). Quelle portée aurait un rapprochement entre Valmont et le héros de Rousseau, Saint-Preux, à cet égard ?

- **La promenade (§ 3)**

1. Valmont écrit sous le regard de la marquise et pour son propre plaisir, sous son propre regard : comment, dans la relation des faits et les commentaires du narrateur, se note cette double destination ?
2. Le passage en italique est une reprise inversée de termes de la lettre 5 (§ 3) : relevez dans les lettres 4 à 6 d'autres indices du conflit naissant entre les deux complices.

- **Conquérant cynique et homme sensible (§ 3, 4, 5)**

1. Dans quelle mesure le portrait de Mme de Tourvel au § 2 était-il, à la lumière du § 5, un portrait indirect du peintre lui-même ?
2. Les deux aspects de Valmont entretiennent-ils des rapports ? et de quel type ?
3. Qu'est-ce qui distingue Valmont du séducteur stéréotypé ?
4. Comment son plan méthodique s'épanouit-il en lyrisme (fin du § 3) ?

85 tenter. Elle est loin de penser qu'*en plaidant*, pour parler comme
elle, *pour les infortunées que j'ai perdues*, elle parle d'avance
dans sa propre cause. Cette idée me vint hier au milieu d'un de
ses sermons, et je ne pus me refuser au plaisir de l'interrompre,
pour l'assurer qu'elle parlait comme un prophète. Adieu, ma très
belle amie. Vous voyez que je ne suis pas perdu sans ressource.

90   *P.-S.* A propos, ce pauvre chevalier, s'est-il tué de désespoir ?
En vérité, vous êtes cent fois plus mauvais sujet que moi, et
vous m'humilieriez si j'avais de l'amour-propre.

Du château de..., ce 9 août 17**.

LETTRE VIII

LA PRÉSIDENTE DE TOURVEL À MADAME DE VOLANGES

On ne peut être plus sensible que je le suis, Madame, à la
confiance que vous me témoignez, ni prendre plus d'intérêt que
moi à l'établissement de mademoiselle de Volanges. C'est bien
de toute mon âme que je lui souhaite une félicité dont je ne
5 doute pas qu'elle ne soit digne, et sur laquelle je m'en rapporte
bien à votre prudence. Je ne connais point M. le comte de
Gercourt ; mais, honoré de votre choix, je ne puis prendre de
lui qu'une idée très avantageuse. Je me borne, Madame, à souhaiter à ce mariage un succès aussi heureux qu'au mien, qui est
10 pareillement votre ouvrage, et pour lequel chaque jour ajoute à
ma reconnaissance. Que le bonheur de mademoiselle votre fille
soit la récompense de celui que vous m'avez procuré ; et puisse
la meilleure des amies être aussi la plus heureuse des mères !

Je suis vraiment peinée de ne pouvoir vous offrir de vive voix
15 l'hommage de ce vœu sincère, et faire, aussitôt que je le désirerais,
connaissance avec mademoiselle de Volanges. Après avoir éprouvé
vos bontés vraiment maternelles, j'ai droit d'espérer d'elle l'amitié tendre d'une sœur. Je vous prie, Madame, de vouloir bien la
lui demander de ma part, en attendant que je me trouve à portée
20 de la mériter.

Je compte rester à la campagne tout le temps de l'absence de
M. de Tourvel. J'ai pris ce temps pour jouir et profiter de la
société de la respectable madame de Rosemonde. Cette femme

est toujours charmante : son grand âge ne lui fait rien perdre ;
25 elle conserve toute sa mémoire et sa gaieté. Son corps seul a
quatre-vingt-quatre ans ; son esprit n'en a que vingt.

Notre retraite est égayée par son neveu le vicomte de Valmont,
qui a bien voulu nous sacrifier quelques jours. Je ne le connaissais
que de réputation, et elle me faisait peu désirer de le connaître
30 davantage : mais il me semble qu'il vaut mieux qu'elle. Ici, où
le tourbillon du monde ne le gâte pas, il parle raison avec une
facilité étonnante, et il s'accuse de ses torts avec une candeur
rare. Il me parle avec beaucoup de confiance, et je le prêche avec
beaucoup de sévérité. Vous qui le connaissez, vous conviendrez
35 que ce serait une belle conversion à faire : mais je ne doute pas,
malgré ses promesses, que huit jours de Paris ne lui fassent
oublier tous ses sermons. Le séjour qu'il fera ici sera au moins
autant de retranché sur sa conduite ordinaire : et je crois que,
d'après sa façon de vivre, ce qu'il peut faire de mieux est de ne
40 rien faire du tout. Il sait que je suis occupée à vous écrire, et il
m'a chargée de vous présenter ses respectueux hommages. Recevez aussi le mien avec la bonté que je vous connais, et ne doutez
jamais des sentiments sincères avec lesquels j'ai l'honneur d'être,
etc.

Du château de..., ce 9 août 17**.

Lettre 8

• **La première lettre de madame de Tourvel**

1. Par rapport aux deux séries de lettres déjà lues, quelle est la fonction
de celle-ci dans la polyphonie épistolaire ?
2. Quelles images de la présidente son style épistolaire suggère-t-il (formules en tête et en conclusion, tours employés pour désigner les personnes,
leurs actes, etc.) ?
Le monde harmonieux et serein de Mme de Tourvel finira saccagé (cf. sa
lettre ultime, 161).
3. Que révèle de son auteur le portrait de Valmont, réservé pour la fin ?
4. Visages de la présidente d'après les lettres 4, 5, 6, 8.

LETTRE X

LA MARQUISE DE MERTEUIL AU VICOMTE DE VALMONT

Me boudez-vous, Vicomte ? ou bien êtes-vous mort ? ou, ce qui y ressemblerait beaucoup, ne vivez-vous plus que pour votre Présidente ? Cette femme, qui vous a rendu *les illusions de la jeunesse*, vous en rendra bientôt aussi les ridicules préjugés. Déjà
5 vous voilà timide et esclave ; autant vaudrait être amoureux. Vous renoncez à *vos heureuses témérités*. Vous voilà donc vous conduisant sans principes, et donnant tout au hasard, ou plutôt au caprice. Ne vous souvient-il plus que l'amour est, comme la médecine, *seulement l'art d'aider la nature ?* Vous voyez que je
10 vous bats avec vos armes : mais je n'en prendrai pas d'orgueil ; car c'est bien battre un homme à terre. *Il faut qu'elle se donne,* me dites-vous : eh ! sans doute, il le faut : aussi se donnera-t-elle comme les autres, avec cette différence que ce sera de mauvaise grâce. Mais, pour qu'elle finisse par se donner, le vrai moyen
15 est de commencer par la prendre. Que cette ridicule distinction est bien un vrai déraisonnement de l'amour ! Je dis l'amour ; car vous êtes amoureux. Vous parler autrement, ce serait vous trahir ; ce serait vous cacher votre mal. Dites-moi donc, amant langoureux, ces femmes que vous avez eues, croyez-vous les avoir
20 violées ? Mais, quelque envie qu'on ait de se donner, quelque pressée que l'on en soit, encore faut-il un prétexte ; et y en a-t-il de plus commode pour nous, que celui qui nous donne l'air de céder à la force ? Pour moi, je l'avoue, une des choses qui me flattent le plus, est une attaque vive et bien faite, où tout se
25 succède avec ordre quoique avec rapidité ; qui ne nous met jamais dans ce pénible embarras de réparer nous-mêmes une gaucherie dont au contraire nous aurions dû profiter ; qui sait garder l'air de la violence jusque dans les choses que nous accordons, et flatter avec adresse nos deux passions favorites, la gloire de la
30 défense et le plaisir de la défaite. Je conviens que ce talent, plus rare que l'on ne croit, m'a toujours fait plaisir, même alors qu'il ne m'a pas séduite, et que quelquefois il m'est arrivé de me rendre, uniquement comme récompense. Telle dans nos anciens tournois, la beauté donnait le prix de la valeur et de l'adresse.
35 Mais vous, vous qui n'êtes plus vous, vous vous conduisez comme si vous aviez peur de réussir. Eh ! depuis quand voyagez-

vous à petites journées et par les chemins de traverse ? Mon ami,
quand on veut arriver, des chevaux de poste et la grande route !
Mais laissons ce sujet, qui me donne d'autant plus d'humeur,
40 qu'il me prive du plaisir de vous voir. Au moins écrivez-moi
plus souvent que vous ne faites, et mettez-moi au courant de vos
progrès. Savez-vous que voilà plus de quinze jours que cette
ridicule aventure vous occupe, et que vous négligez tout le
monde ?

45   A propos de négligence, vous ressemblez aux gens qui envoient
régulièrement savoir des nouvelles de leurs amis malades, mais
qui ne se font jamais rendre la réponse. Vous finissez votre
dernière lettre par me demander si le chevalier est mort. Je ne
réponds pas, et vous ne vous en inquiétez pas davantage. Ne
50 savez-vous plus que mon amant est votre ami-né ? Mais rassurez-
vous, il n'est point mort ; ou s'il l'était, ce serait de l'excès de
sa joie. Ce pauvre chevalier, comme il est tendre ! comme il est
fait pour l'amour ! comme il sait sentir vivement ! la tête m'en
tourne. Sérieusement, le bonheur parfait qu'il trouve à être aimé
55 de moi, m'attache véritablement à lui.

Ce même jour, où je vous écrivais que j'allais travailler à notre
rupture, combien je le rendis heureux ! Je m'occupais pourtant
tout de bon des moyens de le désespérer, quand on me l'annonça.
Soit caprice ou raison, jamais il ne me parut si bien. Je le reçus
60 cependant avec humeur. Il espérait passer deux heures avec moi,
avant celle où ma porte serait ouverte à tout le monde. Je lui dis
que j'allais sortir : il me demanda où j'allais ; je refusai de le lui
apprendre. Il insista : *où vous ne serez pas,* repris-je, avec aigreur.
Heureusement pour lui, il resta pétrifié de cette réponse ; car,
65 s'il eût dit un mot, il s'ensuivait immanquablement une scène
qui eût amené la rupture que j'avais projetée. Étonnée de son
silence, je jetai les yeux sur lui sans autre projet, je vous jure,
que de voir la mine qu'il faisait. Je retrouvai sur cette charmante
figure cette tristesse, à la fois profonde et tendre à laquelle vous-
70 même êtes convenu qu'il était si difficile de résister. La même
cause produisit le même effet ; je fus vaincue une seconde fois.
Dès ce moment, je ne m'occupai plus que des moyens d'éviter
qu'il pût me trouver un tort. « Je sors pour affaire, lui dis-je
avec un air un peu plus doux, et même cette affaire vous regarde ;
75 mais ne m'interrogez pas. Je souperai chez moi ; revenez, et vous
serez instruit. » Alors il retrouva la parole ; mais je ne lui permis
pas d'en faire usage. « Je suis très pressée, continuai-je. Laissez-
moi ; à ce soir. » Il baisa ma main et sortit.

Aussitôt, pour le dédommager, peut-être pour me dédommager
80 moi-même, je me décide à lui faire connaître ma petite maison
dont il ne se doutait pas. J'appelle ma fidèle *Victoire*. J'ai ma
migraine ; je me couche pour tous mes gens ; et, restée enfin
seule avec *la véritable*, tandis qu'elle se travestit en laquais, je
fais une toilette de femme de chambre. Elle fait ensuite venir un
85 fiacre à la porte de mon jardin, et nous voilà parties. Arrivée
dans ce temple de l'amour, je choisis le déshabillé le plus galant.
Celui-ci est délicieux ; il est de mon invention : il ne laisse rien
voir, et pourtant fait tout deviner. Je vous en promets un modèle
pour votre Présidente, quand vous l'aurez rendue digne de le
90 porter.

Après ces préparatifs, pendant que Victoire s'occupe des autres
détails, je lis un chapitre du *Sopha* [1], une lettre d'*Héloïse* [2] et deux
contes de La Fontaine, pour recorder [3] les différents tons que je
voulais prendre. Cependant mon chevalier arrive à ma porte,
95 avec l'empressement qu'il a toujours. Mon Suisse la lui refuse,
et lui apprend que je suis malade : premier incident. Il lui remet
en même temps un billet de moi, mais non de mon écriture,
suivant ma prudente règle. Il l'ouvre, et y trouve de la main de
Victoire : « A neuf heures précises, au Boulevard, devant les
100 cafés. » Il s'y rend ; et là, un petit laquais qu'il ne connaît pas,
qu'il croit au moins ne pas connaître, car c'était toujours Victoire,
vient lui annoncer qu'il faut renvoyer sa voiture et le suivre.
Toute cette marche romanesque lui échauffait la tête d'autant,
et la tête échauffée ne nuit à rien. Il arrive enfin, et la surprise
105 et l'amour causaient en lui un véritable enchantement. Pour lui
donner le temps de se remettre, nous nous promenons un moment
dans le bosquet ; puis je le ramène vers la maison. Il voit d'abord
deux couverts mis ; ensuite un lit fait. Nous passons jusqu'au
boudoir, qui était dans toute sa parure. Là, moitié réflexion,
110 moitié sentiment, je passai mes bras autour de lui, et me laissai
tomber à ses genoux. « O mon ami ! lui dis-je, pour vouloir te
ménager la surprise de ce moment, je me reproche de t'avoir
affligé par l'apparence de l'humeur ; d'avoir pu un instant voiler
mon cœur à tes regards. Pardonne-moi mes torts : je veux les

---

1. Œuvre de Crébillon (1740), échantillon de la littérature grivoise prisée de la
marquise. — 2. Les lettres d'Héloïse à son précepteur et amant Abélard (XIIe siècle)
étaient un grand succès de librairie à l'époque de Laclos. Cf. *Introduction au roman
épistolaire.* — 3. « Répéter quelque chose afin de l'apprendre par cœur. »

115 expier à force d'amour. » Vous jugez de l'effet de ce discours
sentimental. L'heureux chevalier me releva, et mon pardon fut
scellé sur cette même ottomane où vous et moi scellâmes si
gaiement et de la même manière notre éternelle rupture.

Comme nous avions six heures à passer ensemble, et que j'avais
120 résolu que tout ce temps fût pour lui également délicieux, je
modérai ses transports, et l'aimable coquetterie vint remplacer la
tendresse. Je ne crois pas avoir jamais mis tant de soin à plaire,
ni avoir été jamais aussi contente de moi. Après le souper, tour
à tour enfant et raisonnable, folâtre et sensible, quelquefois même
125 libertine, je me plaisais à le considérer comme un sultan au
milieu de son sérail, dont j'étais tour à tour les favorites différentes. En effet, ses hommages réitérés, quoique toujours reçus par
la même femme, le furent toujours par une maîtresse nouvelle.

Enfin au point du jour il fallut se séparer ; et, quoi qu'il dît,
130 quoi qu'il fît même pour me prouver le contraire, il en avait
autant de besoin que peu d'envie. Au moment où nous sortîmes
et pour dernier adieu, je pris la clef de cet heureux séjour et la
lui remettant entre les mains : « Je ne l'ai eue que pour vous,
lui dis-je ; il est juste que vous en soyez maître : c'est au sacri-
135 ficateur à disposer du temple. » C'est par cette adresse que j'ai
prévenu les réflexions qu'aurait pu lui faire naître la propriété,
toujours suspecte, d'une petite maison. Je le connais assez, pour
être sûre qu'il ne s'en servira que pour moi ; et si la fantaisie
me prenait d'y aller sans lui, il me reste bien une double clef. Il
140 voulait à toute force prendre jour pour y revenir ; mais je l'aime
trop encore, pour vouloir l'user si vite. Il ne faut se permettre
d'excès qu'avec les gens qu'on veut quitter bientôt. Il ne sait pas
cela, lui ; mais, pour son bonheur, je le sais pour deux.

Je m'aperçois qu'il est trois heures du matin, et que j'ai écrit
145 un volume, ayant le projet de n'écrire qu'un mot. Tel est le
charme de la confiante amitié : c'est elle qui fait que vous êtes
toujours ce que j'aime le mieux ; mais, en vérité, le chevalier est
ce qui me plaît davantage.

De..., ce 12 août 17**.

LETTRE XI

LA PRÉSIDENTE DE TOURVEL À MADAME DE VOLANGES

Votre lettre sévère m'aurait effrayée, Madame, si, par bonheur, je n'avais trouvé ici plus de motifs de sécurité que vous ne m'en donnez de crainte. Ce redoutable M. de Valmont, qui doit être la terreur de toutes les femmes, paraît avoir déposé ses armes
5 meurtrières, avant d'entrer dans ce château. Loin d'y former des projets, il n'y a pas même porté de prétentions ; et la qualité d'homme aimable que ses ennemis mêmes lui accordent, disparaît presque ici, pour ne lui laisser que celle de bon enfant. C'est apparemment l'air de la campagne qui a produit ce miracle. Ce
10 que je vous puis assurer, c'est qu'étant sans cesse avec moi, paraissant même s'y plaire, il ne lui est pas échappé un mot qui ressemble à l'amour, pas une de ces phrases que tous les hommes se permettent sans avoir, comme lui, ce qu'il faut pour les justifier. Jamais il n'oblige à cette réserve, dans laquelle toute
15 femme qui se respecte est forcée de se tenir aujourd'hui, pour contenir les hommes qui l'entourent. Il sait ne point abuser de la gaieté qu'il inspire. Il est peut-être un peu louangeur ; mais c'est avec tant de délicatesse qu'il accoutumerait la modestie même à l'éloge. Enfin, si j'avais un frère, je désirerais qu'il fût
20 tel que M. de Valmont se montre ici. Peut-être beaucoup de femmes lui désireraient une galanterie plus marquée ; et j'avoue que je lui sais un gré infini d'avoir su me juger assez bien pour ne pas me confondre avec elles.

Ce portrait diffère beaucoup sans doute de celui que vous me
25 faites ; et, malgré cela, tous deux peuvent être ressemblants en fixant les époques. Lui-même convient d'avoir eu beaucoup de torts, et on lui en aura bien aussi prêté quelques-uns. Mais j'ai rencontré peu d'hommes qui parlassent des femmes honnêtes avec plus de respect, je dirais presque d'enthousiasme. Vous
30 m'apprenez qu'au moins sur cet objet il ne trompe pas. Sa conduite avec madame de Merteuil en est une preuve. Il nous en parle beaucoup ; et c'est toujours avec tant d'éloges et l'air d'un attachement si vrai, que j'ai cru, jusqu'à la réception de votre lettre, que ce qu'il appelait amitié entre eux deux était bien
35 réellement de l'amour. Je m'accuse de ce jugement téméraire, dans lequel j'ai eu d'autant plus de tort, que lui-même a pris souvent le soin de la justifier. J'avoue que je ne regardais que

comme finesse, ce qui était de sa part une honnête sincérité. Je
ne sais ; mais il me semble que celui qui est capable d'une amitié
40 aussi suivie pour une femme aussi estimable, n'est pas un libertin
sans retour. J'ignore au reste si nous devons la conduite sage
qu'il tient ici, à quelques projets dans les environs, comme vous
le supposez. Il y a bien quelques femmes aimables à la ronde ;
mais il sort peu, excepté le matin, et alors il dit qu'il va à la
45 chasse. Il est vrai qu'il rapporte rarement du gibier ; mais il
assure qu'il est maladroit à cet exercice. D'ailleurs, ce qu'il peut
faire au dehors m'inquiète peu ; et si je désirais le savoir, ce ne
serait que pour avoir une raison de plus de me rapprocher de
votre avis ou de vous ramener au mien.

50 Sur ce que vous me proposez de travailler à abréger le séjour
que M. de Valmont compte faire ici, il me paraît bien difficile
d'oser demander à sa tante de ne pas avoir son neveu chez elle,
d'autant qu'elle l'aime beaucoup. Je vous promets pourtant, mais
seulement par déférence et non par besoin, de saisir l'occasion
55 de faire cette demande, soit à elle, soit à lui-même. Quant à moi,
M. de Tourvel est instruit de mon projet de rester ici jusqu'à
son retour, et il s'étonnerait, avec raison, de la légèreté qui m'en
ferait changer.

Voilà, Madame, de bien longs éclaircissements : mais j'ai cru
60 devoir à la vérité un témoignage avantageux à M. de Valmont,
et dont il me paraît avoir grand besoin auprès de vous. Je n'en
suis pas moins sensible à l'amitié qui a dicté vos conseils. C'est
à elle que je dois aussi ce que vous me dites d'obligeant à
l'occasion du retard du mariage de mademoiselle votre fille. Je
65 vous en remercie bien sincèrement : mais, quelque plaisir que je
me promette à passer ces moments avec vous, je les sacrifierais
de bien bon cœur au désir de savoir mademoiselle de Volanges
plus tôt heureuse, si pourtant elle peut jamais l'être plus qu'auprès d'une mère aussi digne de toute sa tendresse et de son
70 respect. Je partage avec elle ces deux sentiments qui m'attachent
à vous, et je vous prie d'en recevoir l'assurance avec bonté.

J'ai l'honneur d'être, etc.

De..., ce 13 août 17**.

LETTRE XXI

LE VICOMTE DE VALMONT À LA MARQUISE DE MERTEUIL

Enfin, ma belle amie, j'ai fait un pas en avant, mais un grand
pas, et qui, s'il ne m'a pas conduit jusqu'au bout, m'a fait
connaître au moins que je suis dans la route, et a dissipé la
crainte où j'étais de m'être égaré. J'ai enfin déclaré mon amour ;
5 et quoiqu'on ait gardé le silence le plus obstiné, j'ai obtenu la
réponse peut-être la moins équivoque et la plus flatteuse : mais
n'anticipons pas sur les événements, et reprenons plus haut.

Vous vous souvenez qu'on faisait épier mes démarches. Eh
bien ! j'ai voulu ce moyen scandaleux tournât à l'édification
10 publique, et voici ce que j'ai fait. J'ai chargé mon confident de
me trouver, dans les environs, quelque malheureux qui eût besoin
de secours. Cette commission n'était pas difficile à remplir. Hier
après-midi, il me rendit compte qu'on devait saisir aujourd'hui
dans la matinée, les meubles d'une famille entière qui ne pouvait
15 payer la taille. Je m'assurai qu'il n'y eût dans cette maison,
aucune fille ou femme dont l'âge ou la figure pussent rendre
mon action suspecte ; et, quand je fus bien informé, je déclarai
à souper mon projet d'aller à la chasse le lendemain. Ici je dois
rendre justice à ma Présidente : sans doute elle eut quelques
20 remords des ordres qu'elle avait donnés ; et, n'ayant pas la force
de vaincre sa curiosité, elle eut au moins celle de contrarier mon
désir. Il devait faire une chaleur excessive ; je risquais de me
rendre malade ; je ne tuerais rien et me fatiguerais en vain ; et,
pendant ce dialogue, ses yeux, qui parlaient peut-être mieux
25 qu'elle ne voulait, me faisaient assez connaître qu'elle désirait
que je prisse pour bonnes ces mauvaises raisons. Je n'avais garde
de m'y rendre, comme vous pouvez croire, et je résistai de même
à une petite diatribe contre la chasse et les chasseurs, et à un
petit nuage d'humeur qui obscurcit, toute la soirée, cette figure
30 céleste. Je craignis un moment que ses ordres ne fussent révo-
qués, et que sa délicatesse ne me nuisît. Je ne calculais pas la
curiosité d'une femme ; aussi me trompais-je. Mon chasseur me
rassura dès le soir même, et je me couchai satisfait.

Au point du jour je me lève et je pars. A peine à cinquante
35 pas du château, j'aperçois mon espion qui me suit. J'entre en
chasse, et marche à travers champs vers le village où je voulais

me rendre ; sans autre plaisir, dans ma route, que de faire courir
le drôle qui me suivait, et qui n'osant pas quitter les chemins,
parcourait souvent, à toute course, un espace triple du mien. A
40 force de l'exercer, j'ai eu moi-même une extrême chaleur, et je
me suis assis au pied d'un arbre. N'a-t-il pas eu l'insolence de
se couler derrière un buisson qui n'était pas à vingt pas de moi,
et de s'y asseoir aussi ? J'ai été tenté un moment de lui envoyer
mon coup de fusil, qui, quoique de petit plomb seulement, lui
45 aurait donné une leçon suffisante sur les dangers de la curiosité :
heureusement pour lui, je me suis ressouvenu qu'il était utile et
même nécessaire à mes projets ; cette réflexion l'a sauvé.

Cependant j'arrive au village ; je vois de la rumeur ; je
m'avance ; j'interroge ; on me raconte le fait. Je fais venir le
50 Collecteur ; et, cédant à ma généreuse compassion, je paie noble-
ment cinquante-six livres, pour lesquelles on réduisait cinq personnes à la paille et au désespoir. Après cette action si simple,
vous n'imaginez pas quel chœur de bénédictions retentit autour
de moi de la part des assistants ! Quelles larmes de reconnaissance
55 coulaient des yeux du vieux chef de cette famille, et embellis-
saient cette figure de patriarche, qu'un moment auparavant l'em-
preinte farouche du désespoir rendait vraiment hideuse ! J'examinais ce spectacle ! lorsqu'un autre paysan, plus jeune,
conduisant par la main une femme et deux enfants, et s'avançant
60 vers moi à pas précipités, leur dit : « Tombons tous aux pieds
de cette image de Dieu » ; et dans le même instant, j'ai pied
entouré de cette famille, prosternée à mes genoux. J'avouerai ma
faiblesse ; mes yeux se sont mouillés de larmes, et j'ai senti en
moi un mouvement involontaire, mais délicieux. J'ai été étonné
65 du plaisir qu'on éprouve en faisant le bien ; et je serais tenté de
croire que ce que nous appelons les gens vertueux, n'ont pas
tant de mérite qu'on se plaît à nous le dire. Quoi qu'il en soit,
j'ai trouvé juste de payer à ces pauvres gens le plaisir qu'ils
venaient de me faire. J'avais pris dix louis sur moi ; je les leur
70 ai donnés. Ici ont recommencé les remerciements, mais ils
n'avaient plus ce même degré de pathétique : le nécessaire avait
produit le grand, le véritable effet ; le reste n'était qu'une simple
expression de reconnaissance et d'étonnement pour des dons
superflus.

75 Cependant, au milieu des bénédictions bavardes de cette
famille, je ne ressemblais pas mal au héros d'un drame, dans la
scène du dénouement. Vous remarquerez que dans cette foule
était surtout le fidèle espion. Mon but était rempli : je me

dégageai d'eux tous, et regagnai le château. Tout calculé, je me
80 félicite de mon invention. Cette femme vaut bien sans doute que
je me donne tant de soins ; ils seront un jour mes titres auprès
d'elle ; et l'ayant, en quelque sorte, ainsi payée d'avance, j'aurai
le droit d'en disposer à ma fantaisie, sans avoir de reproche à
me faire.

85   J'oubliais de vous dire que pour mettre tout à profit, j'ai
demandé à ces bonnes gens de prier Dieu pour le succès de mes
projets. Vous allez voir si déjà leurs prières n'ont pas été en
partie exaucées... Mais on m'avertit que le souper est servi, et il
serait trop tard pour que cette lettre partît si je ne la fermais
90 qu'en me retirant. Ainsi, *le reste à l'ordinaire prochain*. J'en suis
fâché, car le reste est le meilleur. Adieu, ma belle amie. Vous
me volez un moment du plaisir de la voir.

De..., ce 20 août 17**.

Lettre 21

• **« Enfin, ma belle amie, j'ai fait un pas en avant »** (§ 1)

1. Quelle est la fonction de ce paragraphe dans la lettre ?
2. Distinguez les types d'attaques des lettres de Valmont dans le roman :
quelles constantes, quelle évolution peut-on noter ?

• **Préparatifs de la comédie et comédie des préparatifs** (§ 2)

1. Valmont veut passer pour un modèle d'esprit calculateur. La suite de
la lettre ne suggère-t-elle que cette image ?
2. Quelle est la fonction de ce paragraphe par rapport aux autres ?
3. Quel est l'effet du style indirect libre (l. 22-23) qu'il utilise pour rapporter les objections de la présidente ?

• **Le drame larmoyant** (§ 4-5)

1. Quelles émotions Valmont ressent-il, et quel regard le spectateur-nar-
rateur jette-t-il sur Valmont acteur et Tartuffe de la bienfaisance ?
2. A quels indices se manifeste le modèle théâtral défendu par Diderot ?
3. Étudiez les moyens de la parodie, en regardant aussi une scène de
Greuze commentée par Diderot (cf. Lagarde et Michard, *XVIIIe Siècle*,
Bordas).

LETTRE XXII

LA PRÉSIDENTE DE TOURVEL À MADAME DE VOLANGES

Vous serez sans doute bien aise, Madame, de connaître un trait de M. de Valmont, qui contraste beaucoup, ce me semble, avec tous ceux sous lesquels on vous l'a représenté. Il est si pénible de penser désavantageusement de qui que ce soit, si fâcheux de
5 ne trouver que des vices chez ceux qui auraient toutes les qualités nécessaires pour faire aimer la vertu ! Enfin vous aimez tant à user d'indulgence, que c'est vous obliger que de vous donner des motifs de revenir sur un jugement trop rigoureux. M. de Valmont me paraît fondé à espérer cette faveur, je dirais presque
10 cette justice ; et voici sur quoi je le pense.

Il a fait ce matin une de ces courses qui pouvaient faire supposer quelque projet de sa part dans les environs, comme l'idée vous en était venue ; idée que je m'accuse d'avoir saisie peut-être avec trop de vivacité. Heureusement pour lui, et surtout
15 heureusement pour nous, puisque cela nous sauve d'être injustes, un de mes gens devait aller du même côté que lui* ; et c'est par là que ma curiosité répréhensible, mais heureuse, a été satisfaite. Il nous a rapporté que M. de Valmont, ayant trouvé au village de... une malheureuse famille dont on vendait les meubles, faute
20 d'avoir pu payer les impositions, non seulement s'était empressé d'acquitter la dette de ces pauvres gens, mais même leur avait donné une somme d'argent assez considérable. Mon domestique a été témoin de cette vertueuse action ; et il m'a rapporté de plus que les paysans, causant entre eux et avec lui, avaient dit qu'un
25 domestique, qu'ils ont désigné, et que le mien croit être celui de M. de Valmont, avait pris hier des informations sur ceux des habitants du village qui pouvaient avoir besoin de secours. Si cela est ainsi, ce n'est même plus seulement une compassion passagère, et que l'occasion détermine : c'est le projet formé de
30 faire du bien ; c'est la sollicitude de la bienfaisance[1] ; c'est la plus belle vertu des plus belles âmes : mais, soit hasard ou projet,

---

* Madame de Tourvel n'ose donc pas dire que c'était par son ordre ?

---

1. La présidente, assimilant *vertu* et *bienfaisance*, dégrade la première ; le sens donné par Rousseau est perdu de vue.

c'est toujours une action honnête et louable, et dont le seul récit m'a attendrie jusqu'aux larmes. J'ajouterai de plus, et toujours par justice, que quand je lui ai parlé de cette action, de laquelle
35 il ne disait mot, il a commencé par s'en défendre, et a eu l'air d'y mettre si peu de valeur lorsqu'il en est convenu, que sa modestie en doublait le mérite.

A présent, dites-moi, ma respectable amie, si M. de Valmont est en effet un libertin sans retour ? S'il n'est que cela et se
40 conduit ainsi, que restera-t-il aux gens honnêtes ? Quoi ! les méchants partageraient-ils avec les bons le plaisir sacré de la bienfaisance ? Dieu permettrait-il qu'une famille vertueuse reçût, de la main d'un scélérat, des secours dont elle rendrait grâce à sa divine Providence ? et pourrait-il se plaire à entendre des
45 bouches pures répandre leurs bénédictions sur un réprouvé ? Non. J'aime mieux croire que des erreurs, pour être longues, ne sont pas éternelles ; et je ne puis penser que celui qui fait du bien soit l'ennemi de la vertu. M. de Valmont n'est peut-être qu'un exemple de plus du danger des liaisons. Je m'arrête à cette
50 idée qui me plaît. Si, d'une part, elle peut servir à le justifier dans votre esprit, de l'autre, elle me rend de plus en plus précieuse l'amitié tendre qui m'unit à vous pour la vie.

J'ai l'honneur d'être, etc.

55 *P.-S.* Madame de Rosemonde et moi nous allons, dans l'instant, voir aussi l'honnête et malheureuse famille, et joindre nos secours tardifs à ceux de M. de Valmont. Nous le mènerons avec nous. Nous donnerons au moins à ces bonnes gens le plaisir de revoir leur bienfaiteur ; c'est, je crois, tout ce qu'il nous a laissé à faire.

De..., ce 20 août 17**.

Lettre 22

• **Un récit double, un double éclairage**

1. Comparez l'image que Valmont tendait à donner de lui (et celle qu'il donnait) dans la lettre 21, § 4-5, et l'image qu'en forme Mme de Tourvel.
2. Quels éclairages supplémentaires projettent, à leur tour, les propos de Valmont et son dialogue avec la présidente, à la suite de l'épisode de la bienfaisance, dans la lettre 23 ?
3. Où est la vérité de Valmont, si l'on tient compte de sa parade, parade devant la marquise, parade peut-être, aussi, contre les émois et les surprises de la bienfaisance ?

LETTRE XXIII

LE VICOMTE DE VALMONT À LA MARQUISE DE MERTEUIL

Nous en sommes restés à mon retour au château : je reprends mon récit.

Je n'eus que le temps de faire une courte toilette, et je me rendis au salon, où ma belle faisait de la tapisserie, tandis que le
5 curé du lieu lisait la gazette à ma vieille tante. J'allai m'asseoir auprès du métier. Des regards, plus doux encore que de coutume, et presque caressants, me firent bientôt deviner que le domestique avait déjà rendu compte de sa mission. En effet, mon aimable curieuse ne put garder plus longtemps le secret qu'elle m'avait
10 dérobé ; et, sans crainte d'interrompre un vénérable pasteur dont le débit ressemblait pourtant à celui d'un prône : « J'ai bien aussi ma nouvelle à débiter », dit-elle ; et tout de suite elle raconta mon aventure, avec une exactitude qui faisait honneur à l'intelligence de son historien. Vous jugez comme je déployai toute ma
15 modestie : mais qui pourrait arrêter une femme qui fait, sans s'en douter, l'éloge de ce qu'elle aime ? Je pris donc le parti de la laisser aller. On eût dit qu'elle prêchait le panégyrique d'un saint. Pendant ce temps, j'observais, non sans espoir, tout ce que promettaient à l'amour son regard animé, son geste devenu plus
20 libre, et surtout ce son de voix qui, par son altération déjà sensible, trahissait l'émotion de son âme. A peine elle finissait de parler : « Venez, mon neveu, me dit madame de Rosemonde ; venez, que je vous embrasse. » Je sentis aussitôt que la jolie prêcheuse ne pourrait se défendre d'être embrassée à son tour.
25 Cependant elle voulut fuir ; mais elle fut bientôt dans mes bras ; et, loin d'avoir la force de résister, à peine lui restait-il celle de se soutenir. Plus j'observe cette femme, et plus elle me paraît désirable. Elle s'empressa de retourner à son métier, et eut l'air, pour tout le monde, de recommencer sa tapisserie ; mais moi, je
30 m'aperçus bien que sa main tremblante ne lui permettait pas de continuer son ouvrage.

Après le dîner, les dames voulurent aller voir les infortunés que j'avais si pieusement secourus ; je les accompagnai. Je vous sauve l'ennui de cette seconde scène de reconnaissance et d'élo-
35 ges. Mon cœur, pressé d'un souvenir délicieux, hâte le moment du retour au château. Pendant la route, ma belle Présidente, plus

rêveuse qu'à l'ordinaire, ne disait pas un mot. Tout occupé de
trouver les moyens de profiter de l'effet qu'avait produit l'événement du jour, je gardais le même silence. Madame de Rose-
40 monde seule parlait et n'obtenait de nous que des réponses
courtes et rares. Nous dûmes l'ennuyer : j'en avais le projet, et
il réussit. Aussi, en descendant de voiture, elle passa dans son
appartement, et nous laissa tête à tête ma belle et moi, dans un
salon mal éclairé ; obscurité douce, qui enhardit l'amour timide.

45 Je n'eus pas la peine de diriger la conversation où je voulais
la conduire. La ferveur de l'aimable prêcheuse me servit mieux
que n'aurait pu faire mon adresse. « Quand on est si digne de
faire le bien, me dit-elle, en arrêtant sur moi son doux regard :
comment passe-t-on sa vie à mal faire ? — Je ne mérite, lui
50 répondis-je, ni cet éloge, ni cette censure ; et je ne conçois pas
qu'avec autant d'esprit que vous en avez, vous ne m'ayez pas
encore deviné. Dût ma confiance me nuire auprès de vous, vous
en êtes trop digne, pour qu'il me soit possible de vous la refuser.
Vous trouverez la clef de ma conduite dans un caractère mal-
55 heureusement trop facile. Entouré de gens sans mœurs, j'ai imité
leurs vices ; j'ai peut-être mis de l'amour-propre à les surpasser.
Séduit de même ici par l'exemple des vertus, sans espérer de
vous atteindre, j'ai au moins essayé de vous suivre. Eh ! peut-
être l'action dont vous me louez aujourd'hui perdrait-elle tout
60 son prix à vos yeux, si vous en connaissiez le véritable motif !
(Vous voyez, ma belle amie, combien j'étais près de la vérité.)
Ce n'est pas à moi, continuai-je, que ces malheureux ont dû mes
secours. Où vous croyez voir une action louable, je ne cherchais
qu'un moyen de plaire. Je n'étais, puisqu'il faut le dire, que le
65 faible agent de la divinité que j'adore (ici elle voulut m'interrompre ; mais je ne lui en donnai pas le temps.) Dans ce moment
même, ajoutai-je, mon secret ne m'échappe que par faiblesse. Je
m'étais promis de vous le taire ; je me faisais un bonheur de
rendre à vos vertus comme à vos appas un hommage pur que
70 vous ignoreriez toujours ; mais, incapable de tromper, quand j'ai
sous les yeux l'exemple de la candeur, je n'aurai point à me
reprocher avec vous une dissimulation coupable. Ne croyez pas
que je vous outrage, par une criminelle espérance. Je serai malheureux, je le sais ; mais mes souffrances me seront chères ; elles
75 me prouveront l'excès de mon amour ; c'est à vos pieds, c'est
dans votre sein que je déposerai mes peines. J'y puiserai des
forces pour souffrir de nouveau ; j'y trouverai la bonté compatissante, et je me croirai consolé, parce que vous m'aurez plaint.

O vous que j'adore ! écoutez-moi, plaignez-moi, secourez-moi. »
80 Cependant j'étais à ses genoux, et je serrais ses mains dans les
miennes : mais elle, les dégageant tout à coup, et les croisant sur
ses yeux avec l'expression du désespoir : « Ah ! malheureuse ! »
s'écria-t-elle ; puis elle fondit en larmes. Par bonheur je m'étais
livré à tel point, que je pleurais aussi ; et, reprenant ses mains,
85 je les baignais de pleurs. Cette précaution était bien nécessaire ;
car elle était si occupée de sa douleur, qu'elle ne se serait pas
aperçue de la mienne, si je n'avais pas trouvé ce moyen de l'en
avertir. J'y gagnai de plus de considérer à loisir cette charmante
figure, embellie encore par l'attrait puissant des larmes. Ma tête
90 s'échauffait, et j'étais si peu maître de moi, que je fus tenté de
profiter de ce moment.

Quelle est donc notre faiblesse ? quel est l'empire des circonstances, si moi-même, oubliant mes projets, j'ai risqué de perdre,
par un triomphe prématuré, le charme des longs combats et les
95 détails d'une pénible défaite ; si séduit par un désir de jeune
homme, j'ai pensé exposer le vainqueur de madame de Tourvel
à ne recueillir, pour fruit de ses travaux, que l'insipide avantage
d'avoir eu une femme de plus ! Ah ! qu'elle se rende, mais qu'elle
combatte ; que, sans avoir la force de vaincre, elle ait celle de
100 résister ; qu'elle savoure à loisir le sentiment de sa faiblesse, et
soit contrainte d'avouer sa défaite. Laissons le braconnier obscur
tuer à l'affût le cerf qu'il a surpris ; le vrai chasseur doit le
forcer. Ce projet est sublime, n'est-ce pas ? mais peut-être serais-
je à présent au regret de ne l'avoir pas suivi, si le hasard ne fût
105 venu au secours de ma prudence.

Nous entendîmes du bruit. On venait au salon. Madame de
Tourvel, effrayée, se leva précipitamment, se saisit d'un des
flambeaux, et sortit. Il fallut bien la laisser faire. Ce n'était qu'un
domestique. Aussitôt que j'en fus assuré, je la suivis. A peine
110 eus-je fait quelques pas, que, soit qu'elle me reconnût, soit un
sentiment vague d'effroi, je l'entendis précipiter sa marche, et se
jeter plutôt qu'entrer dans son appartement dont elle ferma la
porte sur elle. J'y allai ; mais la clef était en dedans. Je me gardai
bien de frapper ; c'eût été lui fournir l'occasion d'une résistance
115 trop facile. J'eus l'heureuse et simple idée de tenter de voir à
travers la serrure, et je vis en effet cette femme adorable à genoux,
baignée de larmes, et priant avec ferveur. Quel Dieu osait-elle
invoquer ? en est-il d'assez puissant contre l'amour ? En vain
cherche-t-elle à présent des secours étrangers : c'est moi qui
120 réglerai son sort.

Croyant en avoir assez fait pour un jour, je me retirai aussi dans mon appartement et me mis à vous écrire. J'espérais la revoir au souper ; mais elle fit dire qu'elle s'était trouvée indisposée et s'était mise au lit. Madame de Rosemonde voulut monter

125 chez elle, mais la malicieuse malade prétexta un mal de tête qui ne lui permettait de voir personne. Vous jugez qu'après le souper la veillée fut courte, et que j'eus aussi mon mal de tête. Retiré chez moi, j'écrivis une longue lettre pour me plaindre de cette rigueur, et je me couchai, avec le projet de la remettre ce matin.

130 J'ai mal dormi, comme vous pouvez voir par la date de cette lettre. Je me suis levé, et j'ai relu mon épître. Je me suis aperçu que je ne m'y étais pas assez observé, que j'y montrais plus d'ardeur que d'amour, et plus d'humeur que de tristesse. Il faudra la refaire ; mais il faudrait être plus calme.

135 J'aperçois le point du jour, et j'espère que la fraîcheur qui l'accompagne m'amènera le sommeil. Je vais me remettre au lit ; et, quel que soit l'empire de cette femme, je vous promets de ne pas m'occuper tellement d'elle, qu'il ne me reste le temps de songer beaucoup à vous. Adieu, ma belle amie.

De..., ce 21 août 17**, 4 heures du matin.

Lettre 23

• **Les délices de la bienfaisance**

1. « *4 heures du matin* ». Dans quelle mesure cette mention, si rare, à la fin de la lettre, et les confidences de Valmont sur son état et les circonstances de la rédaction (deux derniers paragraphes) sont-elles des clés pour l'ensemble des propos de Valmont dans la lettre ?

2. Étudiez la composition de ce texte : récits, dialogues, mise en scène, retours sur soi du personnage-narrateur.

3. Dans ces scènes offertes à une spectatrice avertie et critique, quelles sont les diverses fonctions de Valmont ?

4. A quels indices se note l'influence de la spectatrice sur la représentation (aux deux sens du terme) qu'on lui donne ?

5. Hypocrisie et confession chez Valmont dans les paragraphes 4-5 : étudiez la mise en œuvre des lieux communs de la rhétorique amoureuse, le rythme des déclarations, et les effets produits par les commentaires qui alternent.

6. « *La jolie prêcheuse* » (l. 23-24) : comment sonnent les références, dans la bouche de Valmont, aux désignations de Julie dans *La Nouvelle Héloïse* (I, 44-45 ; II, 16 ; III, 20) ?

7. Quelle est la portée des références religieuses chez ce don Juan ?

8. Émois et délices de la bienfaisance d'après les lettres 21-23. Comparez avec Rousseau, *Rêveries du promeneur solitaire,* 6e et 9e promenade.

LETTRE XXVII

CÉCILE VOLANGES À LA MARQUISE DE MERTEUIL

[...] C'est ce jour-là, Madame, oui je vais vous le dire, c'est ce jour-là que M. le chevalier Danceny m'a écrit : oh ! je vous assure que quand j'ai trouvé sa lettre, je ne savais pas du tout ce que c'était ; mais, pour ne pas mentir, je ne peux pas dire
5 que je n'aie eu bien du plaisir en la lisant ; voyez-vous, j'aimerais mieux avoir du chagrin toute ma vie, que s'il ne me l'eût pas écrite. Mais je savais bien que je ne devais pas le lui dire, et je peux bien vous assurer même que je lui ai dit que j'en étais fâchée : mais il dit que c'était plus fort que lui, et je le crois
10 bien ; car j'avais résolu de ne lui pas répondre, et pourtant je n'ai pas pu m'en empêcher. Oh ! je ne lui ai écrit qu'une fois[1], et même c'était, en partie, pour lui dire de ne plus écrire : mais malgré cela il m'écrit toujours [...].

Dites-moi, je vous en prie, Madame, est-ce que ce serait bien
15 mal de lui répondre de temps en temps ? seulement jusqu'à ce qu'il ait pu prendre sur lui de ne plus m'écrire lui-même, et de rester comme nous étions avant : car, pour moi, si cela continue, je ne sais pas ce que je deviendrai. Tenez, en lisant sa dernière lettre, j'ai pleuré que ça ne finissait pas ; et je suis bien sûre que
20 si je ne lui réponds pas encore, ça nous fera bien de la peine.

Je vais vous envoyer sa lettre aussi, ou bien une copie, et vous jugerez ; vous verrez bien que ce n'est rien de mal qu'il demande. Cependant si vous trouvez que ça ne se doit pas, je vous promets de m'en empêcher ; mais je crois que vous penserez comme moi,
25 que ce n'est pas là du mal.

Pendant que j'y suis, Madame, permettez-moi de vous faire encore une question : on m'a bien dit que c'était mal d'aimer quelqu'un ; mais pourquoi cela ? Ce qui me fait vous le deman-der, c'est que M. le chevalier Danceny prétend que ce n'est pas
30 mal du tout, et que presque tout le monde aime ; si cela était, je ne vois pas pourquoi je serais la seule à m'en empêcher ; ou bien est-ce que ce n'est un mal que pour les demoiselles ? [...]

Paris, ce 23 août 17**.

---

1. On aura noté la fréquence des termes désignant l'échange épistolaire ; quel jour cette lettre jette-t-elle sur le titre de l'œuvre et les mécanismes de l'intrigue (cf. lettre 1, question 3) ?

LETTRE XXXII

MADAME DE VOLANGES À LA PRÉSIDENTE DE TOURVEL

Vous voulez donc, Madame, que je croie à la vertu de M. de Valmont ? J'avoue que je ne puis m'y résoudre, et que j'aurais autant de peine à le juger honnête, d'après le seul fait que vous me racontez, qu'à croire vicieux un homme de bien reconnu,
5 dont j'apprendrais une faute. L'humanité n'est parfaite dans aucun genre, pas plus dans le mal que dans le bien. Le scélérat a ses vertus, comme l'honnête homme a ses faiblesses. Cette vérité me paraît d'autant plus nécessaire à croire, que c'est d'elle que dérive la nécessité de l'indulgence pour les méchants comme
10 pour les bons ; et qu'elle préserve ceux-ci de l'orgueil, et sauve les autres du découragement. Vous trouverez sans doute que je pratique bien mal dans ce moment cette indulgence que je prêche ; mais je ne vois plus en elle qu'une faiblesse dangereuse, quand elle nous mène à traiter de même le vicieux et l'homme
15 de bien.

Je ne me permettrai point de scruter les motifs de l'action de M. de Valmont ; je veux croire qu'ils sont louables comme elle : mais en a-t-il moins passé sa vie à porter dans les familles le trouble, le déshonneur et le scandale ? Écoutez, si vous voulez,
20 la voix du malheureux qu'il a secouru ; mais qu'elle ne vous empêche pas d'entendre les cris de cent victimes qu'il a immolées. Quand il ne serait, comme vous le dites, qu'un exemple du danger des liaisons, en serait-il moins lui-même une liaison dangereuse ? Vous le supposez susceptible d'un retour heureux ?
25 allons plus loin ; supposons ce miracle arrivé. Ne resterait-il pas contre lui l'opinion publique, et ne suffit-elle pas pour régler votre conduite ? Dieu seul peut absoudre au moment du repentir ; il lit dans les cœurs : mais les hommes ne peuvent juger les pensées que par les actions ; et nul d'entre eux, après avoir perdu
30 l'estime des autres, n'a droit de se plaindre de la méfiance nécessaire, qui rend cette perte si difficile à réparer. Songez surtout, ma jeune amie, que quelquefois il suffit, pour perdre cette estime, d'avoir l'air d'y attacher trop peu de prix ; et ne taxez pas cette sévérité d'injustice : car, outre qu'on est fondé à
35 croire qu'on ne renonce pas à ce bien précieux quand on a droit d'y prétendre, celui-là est en effet plus près de mal faire, qui n'est plus contenu par ce frein puissant. Tel serait cependant

l'aspect sous lequel vous montrerait une liaison intime avec M. de Valmont, quelque innocente qu'elle pût être.

40 Effrayée de la chaleur avec laquelle vous le défendez, je me hâte de prévenir les objections que je prévois. Vous me citerez madame de Merteuil, à qui on a pardonné cette liaison ; vous me demanderez pourquoi je le reçois chez moi ; vous me direz que loin d'être rejeté par les gens honnêtes, il est admis, recherché

45 même dans ce qu'on appelle la bonne compagnie. Je peux, je crois, répondre à tout.

D'abord madame de Merteuil, en effet très estimable, n'a peut-être d'autre défaut que trop de confiance en ses forces ; c'est un guide adroit qui se plaît à conduire un char entre les rochers et

50 les précipices, et que le succès seul justifie : il est juste de la louer, il serait imprudent de la suivre ; elle-même en convient et s'en accuse. A mesure qu'elle a vu davantage, ses principes sont devenus plus sévères ; et je ne crains pas de vous assurer qu'elle penserait comme moi.

55 Quant à ce qui me regarde, je ne me justifierai pas plus que les autres. Sans doute, je reçois M. de Valmont, et il est reçu partout ; c'est une inconséquence de plus à ajouter à mille autres qui gouvernent la société. Vous savez, comme moi, qu'on passe sa vie à les remarquer, à s'en plaindre et à s'y livrer. M. de

60 Valmont, avec un beau nom, une grande fortune, beaucoup de qualités aimables, a reconnu de bonne heure que pour avoir l'empire dans la société, il suffisait de manier, avec une égale adresse, la louange et le ridicule. Nul ne possède comme lui ce double talent : il séduit avec l'un, et se fait craindre avec l'autre.

65 On ne l'estime pas ; mais on le flatte. Telle est son existence au milieu d'un monde qui, plus prudent que courageux, aime mieux le ménager que le combattre.

Mais ni madame de Merteuil elle-même, ni aucune autre femme, n'oserait sans doute aller s'enfermer à la campagne, presque

70 en tête à tête avec un tel homme. Il était réservé à la plus sage, à la plus modeste d'entre elles, de donner l'exemple de cette inconséquence ; pardonnez-moi ce mot, il échappe à l'amitié. Ma belle amie, votre honnêteté même vous trahit, par la sécurité qu'elle vous inspire. Songez donc que vous aurez pour

75 juges, d'une part, des gens frivoles, qui ne croiront pas à une vertu dont ils ne trouvent pas le modèle chez eux ; et de l'autre, des méchants qui feindront de n'y pas croire, pour vous punir de l'avoir eue. Considérez que vous faites, dans ce moment, ce que quelques hommes n'oseraient pas risquer. En effet, parmi

Lettre 32

• « Un exemple du danger des liaisons » (§ 2)

1. Relevez les occurrences du mot « liaison » dans cette lettre et, de façon générale, le vocabulaire de la relation chez Mme de Volanges.
2. Quelle vision de la vie sociale dessine-t-il ?
3. Quelle est la portée de la lettre pour l'ensemble de l'œuvre, intrigue et sens ?

• Morale et société

1. Au nom de quelles valeurs Mme de Volanges trace-t-elle une ligne de conduite ? Valeurs mondaines ? Valeurs morales ? Prudence ? Exigence éthique ?
2. Analysez, en particulier, le vocabulaire de la réputation.

• Polyphonie épistolaire

1. Réponse à la lettre 22, celle-ci en appelle une relecture par superposition, paragraphe par paragraphe ; étudiez les reprises de termes, les parallélismes, les oppositions des principes et maximes avancés par les deux épistolières.
2. Quelles images respectives leurs styles tracent-ils d'elles ?

• Un leitmotiv

« *Ah ! revenez, revenez, je vous en conjure* » (fin de la lettre). On suivra cette formule leitmotiv, le « thème du rappel inutile » (L. Versini) à propos de la plupart des personnages (lettres 2, 113, § 3 ; 115, § 9 ; 118, § final). Procédant par sentences et formules antithétiques, Mme de Volanges est sûre de sa lucidité. Supérieure à sa correspondante à cet égard, elle ne bénéficie cependant pas des lumières dispensées au lecteur, mis en position de surplomb et juge de la perspicacité de chacun. Cette lettre lui offre un excellent exemple de ce mélange de clairvoyance et d'aveuglement chez la mère, quand la correspondance et le goût naissant de la fille pour les liaisons sont révélés juste avant, dans la série 27-31.

• La vue panoramique du lecteur

« Le lecteur, transformé en expérimentateur et en calculateur, est invité à vérifier dans les propos tenus par les victimes les signes tangibles de l'échec ou de la réussite des personnages manipulateurs [...]. Aux yeux du lecteur qui a une vue panoramique de la situation, chacun d'entre eux occupe une position qui se rapproche plus ou moins des catégories définies dans le tableau suivant : destinateur transparent/destinataire aveugle — destinateur masqué/destinataire perspicace. » (Didier Masseau, « Le narrataire des ''Liaisons dangereuses'' », in *Laclos et le libertinage*.)

les jeunes gens, dont M. de Valmont ne s'est que trop rendu
80 l'oracle, je vois les plus sages craindre de paraître liés trop
intimement avec lui ; et vous, vous ne le craignez pas ! Ah !
revenez, revenez, je vous en conjure... Si mes raisons ne suffisent
pas pour vous persuader, cédez à mon amitié : c'est elle qui me
fait renouveler mes instances, c'est à elle à les justifier. Vous la
85 trouvez sévère, et je désire qu'elle soit inutile ; mais j'aime mieux
que vous ayez à vous plaindre de sa sollicitude que de sa négligence.

De..., ce 24 août 17**.

LETTRE XXXIII

LA MARQUISE DE MERTEUIL AU VICOMTE DE VALMONT

Dès que vous craignez de réussir, mon cher Vicomte, dès que
votre projet est de fournir des armes contre vous, et que vous
désirez moins de vaincre que de combattre, je n'ai plus rien à
dire. Votre conduite est un chef-d'œuvre de prudence. Elle en
5 serait un de sottise dans la supposition contraire ; et pour vous
parler vrai, je crains que vous ne vous fassiez illusion.

Ce que je vous reproche n'est pas de n'avoir point profité du
moment. D'une part, je ne vois pas clairement qu'il fût venu ;
de l'autre, je sais assez, quoi qu'on dise, qu'une occasion man-
10 quée se retrouve, tandis qu'on ne revient jamais d'une démarche
précipitée.

Mais la véritable école est de vous être laissé aller à écrire. Je
vous défie à présent de prévoir où ceci peut vous mener. Par
hasard, espérez-vous prouver à cette femme qu'elle doit se ren-
15 dre ? Il me semble que ce ne peut être là qu'une vérité de
sentiment, et non de démonstration ; et que pour la faire recevoir,
il s'agit d'attendrir et non de raisonner ; mais à quoi vous servirait
d'attendrir par lettres, puisque vous ne seriez pas là pour en
profiter ? Quand vos belles phrases produiraient l'ivresse de
20 l'amour, vous flattez-vous qu'elle soit assez longue pour que la
réflexion n'ait pas le temps d'en empêcher l'aveu ? Songez donc
à celui qu'il faut pour écrire une lettre, à celui qui se passe avant
qu'on la remette ; et voyez si, surtout une femme à principes
comme votre Dévote, peut vouloir si longtemps ce qu'elle tâche
25 de ne vouloir jamais. Cette marche peut réussir avec des enfants,
quand ils écrivent « je vous aime », ne savent pas qu'ils disent

« je me rends ». Mais la vertu raisonneuse de madame de Tourvel, me paraît fort bien connaître la valeur des termes. Aussi,
malgré l'avantage que vous aviez pris sur elle dans votre conver-
30 sation, elle vous bat dans sa lettre. Et puis, savez-vous ce qui
arrive ? par cela seul qu'on dispute, on ne veut pas céder. A
force de chercher de bonnes raisons, on en trouve ; on les dit ;
et après on y tient, non pas tant parce qu'elles sont bonnes que
pour ne pas se démentir.

35   De plus, une remarque que je m'étonne que vous n'ayez pas
faite, c'est qu'il n'y a rien de si difficile en amour, que d'écrire
ce qu'on ne sent pas. Je dis écrire d'une façon vraisemblable : ce
n'est pas qu'on ne se serve des mêmes mots ; mais on ne les
arrange pas de même ou plutôt on les arrange, et cela suffit.
40 Relisez votre lettre : il y règne un ordre qui vous décèle à chaque
phrase. Je veux croire que votre Présidente est assez peu formée
pour ne s'en pas apercevoir : mais qu'importe ? l'effet n'en est
pas moins manqué. C'est le défaut des romans ; l'auteur se bat
les flancs pour s'échauffer, et le lecteur reste froid. *Héloïse* est
45 le seul qu'on en puisse excepter ; et malgré le talent de l'auteur,
cette observation m'a toujours fait croire que le fonds en était
vrai. Il n'en est pas de même en parlant. L'habitude de travailler
son organe, y donne de la sensibilité ; la facilité des larmes y
ajoute encore : l'expression du désir se confond dans les yeux
50 avec celle de la tendresse ; enfin le discours moins suivi amène
plus aisément cet air de trouble et de désordre, qui est la véritable
éloquence de l'amour ; et surtout la présence de l'objet aimé
empêche la réflexion et nous fait désirer d'être vaincues.

Lettre 33

- **Lettre... sur le faible pouvoir séducteur des lettres**

1. Distinguez les différents plans de l'argumentation sur la relation épistolaire et le sens de la communication efficace.
2. L'expérience réfléchie de la communication écrite et orale, les convic-
tions esthétiques suffisent-elles à rendre compte de la défiance envers la
lettre ?
3. Le roman de Laclos inclut une poétique de la lettre dont on trouvera
les données dans les lettres 27, 34, 56, 70, 81, 150. Rousseau lui-même
pose le problème pour *La Nouvelle Héloïse* : une correspondance forgée de
toute pièce et donnée comme authentique peut-elle atteindre à l'illusion de
la vie même ?
4. De cette lettre, peut-on dégager une relation de Mme de Merteuil au
langage, et à celui de l'amour en particulier (cf. la remarque, dans l'avant-
dernier paragraphe, sur le rapport du mot et de la chose) ?

Croyez-moi, Vicomte : on vous demande de ne plus écrire :
55 profitez-en pour réparer votre faute et attendez l'occasion de
parler. Savez-vous que cette femme a plus de force que je ne
croyais ? Sa défense est bonne ; et sans la longueur de sa lettre,
et le prétexte qu'elle vous donne pour rentrer en matière dans
sa phrase de reconnaissance, elle ne se serait pas du tout trahie.
60   Ce qui me paraît encore devoir vous rassurer sur le succès,
c'est qu'elle use trop de forces à la fois ; je prévois qu'elle les
épuisera pour la défense du mot, et qu'il ne lui en restera plus
pour celle de la chose.

Je vous renvoie vos deux lettres, et si vous êtes prudent, ce
65 seront les dernières jusqu'après l'heureux moment. S'il était
moins tard, je vous parlerais de la petite Volanges qui avance
assez vite et dont je suis fort contente. Je crois que j'aurai fini
avant vous, et vous devez en être bien heureux. Adieu pour
aujourd'hui.

De..., ce 24 août 17**.

LETTRE XXXIV

LE VICOMTE DE VALMONT À LA MARQUISE DE MERTEUIL

[...] On va d'ici, tous les matins, chercher les lettres à la poste[1],
qui est à environ trois quarts de lieue : on se sert, pour cet objet,
d'une boîte couverte à peu près comme un tronc, dont le maître
de la poste a une clef et madame de Rosemonde l'autre. Chacun
5   y met ses lettres dans la journée, quand bon lui semble ; on les
porte le soir à la poste, et le matin on va chercher celles qui
sont arrivées. Tous les gens, étrangers ou autres, font ce service
également. Ce n'était pas le tour de mon domestique ; mais il se
chargea d'y aller, sous le prétexte qu'il avait affaire de ce côté.
10   Cependant j'écrivis ma lettre. Je déguisai mon écriture pour
l'adresse, et je contrefis assez bien, sur l'enveloppe, le timbre de
Dijon. Je choisis cette ville, parce que je trouvai plus gai, puisque
je demandais les mêmes droits que le mari, d'écrire aussi du

---

1. Ces détails matériels doivent rendre attentif aux délais et aux aléas de la
communication, de façon générale. Cf. *Introduction au roman épistolaire* (la lettre
comme objet).

même lieu, et aussi parce que ma belle avait parlé toute la journée
15 du désir qu'elle avait de recevoir des lettres de Dijon. Il me
parut juste de lui procurer ce plaisir.

Ces précautions une fois prises, il était facile de faire joindre
cette lettre aux autres. Je gagnais encore à cet expédient, d'être
témoin de la réception : car l'usage est ici de se rassembler pour
20 déjeuner et d'attendre l'arrivée des lettres avant de se séparer.
Enfin elles arrivèrent. [...]

De..., ce 25 août 17**.

LETTRE XLIV

LE VICOMTE DE VALMONT À LA MARQUISE DE MERTEUIL

Partagez ma joie, ma belle amie ; je suis aimé ; j'ai triomphé
de ce cœur rebelle. C'est en vain qu'il dissimule encore ; mon
heureuse adresse a surpris son secret. Grâce à mes soins actifs,
je sais tout ce qui m'intéresse : depuis la nuit, l'heureuse nuit
5 d'hier, je me retrouve dans mon élément ; j'ai repris toute mon
existence ; j'ai dévoilé un double mystère d'amour et d'iniquité :
je jouirai de l'un, je me vengerai de l'autre ; je volerai de plaisirs
en plaisirs. La seule idée que je m'en fais me transporte au point
que j'ai quelque peine à rappeler ma prudence ; que j'en aurai
10 peut-être à mettre de l'ordre dans le récit que j'ai à vous faire.
Essayons cependant.

Hier même, après vous avoir écrit ma lettre, j'en reçus une de
la céleste dévote. Je vous l'envoie ; vous y verrez qu'elle me
donne, le moins maladroitement qu'elle peut, la permission de
15 lui écrire : mais elle y presse mon départ, et je sentais bien que
je ne pouvais le différer trop longtemps sans me nuire.

Tourmenté cependant du désir de savoir qui pouvait avoir écrit
contre moi, j'étais encore incertain du parti que je prendrais. Je
tentai de gagner la femme de chambre, et je voulus obtenir d'elle
20 de me livrer les poches de sa maîtresse, dont elle pouvait s'emparer aisément le soir, et qu'il lui était facile de replacer le matin,
sans donner le moindre soupçon. J'offris dix louis pour ce léger
service : mais je ne trouvai qu'une bégueule, scrupuleuse ou
timide, que mon éloquence ni mon argent ne purent vaincre. Je
25 la prêchais encore, quand le souper sonna. Il fallut la laisser :
trop heureux qu'elle voulût bien me promettre le secret, sur
lequel même vous jugez que je ne comptais guère.

Jamais je n'eus plus d'humeur. Je me sentais compromis ; et
je me reprochais, toute la soirée, ma démarche imprudente.

30   Retiré chez moi, non sans inquiétude, je parlai à mon chasseur,
qui, en sa qualité d'amant heureux, devait avoir quelque crédit.
Je voulais, ou qu'il obtînt de cette fille de faire ce que je lui
avais demandé, ou au moins qu'il s'assurât de sa discrétion : mais
lui, qui d'ordinaire ne doute de rien, parut douter du succès de
35   cette négociation, et me fit à ce sujet une réflexion qui m'étonna
par sa profondeur.

« Monsieur sait sûrement mieux que moi, me dit-il, que coucher avec une fille, ce n'est que lui faire ce qui lui plaît : de là,
à lui faire ce que nous voulons, il y a souvent bien loin. »

40   Le bon sens du maraud quelquefois m'épouvante*

« Je réponds d'autant moins de celle-ci, ajouta-t-il, que j'ai lieu
de croire qu'elle a un amant, et que je ne la dois qu'au
désœuvrement de la campagne. Aussi, sans mon zèle pour le
service de monsieur, je n'aurais eu cela qu'une fois. » (C'est un
45   vrai trésor que ce garçon !) « Quant au secret, ajouta-t-il encore,
à quoi servira-t-il de lui faire promettre, puisqu'elle ne risquera
rien à nous tromper ? lui en reparler, ne ferait que lui mieux
apprendre qu'il est important, et par là lui donner plus d'envie
d'en faire sa cour à sa maîtresse. »

50   Plus ces réflexions étaient justes, plus mon embarras augmen-
tait. Heureusement le drôle était en train de jaser ; et comme
j'avais besoin de lui, je le laissais faire. Tout en me racontant
son histoire avec cette fille, il m'apprit que comme la chambre
qu'elle occupe n'est séparée de celle de sa maîtresse que par une
55   simple cloison, qui pouvait laisser entendre un bruit suspect,
c'était dans la sienne qu'ils se rassemblaient chaque nuit. Aussitôt
je formai mon plan, je le lui communiquai, et nous l'exécutâmes
avec succès.

J'attendis deux heures du matin ; et alors je me rendis, comme
60   nous en étions convenus, à la chambre du rendez-vous, portant
de la lumière avec moi, et sous prétexte d'avoir sonné plusieurs
fois inutilement. Mon confident, qui joue ses rôles à merveille,
donna une petite scène de surprise, de désespoir et d'excuse, que
je terminai en l'envoyant me faire chauffer de l'eau, dont je
65   feignis avoir besoin ; tandis que la scrupuleuse chambrière était

* Piron, *Métromanie*.

d'autant plus honteuse, que le drôle qui avait voulu renchérir
sur mes projets, l'avait déterminée à une toilette que la saison
comportait, mais qu'elle n'excusait pas.

Comme je sentais que plus cette fille serait humiliée, plus j'en
70 disposerais facilement, je ne lui permis de changer ni de situation
ni de parure ; et après avoir ordonné à mon valet de m'attendre
chez moi, je m'assis à côté d'elle sur le lit qui était fort en
désordre, et je commençai ma conversation. J'avais besoin de
garder l'empire que la circonstance me donnait sur elle : aussi
75 conservai-je un sang-froid qui eût fait honneur à la continence
de Scipion[1] ; et sans prendre la plus petite liberté avec elle, ce
que pourtant sa fraîcheur et l'occasion semblaient lui donner le
droit d'espérer, je lui parlai d'affaires aussi tranquillement que
j'aurais pu faire avec un procureur.

80 Mes conditions furent que je garderais fidèlement le secret,
pourvu que le lendemain, à pareille heure à peu près, elle me
livrât les poches de sa maîtresse. « Au reste, ajoutai-je, je vous
avais offert dix louis hier ; je vous les promets encore aujour-
d'hui. Je ne veux pas abuser de votre situation. » Tout fut
85 accordé, comme vous pouvez croire ; alors je me retirai, et permis
à l'heureux couple de réparer le temps perdu.

J'employai le mien à dormir ; et à mon réveil, voulant avoir
un prétexte pour ne pas répondre à la lettre de ma belle avant
d'avoir visité ses papiers, ce que je ne pouvais faire que la nuit
90 suivante, je me décidai à aller à la chasse, où je restai presque
tout le jour.

A mon retour, je fus reçu froidement. J'ai lieu de croire qu'on
fut un peu piqué du peu d'empressement que je mettais à profiter
du temps qui me restait ; surtout après la lettre plus douce que
95 l'on m'avait écrite. J'en juge ainsi, sur ce que madame de Rosemonde m'ayant fait quelques reproches sur cette longue absence,
ma belle reprit avec un peu d'aigreur : « Ah ! ne reprochons pas
à M. de Valmont de se livrer au seul plaisir qu'il peut trouver
ici. » Je me plaignis de cette injustice, et j'en profitai pour assurer
100 que je me plaisais tant avec ces dames, que j'y sacrifiais une
lettre très intéressante que j'avais à écrire. J'ajoutai que, ne
pouvant trouver le sommeil depuis plusieurs nuits, j'avais voulu

---

1. Tite-Live a raconté (et plusieurs peintres ont représenté) l'épisode de la 2e guerre
punique, au cours duquel, proconsul en Espagne, Scipion rendit à son fiancé une
otage espagnole d'une grande beauté.

essayer si la fatigue me le rendrait ; et mes regards expliquaient
assez et le sujet de ma lettre, et la cause de mon insomnie. J'eus
105 soin d'avoir toute la soirée une douceur mélancolique qui me
parut réussir assez bien, et sous laquelle je masquai l'impatience
où j'étais de voir arriver l'heure qui devait me livrer le secret
qu'on s'obstinait à me cacher. Enfin nous nous séparâmes, et
quelque temps après, la fidèle femme de chambre vint m'apporter
110 le prix convenu de ma discrétion.

Une fois maître de ce trésor, je procédai à l'inventaire avec la
prudence que vous me connaissez : car il était important de
remettre tout en place. Je tombai d'abord sur deux lettres du
mari, mélange indigeste de détails de procès et de tirades d'amour
115 conjugal, que j'eus la patience de lire en entier, et où je ne
trouvai pas un mot qui eût rapport à moi. Je les replaçai avec
humeur : mais elle s'adoucit, en trouvant sous ma main les
morceaux de ma fameuse lettre de Dijon, soigneusement rassemblés. Heureusement il me prit fantaisie de la parcourir. Jugez de
120 ma joie, en y apercevant les traces, bien distinctes, des larmes
de mon adorable dévote. Je l'avoue, je cédai à un mouvement de
jeune homme, et baisai cette lettre avec un transport dont je ne
me croyais plus susceptible. Je continuai l'heureux examen ; je
retrouvai toutes mes lettres de suite, et par ordre de dates ; et ce
125 qui me surprit plus agréablement encore, celle de retrouver la
première de toutes, celle que je croyais m'avoir été rendue par
une ingrate, fidèlement copiée de sa main ; et d'une écriture
altérée et tremblante, qui témoignait assez la douce agitation de
son cœur pendant cette occupation.

130 Jusque-là j'étais tout entier à l'amour ; bientôt il fit place à la
fureur. Qui croyez-vous qui veuille me perdre auprès de cette
femme que j'adore ? quelle furie supposez-vous assez méchante,
pour tramer une pareille noirceur ? Vous la connaissez : c'est
votre amie, votre parente, c'est madame de Volanges. Vous n'ima-
135 ginez pas quel tissu d'horreurs l'infernale mégère lui a écrit sur
mon compte. C'est elle, elle seule, qui a troublé la sécurité de
cette femme angélique ; c'est par ses conseils, fut de retrouver la
nicieux, que je me vois forcé de m'éloigner ; c'est à elle enfin
que l'on me sacrifie. Ah ! sans doute il faut séduire sa fille : mais
140 ce n'est pas assez, il faut la perdre ; et puisque l'âge de cette
maudite femme la met à l'abri de mes coups, il faut la frapper
dans l'objet de ses affections.

Elle veut donc que je revienne à Paris ! elle m'y force ! soit,
j'y retournerai, mais elle gémira de mon retour. Je suis fâché

que Danceny soit le héros de cette aventure, il a un fond d'hon-
145 nêteté qui nous gênera : cependant il est amoureux, et je le vois
souvent ; on pourra peut-être en tirer parti. Je m'oublie dans ma
colère, et je ne songe pas que je vous dois le récit de ce qui s'est
passé aujourd'hui. Revenons.

Ce matin, j'ai revu ma sensible prude. Jamais je ne l'avais
150 trouvée si belle. Cela devait être ainsi : le plus beau moment
d'une femme, le seul où elle puisse produire cette ivresse de
l'âme, dont on parle toujours, et qu'on éprouve si rarement, est
celui où, assurés de son amour, nous ne le sommes pas de ses
faveurs ; et c'est précisément le cas où je me trouvais. Peut-être
155 aussi l'idée que j'allais être privé du plaisir de la voir servait-elle
à l'embellir. Enfin, à l'arrivée du courrier, on m'a remis votre
lettre du 27 ; et pendant que je la lisais, j'hésitais encore pour
savoir si je tiendrais ma parole : mais j'ai rencontré les yeux de
ma belle, et il m'aurait été impossible de lui rien refuser.

160 J'ai donc annoncé mon départ. Un moment après, madame de
Rosemonde nous a laissés seuls : mais j'étais encore à quatre pas
de la farouche personne, que se levant avec l'air de l'effroi :
« Laissez-moi, laissez-moi, Monsieur, m'a-t-elle dit ; au nom de
Dieu, laissez-moi. » Cette prière fervente, qui décelait son émo-
165 tion, ne pouvait que m'animer davantage. Déjà j'étais auprès
d'elle, et je tenais ses mains qu'elle avait jointes avec une expression tout à fait touchante ; là, je commençais de tendres plaintes,
quand un démon ennemi ramena madame de Rosemonde. La
timide dévote, qui a en effet quelques raisons de craindre, en a
170 profité pour se retirer.

Je lui ai pourtant offert la main qu'elle a acceptée ; et augurant
bien de cette douceur, qu'elle n'avait pas eue depuis longtemps,
tout en recommençant mes plaintes j'ai essayé de serrer la sienne.
Elle a d'abord voulu la retirer ; mais sur une instance plus vive,
175 elle s'est livrée d'assez bonne grâce, quoique sans répondre ni à
ce geste, ni à mes discours. Arrivé à la porte de son appartement,
j'ai voulu baiser cette main, avant de la quitter. La défense a
commencé par être franche : mais un *songez donc que je pars*,
prononcé bien tendrement, l'a rendue gauche et insuffisante. A
180 peine le baiser a-t-il été donné, que la main a retrouvé sa force
pour échapper, et que la belle est entrée dans son appartement
où était sa femme de chambre. Ici finit mon histoire.

Comme je présume que vous serez demain chez la maréchale
de..., où sûrement je n'irai pas vous trouver ; comme je me doute
185 bien aussi qu'à notre première entrevue nous aurons plus d'une

affaire à traiter, et notamment celle de la petite Volanges, que je
ne perds pas de vue, j'ai pris le parti de me faire précéder par
cette lettre ; et toute longue qu'elle est, je ne la fermerai qu'au
moment de l'envoyer à la poste, car au terme où j'en suis, tout
190 peut dépendre d'une occasion ; et je vous quitte pour aller l'épier.

P.-S. à huit heures du soir.

Rien de nouveau ; pas le plus petit moment de liberté : du soin
même pour l'éviter. Cependant, autant de tristesse que la décence
en permettait, pour le moins. Un autre événement qui peut ne
195 pas être indifférent, c'est que je suis chargé d'une invitation de
madame de Rosemonde à madame de Volanges, pour venir passer
quelque temps chez elle à la campagne.

Adieu, ma belle amie ; à demain ou après-demain au plus tard.

De... ce 28 août 17**.

Lettre 44

- **« Les lecteurs indiscrets »** (Jean Rousset)

1. Mme de Merteuil avait refusé à la lettre le pouvoir de toucher efficacement (lettre 33). En quoi celle-ci répond-elle à ce scepticisme ?
2. Commenter cette affirmation d'un critique : « Valmont sait bien que la
relecture des lettres qui demeurent joue en faveur du libertin [...]. C'est en
répétant les mots d'amour, de passion, d'émotion, de volupté que Valmont
finit par imposer à la présidente la curiosité du bonheur. » (L. Versini, *Le
Roman épistolaire*, p. 157.)

- **Plaisir d'intriguer et de se représenter**

Plaisir de la mise en scène et bonheur de la raconter, confusion délicieuse
de la vie et des situations romanesques et théâtrales éclatent dans ce récit.
1. Par quels moyens le narrateur fait-il partager ce bonheur au lecteur ?
2. Par quels traits Azolan rejoint-il les valets de comédie ?

- **« J'ai revu ma sensible prude »**

1. Mme de Tourvel est ici encore nommée par des périphrases. Comment
s'organisent-elles ?
2. Quelle vision du personnage traduisent-elles sous le regard de la marquise, destinataire de la lettre ?
3. Analysez les effets produits, dans chaque contexte, par les rares pas-
sages où le narrateur laisse la parole à Mme de Tourvel.
4. « *La main a retrouvé sa force pour échapper* » : le personnage vit par
ses mains, dont Valmont épie et dessine les mouvements. Quels effets
naissent de ces gros plans ?

« Émilie me servit de pupitre pour écrire à ma belle Dévote, à qui j'ai trouvé plaisant d'envoyer une lettre écrite du lit d'une fille. » (Lettre XLVII, de Valmont à la marquise de Merteuil. *Cf. p. 71.*)

LETTRE XLVIII

LE VICOMTE DE VALMONT À LA PRÉSIDENTE DE TOURVEL
(Timbrée de Paris.)

C'est après une nuit orageuse, et pendant laquelle je n'ai pas
fermé l'œil ; c'est après avoir été sans cesse ou dans l'agitation
d'une ardeur dévorante, ou dans l'entier anéantissement de toutes
les facultés de mon âme, que je viens chercher auprès de vous,
5 Madame, un calme dont j'ai besoin, et dont pourtant je n'espère
pas jouir encore. En effet, la situation où je suis en vous écrivant,
me fait connaître plus que jamais, la puissance irrésistible de
l'amour ; j'ai peine à conserver assez d'empire sur moi pour
mettre quelque ordre dans mes idées ; et déjà je prévois que je
10 ne finirai pas cette lettre, sans être obligé de l'interrompre. Quoi !
ne puis-je donc espérer que vous partagerez quelque jour le
trouble que j'éprouve en ce moment ? J'ose croire cependant que,
si vous le connaissiez bien, vous n'y seriez pas entièrement
insensible. Croyez-moi, Madame, la froide tranquillité, le som-
15 meil de l'âme, image de la mort, ne mènent point au bonheur ;
les passions actives peuvent seules y conduire ; et malgré les
tourments que vous me faites éprouver, je crois pouvoir assurer
sans crainte, que, dans ce moment, je suis plus heureux que
vous. En vain m'accablez-vous de vos rigueurs désolantes, elles
20 ne m'empêchent point de m'abandonner entièrement à l'amour
et d'oublier, dans le délire qu'il me cause, le désespoir auquel
vous me livrez. C'est ainsi que je veux me venger de l'exil auquel
vous me condamnez. Jamais je n'eus tant de plaisir en vous
écrivant ; jamais je ne ressentis, dans cette occupation, une émo-
25 tion si douce et cependant si vive. Tout semble augmenter mes
transports : l'air que je respire est plein de volupté ; la table
même sur laquelle je vous écris, consacrée pour la première fois
à cet usage, devient pour moi l'autel sacré de l'amour ; combien
elle va s'embellir à mes yeux ! j'aurai tracé sur elle le serment
30 de vous aimer toujours ! Pardonnez, je vous en supplie, au
désordre de mes sens. Je devrais peut-être m'abandonner moins
à des transports que vous ne partagez pas : il faut vous quitter
un moment pour dissiper une ivresse qui s'augmente à chaque
instant, et qui devient plus forte que moi.

35 Je reviens à vous, Madame, et sans doute j'y reviens toujours
avec le même empressement. Cependant le sentiment du bonheur
a fui loin de moi ; il a fait place à celui des privations cruelles.

A quoi me sert-il de vous parler de mes sentiments, si je cherche
en vain les moyens de vous convaincre ? après tant d'efforts
40   réitérés, la confiance et la force m'abandonnent à la fois. Si je
me retrace encore les plaisirs de l'amour, c'est pour sentir plus
vivement le regret d'en être privé. Je ne me vois de ressource
que dans votre indulgence, et je sens trop, dans ce moment,
combien j'en ai besoin pour espérer de l'obtenir. Cependant,
45   jamais mon amour ne fut plus respectueux, jamais il ne dut
moins vous offenser ; il est tel, j'ose le dire, que la vertu la plus
sévère ne devrait pas le craindre : mais je crains moi-même de
vous entretenir plus longtemps de la peine que j'éprouve. Assuré
que l'objet qui la cause ne la partage pas, il ne faut pas au moins
50   abuser de ses bontés ; et ce serait le faire, que d'employer plus
de temps à vous retracer cette douloureuse image. Je ne prends
plus que celui de vous supplier de me répondre, et de ne jamais
douter de la vérité de mes sentiments[1].

Écrite de P..., datée de Paris, ce 30 août 17**.

Lettre 48

• Un chef-d'œuvre de l'équivoque

1. Sur la confusion de quels ordres de réalités cette lettre est-elle construite ?
2. Comment s'organise le choix des mots dans chaque paragraphe ?
3. Sur quelle antithèse de valeurs le discours de Valmont repose-t-il ?
4. Virtuosité de la polysémie : comment l'ambiguïté est-elle maintenue ?
Le comédien donne ici une leçon : faire croire qu'il est la proie des passions, tout en conservant une parfaite maîtrise.
5. Quelles sont les composantes du plaisir libertin ?

• « Lecteurs pirates »

Parfait exemple de ce que Jean Rousset appelle le « dérèglement du jeu
épistolaire » avec l'intrusion, dans l'échange, de lecteurs pirates.
1. Précisez les aspects de cette piraterie.
2. Quelle est la situation du lecteur réel par rapport à cette chaîne de
lecteurs ? A combien de regards la lettre est-elle exposée ?

• Le discours amoureux

1. Par sa polysémie et la double ou la triple entente, ce texte met en cause,
obliquement, le discours amoureux en général. « Roman épistolaire, *Les
Liaisons dangereuses* sont bien l'aventure des signes ambigus [...]. Les
héros se battent à coups de mots [...]. Mais ce combat rappelle aussi que
le langage de l'amour, à toutes les époques, est foncièrement ambigu »
(J.-L. Seylaz).
2. Précisez en quoi cette lettre peut être considérée comme symbole de
« l'écriture libertine » (M. Delon).

---

1. Le lecteur retrouvera Émilie, cette fois, face à Mme de Tourvel, dans les lettres
135-138.

SECONDE PARTIE

LETTRE LI

[...] A présent il est une heure du matin, et au lieu de me coucher, comme j'en meurs d'envie, il faut que je vous écrive une longue lettre, qui va redoubler mon sommeil par l'ennui qu'elle me causera. Vous êtes bien heureux que je n'aie pas le
5 temps de vous gronder davantage. N'allez pas croire pour cela que je vous pardonne ; c'est seulement que je suis pressée. Écoutez-moi donc, je me dépêche.

Pour peu que vous soyez adroit, vous devez avoir demain la confidence de Danceny. Le moment est favorable pour la con-
10 fiance : c'est celui du malheur. La petite fille a été à confesse ; elle a tout dit, comme un enfant ; et depuis, elle est tourmentée à un tel point de la peur du diable, qu'elle veut rompre absolument. Elle m'a raconté tous ses petits scrupules, avec une vivacité qui m'apprenait assez combien sa tête était montée. Elle m'a
15 montré sa lettre de rupture, qui est une vraie capucinade[1]. Elle a babillé une heure avec moi, sans me dire un mot qui ait le sens commun. Mais elle ne m'en a pas moins embarrassée ; car vous jugez que je ne pouvais risquer de m'ouvrir vis-à-vis d'une aussi mauvaise tête.
20 J'ai vu pourtant au milieu de tout ce bavardage, qu'elle n'en aime pas moins son Danceny ; j'ai remarqué même une de ces ressources qui ne manquent jamais à l'amour, et dont la petite fille est assez plaisamment la dupe. Tourmentée par le désir de s'occuper de son amant, et par la crainte de se damner en s'en
25 occupant, elle a imaginé de prier Dieu de le lui faire oublier ; et comme elle renouvelle cette prière à chaque instant du jour, elle trouve le moyen d'y penser sans cesse.

Avec quelqu'un de plus *usagé*[2] que Danceny, ce petit événement serait peut-être plus favorable que contraire, mais le jeune

---

1. Lettre digne de l'influence d'un religieux capucin, son confesseur. — 2. « Rompu aux usages de la galanterie et du monde ».

30 homme est si Céladon[1], que, si nous ne l'aidons pas, il lui faudra
tant de temps pour vaincre les plus légers obstacles, qu'il ne
nous laissera pas celui d'effectuer notre projet[1]. [...]

Quoi qu'il en soit, au lieu de perdre mon temps en raisonnements qui m'auraient compromise, et peut-être sans persuader,
35 j'ai approuvé le projet de rupture : mais j'ai dit qu'il était plus
honnête, en pareil cas, de dire ses raisons que de les écrire ; qu'il
était d'usage aussi de rendre les lettres et les autres bagatelles
qu'on pouvait avoir reçues ; et paraissant entrer ainsi dans les
vues de la petite personne, je l'ai décidée à donner un rendez-
40 vous à Danceny. Nous en avons sur-le-champ concerté les moyens,
et je me suis chargée de décider la mère à sortir sans sa fille ;
c'est demain après-midi que sera cet instant décisif. Danceny en
est déjà instruit ; mais, pour Dieu, si vous en trouvez l'occasion,
décidez donc ce beau berger à être moins langoureux ; et appre-
45 nez-lui, puisqu'il faut lui tout dire, que la vraie façon de vaincre
les scrupules est de ne laisser rien à perdre à ceux qui en ont.

Au reste, pour que cette ridicule scène ne se renouvelât pas,
je n'ai pas manqué d'élever quelques doutes dans l'esprit de la
petite fille, sur la discrétion des confesseurs ; et je vous assure
50 qu'elle paie à présent la peur qu'elle m'a faite, par celle qu'elle
a que le sien n'aille tout dire à sa mère. J'espère qu'après que
j'en aurai causé encore une fois ou deux avec elle, elle n'ira plus
raconter ainsi ses sottises au premier venu.

*   * Le lecteur a dû deviner depuis longtemps par les mœurs de madame de
Merteuil, combien peu elle respectait la religion. On aurait supprimé tout cet alinéa,
mais on a cru qu'en montrant les effets, on ne devait pas négliger d'en faire
connaître les causes.*

Lettre 51

• **La relance d'un projet**

1. Formulation de lois psychologiques et maximes scandent l'exposé des
plans : étudiez leur place et leurs fonctions.
2. Quelle est la méthode, d'après cette lettre en particulier, de Mme de
Merteuil vis-à-vis des deux ingénus ?
3. *Indécemment, merveilleux, usagé :* en italique on notera aussi *capucinade* (§ 3) et l'antonomase *un Céladon* (§ 5) ; quels rapports au langage et
aux personnes suggèrent ces façons de parler ? (Pour le goût des italiques
chez la marquise, cf. la lettre 5 et p. 177.)
4. Définir l'importance de cette lettre dans la progression de l'intrigue, en
ce début de 2e partie (cf. la présentation d'ensemble *L'aventure épistolaire*).

---

1. Céladon, exemple d'amour parfait, est le personnage principal de *L'Astrée*,
roman du début du XVIIe siècle, devenu un trésor de références et de types.

Adieu, Vicomte ; emparez-vous de Danceny, et conduisez-le. Il
55 serait honteux que nous ne fissions pas ce que nous voulons, de
deux enfants. Si nous y trouvons plus de peine que nous ne
l'avions cru d'abord, songeons, pour animer notre zèle, vous,
qu'il s'agit de la fille de madame de Volanges, et moi, qu'elle
doit devenir la femme de Gercourt. Adieu.

De... ce 2 septembre 17**.

LETTRE LVI

LA PRÉSIDENTE DE TOURVEL AU VICOMTE DE VALMONT

A quoi vous servirait, Monsieur, la réponse que vous me
demandez ? Croire à vos sentiments, ne serait-ce pas une raison
de plus pour les craindre ? et sans attaquer ni défendre leur
sincérité, ne me suffit-il pas, ne doit-il pas vous suffire à vous-
5 même, de savoir que je ne veux ni ne dois y répondre ?

Supposé que vous m'aimiez véritablement (et c'est seulement
pour ne plus revenir sur cet objet, que je consens à cette supposition), les obstacles qui nous séparent en seraient-ils moins
insurmontables ? et aurais-je autre chose à faire qu'à souhaiter
10 que vous pussiez bientôt vaincre cet amour, et surtout à vous y
aider de tout mon pouvoir, en me hâtant de vous ôter toute
espérance ? Vous convenez vous-même que *ce sentiment est pénible quand l'objet qui l'inspire ne le partage point*. Or, vous savez
assez qu'il m'est impossible de le partager, et quand même ce
15 malheur m'arriverait, j'en serais plus à plaindre, sans que vous
en fussiez plus heureux. J'espère que vous m'estimez assez pour
n'en pas douter un instant. Cessez donc, je vous en conjure,
cessez de vouloir troubler un cœur à qui la tranquillité est si
nécessaire ; ne me forcez pas à regretter de vous avoir connu.
20 Chérie et estimée d'un mari que j'aime et respecte, mes devoirs
et mes plaisirs se rassemblent dans le même objet. Je suis
heureuse, je dois l'être. S'il existe des plaisirs plus vifs, je ne les
désire pas ; je ne veux point les connaître. En est-il de plus doux
que d'être en paix avec soi-même, de n'avoir que des jours
25 sereins, de s'endormir sans trouble, et de s'éveiller sans remords ?
Ce que vous appelez le bonheur, n'est qu'un tumulte des sens,
un orage des passions dont le spectacle est effrayant, même à le

regarder du rivage. Eh ! comment affronter ces tempêtes ? Comment oser s'embarquer sur une mer couverte des débris de mille
30 et mille naufrages ? Et avec qui ? Non, Monsieur, je reste à terre ; je chéris les liens qui m'y attachent. Je pourrais les rompre, que je ne le voudrais pas ; si je ne les avais, je me hâterais de les prendre.

Pourquoi vous attacher à mes pas ? pourquoi vous obstiner à
35 me suivre ? Vos lettres, qui devaient être rares, se succèdent avec

---

Lettre 56

• Le piège de l'écriture

En vous fondant sur les notions d'énoncé et d'énonciation, mettez en évidence la contradiction inscrite dès le paragraphe d'ouverture, et sa résurgence tout au long de la lettre, dans les dernières lignes en particulier (cf. p. 164).

• « Ne me suffit-il pas, ne doit-il pas vous suffire à vous-même ? »

Commentez dans le 1er et le 3e paragraphe la répétition du verbe *devoir*, à sa place précise chaque fois ; commentez dans les deux premiers paragraphes l'emploi du conditionnel, des tournures hypothétiques et interrogatives, et l'apparition, enfin, des impératifs anaphoriques. Comparez les effets produits par les tours interrogatifs ici et dans les deux premiers paragraphes de la lettre 52.

• « Ce que vous appelez le bonheur »

1. Comparez le « credo » de Mme de Tourvel à celui de Valmont dans la lettre 52 (§ 2 et avant-dernier §).
2. Étudiez la composition et les rythmes du paragraphe 3.
3. « *Orage* », « *naufrages* » : de Racine à Laclos... L. Versini a rapproché la métaphore filée au paragraphe 3 de *Phèdre*, II, 2, v. 531-534, pour mettre en évidence le travail créateur : « Il conserve les mots que Racine plaçait à la rime, et ajoute un écho en substituant *rivage* à *bord* [...] ; s'il retrouve Racine, c'est pour l'imiter librement, en développant l'image, en l'appuyant par les mots *tumulte* et *tempête* » (éd. citée, p. 1245-1246). Pour la portée d'ensemble des réminiscences raciniennes, cf. p. 179.

• Valmont-Protée

La figure exemplaire de la métamorphose et du change obsède littéralement Mme de Tourvel. Comment se manifeste-t-elle dans la représentation qu'elle donne de Valmont au paragraphe 4 ? Il est bien l'« enchanteur » aux « charmes » efficaces (cf. p. 189), dont l'identification à la figure mythologique commande le système d'images qu'il donne de lui-même dans la 1re partie (cf. aussi la lettre 32, de Mme de Volanges).

rapidité. Elles devaient être sages, et vous ne m'y parlez que de votre fol amour. Vous m'entourez de votre idée, plus que vous ne le faisiez de votre personne. Écarté sous une forme, vous vous reproduisez sous une autre. Les choses qu'on vous demande de
40 ne plus dire, vous les redites seulement d'une autre manière. Vous vous plaisez à m'embarrasser par des raisonnements captieux ; vous échappez aux miens. Je ne veux plus vous répondre, je ne vous répondrai plus... Comme vous traitez les femmes que vous avez séduites ! avec quel mépris vous en parlez ! Je veux
45 croire que quelques-unes le méritent : mais toutes sont-elles donc si méprisables ? Ah ! sans doute, puisqu'elles ont trahi leurs devoirs pour se livrer à un amour criminel. De ce moment, elles ont tout perdu, jusqu'à l'estime de celui à qui elles ont tout sacrifié. Ce supplice est juste, mais l'idée seule en fait frémir.
50 Que m'importe, après tout ? pourquoi m'occuperais-je d'elles ou de vous ? de quel droit venez-vous troubler ma tranquillité ? Laissez-moi, ne me voyez plus ; ne m'écrivez plus, je vous en prie ; je l'exige. Cette lettre est la dernière que vous recevrez de moi.

De... ce 5 septembre 17**.

LETTRE LXX

LE VICOMTE DE VALMONT À LA MARQUISE DE MERTEUIL

J'ai un avis important à vous donner, ma chère amie. Je soupai hier, comme vous savez, chez la maréchale de***, on y parla de vous, et j'en dis, non pas tout le bien que j'en pense, mais tout celui que je n'en pense pas. Tout le monde paraissait être de
5 mon avis, et la conversation languissait, comme il arrive toujours quand on ne dit que du bien de son prochain, lorsqu'il s'éleva un contradicteur : c'était Prévan.

« A Dieu ne plaise, dit-il en se levant, que je doute de la sagesse de madame de Merteuil ! mais j'oserais croire qu'elle la
10 doit plus à sa légèreté qu'à ses principes. Il est peut-être plus difficile de la suivre que de lui plaire ; et comme on ne manque guère, en courant après une femme, d'en rencontrer d'autres sur son chemin, comme, à tout prendre, ces autres-là peuvent valoir autant et plus qu'elle ; les uns sont distraits par un goût nouveau,
15 les autres s'arrêtent de lassitude ; et c'est peut-être la femme de

Paris qui a eu le moins à se défendre. Pour moi, ajouta-t-il
(encouragé par le sourire de quelques femmes), je ne croirai à la
vertu de madame de Merteuil, qu'après avoir crevé six chevaux
à lui faire ma cour. »

20   Cette mauvaise plaisanterie réussit, comme toutes celles qui
tiennent à la médisance ; et pendant le rire qu'elle excitait,
Prévan reprit sa place, et la conversation générale changea. Mais
les deux comtesses de B***, auprès de qui était notre incrédule,
en firent avec lui leur conversation particulière, qu'heureusement
25 je me trouvais à portée d'entendre.

    Le défi de vous rendre sensible a été accepté ; la parole de tout
dire a été donnée ; et de toutes celles qui se donneraient dans
cette aventure, ce serait sûrement la plus religieusement gardée.
Mais vous voilà bien avertie, et vous savez le proverbe.

30   Il me reste à vous dire que ce Prévan, que vous ne connaissez
pas, est infiniment aimable, et encore plus adroit. Que si quelquefois vous m'avez entendu dire le contraire, c'est seulement
que je ne l'aime pas, que je me plais à contrarier ses succès, et
que je n'ignore pas de quel poids est mon suffrage auprès d'une
35 trentaine de nos femmes les plus à la mode.

    En effet, je l'ai empêché longtemps, par ce moyen, de paraître
sur ce que nous appelons le grand théâtre ; et il faisait des
prodiges, sans en avoir plus de réputation. Mais l'éclat de sa
triple aventure, en fixant les yeux sur lui, lui a donné cette
40 confiance qui lui manquait jusque-là, et l'a rendu vraiment redoutable. C'est enfin aujourd'hui le seul homme, peut-être, que je
craindrais de rencontrer sur mon chemin ; et votre intérêt à part,
vous me rendrez un vrai service de lui donner quelque ridicule
chemin faisant. Je le laisse en bonnes mains ; et j'ai l'espoir qu'à
45 mon retour, ce sera un homme noyé.

    Je vous promets en revanche, de mener à bien l'aventure de
votre pupille, et de m'occuper d'elle autant que de ma belle
prude.

    Celle-ci vient de m'envoyer un projet de capitulation. Toute
50 sa lettre annonce le désir d'être trompée. Il est impossible d'en
offrir un moyen plus commode et aussi plus usé. Elle veut que
je sois *son ami*. Mais moi, qui aime les méthodes nouvelles et
difficiles je ne prétends pas l'en tenir quitte à si bon marché ; et
assurément je n'aurai pas pris tant de peine auprès d'elle, pour
55 terminer par une séduction ordinaire.

    Mon projet, au contraire, est qu'elle sente, qu'elle sente bien
la valeur et l'étendue de chacun des sacrifices qu'elle me fera ;

de ne pas la conduire si vite, que le remords ne puisse la suivre ;
de faire expirer sa vertu dans une lente agonie ; de la fixer sans
60 cesse sur ce désolant spectacle ; et de ne lui accorder le bonheur
de m'avoir dans ses bras, qu'après l'avoir forcée à n'en plus
dissimuler le désir. Au fait, je vaux bien peu, si je ne vaux pas
la peine d'être demandé. Et puis-je me venger moins d'une
femme hautaine, qui semble rougir d'avouer qu'elle adore ?
65 J'ai donc refusé la précieuse amitié, et m'en suis tenu à mon
titre d'amant. Comme je ne me dissimule point que ce titre qui
ne paraît d'abord qu'une dispute de mots, est pourtant d'une
importance réelle à obtenir, j'ai mis beaucoup de soin à ma lettre,
et j'ai tâché d'y répandre ce désordre, qui peut seul peindre le
70 sentiment. J'ai enfin déraisonné le plus qu'il m'a été possible :
car sans déraisonnement, point de tendresse ; et, c'est, je crois,

---

Lettre 70

- « Ce Prévan, que vous ne connaissez pas, est infiniment aimable, et
encore plus adroit »

1. Comment ce nouveau personnage est-il introduit ?
2. Quelle image de lui-même renvoie-t-il à Valmont (cf. l'histoire des « inséparables », dont il est le démiurge, lettre 79) ?

- « Ce que nous appelons le grand théâtre »

On connaît le caractère obligé de la référence théâtrale chez ces libertins,
acteurs consommés et spectateurs impitoyables sur la scène du « monde »,
ici le cercle d'un salon, ailleurs la salle de théâtre elle-même, toujours la
société brillante parisienne. Quels aspects l'éblouissant compte rendu de
Valmont en révèle-t-il ?

- « Moi qui aime les méthodes nouvelles et difficiles »

1. Comment la syntaxe, dans la première phrase du paragraphe : « Mon
projet au contraire... », impose-t-elle l'image que Valmont cherche à donner
de lui-même ?
2. Dans quel domaine est pris l'essentiel du lexique de ce paragraphe ?
3. Précisez la finalité visée par les « méthodes » de Valmont (cf. la lettre 6,
§ 3, fin).
4. L'art de composer des masques de mots : la remarque de Valmont
écrivain (l. 69) s'inscrit dans un ensemble dessiné par la marquise (lettre 33).
Elle manifeste le lien serré unissant art épistolaire et art du comédien chez
les libertins, alors que le roman par lettres passait pour le triomphe de
l'authentique...
5. Il est tentant d'établir un rapport entre les deux affaires ici évoquées :
lequel ?

par cette raison que les femmes nous sont si supérieures dans les lettres d'amour.

75 J'ai fini la mienne par une cajolerie, et c'est encore une suite de mes profondes observations. Après que le cœur d'une femme a été exercé quelque temps, il a besoin de repos ; et j'ai remarqué qu'une cajolerie était, pour toutes, l'oreiller le plus doux à leur offrir.

80 Adieu, ma belle amie. Je pars demain. Si vous avez des ordres à me donner pour la comtesse de***, je m'arrêterai chez elle, au moins pour dîner. Je suis fâché de partir sans vous voir. Faites-moi passer vos sublimes instructions, et aidez-moi de vos sages conseils, dans ce moment décisif.

85 Surtout, défendez-vous de Prévan ; et puissé-je un jour vous dédommager de ce sacrifice ! Adieu.

De... ce 11 septembre 17**.

LETTRE LXXI

LE VICOMTE DE VALMONT À LA MARQUISE DE MERTEUIL

Mon étourdi de chasseur n'a-t-il pas laissé mon portefeuille à Paris ! Les Lettres de ma belle, celles de Danceny pour la petite Volanges, tout est resté, et j'ai besoin de tout. Il va partir pour
5 réparer sa sottise ; et tandis qu'il selle son cheval, je vous raconterai mon histoire de cette nuit : car je vous prie de croire que je ne perds pas mon temps.

L'aventure, par elle-même, est bien peu de chose ; ce n'est qu'un réchauffé avec la vicomtesse de M... Mais elle m'a intéressé
10 par les détails. Je suis bien aise d'ailleurs de vous faire voir que si j'ai le talent de perdre les femmes, je n'ai pas moins, quand je veux, celui de les sauver. Le parti le plus difficile, ou le plus gai, est toujours celui que je prends ; et je ne me reproche pas une bonne action, pourvu qu'elle m'exerce ou m'amuse.

15 J'ai donc trouvé la vicomtesse ici, et comme elle joignait ses instances aux persécutions qu'on me faisait pour passer la nuit au château : « Eh bien ! j'y consens lui dis-je, à condition que je la passerai avec vous. » — « Cela m'est impossible, me répondit-elle, Vressac est ici. » Jusque-là je n'avais cru que lui dire une

20   honnêteté : mais ce mot d'impossible me révolta comme de
coutume. Je me sentis humilié d'être sacrifié à Vressac, et je
résolus de ne le pas souffrir : j'insistai donc.

Les circonstances ne m'étaient pas favorables. Ce Vressac a eu
la gaucherie de donner de l'ombrage au vicomte ; en sorte que
25   la vicomtesse ne peut plus le recevoir chez elle : et ce voyage
chez la bonne comtesse avait été concerté entre eux, pour tâcher
d'y dérober quelques nuits. Le vicomte avait même d'abord
montré de l'humeur d'y rencontrer Vressac ; mais comme il est
encore plus chasseur que jaloux, il n'en est pas moins resté : et
30   la comtesse, toujours telle que vous la connaissez, après avoir
logé la femme dans le grand corridor, a mis le mari d'un côté et
l'amant de l'autre, et les a laissés s'arranger entre eux. Le mauvais
destin de tous deux a voulu que je fusse logé vis-à-vis.

Ce jour-là même, c'est-à-dire hier, Vressac, qui, comme vous
35   pouvez croire, cajole le vicomte, chassait avec lui, malgré son
peu de goût pour la chasse, et comptait bien se consoler la nuit,
entre les bras de la femme, de l'ennui que le mari lui causait
tout le jour : mais moi, je jugeai qu'il aurait besoin de repos, et
je m'occupai des moyens de décider sa maîtresse à lui laisser le
40   temps d'en prendre.

Je réussis, et j'obtins qu'elle lui ferait une querelle de cette
même partie de chasse, à laquelle, bien évidemment, il n'avait
consenti que pour elle. On ne pouvait prendre un plus mauvais
prétexte : mais nulle femme n'a mieux que la vicomtesse ce
45   talent, commun à toutes, de mettre l'humeur à la place de la
raison, et de n'être jamais si difficile à apaiser que quand elle a
tort. Le moment d'ailleurs n'était pas commode pour les explications ; et ne voulant qu'une nuit, je consentais qu'ils se rac-
commodassent le lendemain.

50   Vressac fut donc boudé à son retour. Il voulut en demander la
cause, on le querella. Il essaya de se justifier ; le mari qui était
présent servit de prétexte pour rompre la conversation ; il tenta
enfin de profiter d'un moment où le mari était absent, pour
demander qu'on voulût bien l'entendre le soir : ce fut alors que
55   la vicomtesse devint sublime. Elle s'indigna contre l'audace des
hommes qui, parce qu'ils ont éprouvé les bontés d'une femme,
croient avoir le droit d'en abuser encore, même alors qu'elle a à
se plaindre d'eux ; et ayant changé de thèse par cette adresse,
elle parla si bien délicatesse et sentiment, que Vressac resta muet
60   et confus ; et que moi-même je fus tenté de croire qu'elle avait

raison : car vous saurez que comme ami de tous deux, j'étais en tiers dans cette conversation.

Enfin, elle déclara positivement qu'elle n'ajouterait pas les fatigues de l'amour à celles de la chasse, et qu'elle se reprocherait
65 de troubler d'aussi doux plaisirs. Le mari rentra. Le désolé Vressac, qui n'avait plus la liberté de répondre, s'adressa à moi ; et après m'avoir fort longuement conté ses raisons, que je savais aussi bien que lui, il me pria de parler à la vicomtesse, et je le lui promis. Je lui parlai en effet ; mais ce fut pour la remercier,
70 et convenir avec elle de l'heure et des moyens de notre rendez-vous.

Elle me dit que logée entre son mari et son amant elle avait trouvé plus prudent d'aller chez Vressac, que de le recevoir dans son appartement ; et que, puisque je logeais vis-à-vis d'elle, elle
75 croyait plus sûr aussi de venir chez moi ; qu'elle s'y rendrait aussitôt que sa femme de chambre l'aurait laissée seule ; que je n'avais qu'à tenir ma porte entrouverte, et l'attendre.

Tout s'exécuta comme nous en étions convenus ; et elle arriva chez moi vers une heure du matin

80   ... dans le simple appareil
    D'une beauté qu'on vient d'arracher au sommeil*.

Comme je n'ai point de vanité, je ne m'arrête pas aux détails de la nuit : mais vous me connaissez, et j'ai été content de moi.

Au point du jour, il a fallu se séparer. C'est ici que l'intérêt
85 commence. L'étourdie avait cru laisser sa porte entrouverte, nous la trouvâmes fermée, et la clef était restée en dedans : vous n'avez pas d'idée de l'expression de désespoir avec laquelle la vicomtesse me dit aussitôt : « Ah ! je suis perdue. » Il faut convenir qu'il eût été plaisant de la laisser dans cette situation : mais pouvais-
90 je souffrir qu'une femme fût perdue pour moi, sans l'être par moi ? Et devais-je, comme le commun des hommes, me laisser maîtriser par les circonstances ? Il fallait donc trouver un moyen. Qu'eussiez-vous fait, ma belle amie ? Voici ma conduite, et elle a réussi.

95 J'eus bientôt reconnu que la porte en question pouvait s'enfoncer, en se permettant de faire beaucoup de bruit. J'obtins donc de la vicomtesse, non sans peine, qu'elle jetterait des cris perçants et d'effroi, comme *au voleur, à l'assassin,* etc. Et nous

---

* RACINE, *tragédie de* Britannicus.

convînmes qu'au premier cri, j'enfoncerais la porte, et qu'elle
100   courrait à son lit. Vous ne sauriez croire combien il fallut de
temps pour la décider, même après qu'elle eut consenti. Il fallut
pourtant finir par là, et au premier coup de pied la porte céda.

La vicomtesse fit bien de ne pas perdre de temps ; car au
même instant, le vicomte et Vressac furent dans le corridor ; et
105   la femme de chambre accourut aussi à la chambre de sa maîtresse.

J'étais seul de sang-froid, et j'en profitai pour aller éteindre
une veilleuse qui brûlait encore et la renverser par terre ; car
jugez combien il eût été ridicule de feindre cette terreur panique
en ayant de la lumière dans sa chambre. Je querellai ensuite le
110   mari et l'amant sur leur sommeil léthargique, en les assurant que
les cris auxquels j'étais accouru, et mes efforts pour enfoncer la
porte, avaient duré au moins cinq minutes.

La vicomtesse qui avait retrouvé son courage dans son lit, me
seconda assez bien, et jura ses grands dieux qu'il y avait un
115   voleur dans son appartement ; elle protesta avec plus de sincérité
que de la vie elle n'avait eu tant de peur. Nous cherchions
partout et nous ne trouvions rien, lorsque je fis apercevoir la
veilleuse renversée, et conclus que, sans doute, un rat avait causé
le dommage et la frayeur ; mon avis passa tout d'une voix, et
120   après quelques plaisanteries rebattues sur les rats, le vicomte s'en
alla le premier regagner sa chambre et son lit, en priant sa femme
d'avoir à l'avenir des rats plus tranquilles.

Vressac, resté seul avec nous, s'approcha de la vicomtesse pour
lui dire tendrement que c'était une vengeance de l'amour ; à quoi
125   elle répondit en me regardant : « Il était donc bien en colère, car

---

Lettre 71

1. Quel intérêt présente le récit de cette comédie, après la lettre 70, image
de la vie d'un cercle mondain et de l'un de ses plus brillants acteurs,
Prévan ?
2. Comment la lettre prolonge-t-elle et complète-t-elle le portrait que Valmont traçait de lui-même dans la 2ᵉ partie de la lettre 70 ?
3. Étudiez l'organisation de l'espace du château de la comtesse en espace
de comédie (cf. les indications spatiales de Beaumarchais pour *Le Mariage
de Figaro*, deux ans plus tard, actes I et II).
4. Relevez aussi les mots d'auteur sous la plume de Valmont et les traits
de son art d'improviser.
5. Définissez le rôle des personnages secondaires et épisodiques évoqués
dans les récits des *Liaisons dangereuses* (cf. lettre 79).

il s'est beaucoup vengé, mais, ajouta-t-elle, je suis rendue de
fatigue et je veux dormir. »

J'étais dans un moment de bonté ; en conséquence, avant de
nous séparer, je plaidai la cause de Vressac, et j'amenai le
130 raccommodement. Les deux amants s'embrassèrent, et je fus, à
mon tour, embrassé par tous deux. Je ne me souciais plus des
baisers de la vicomtesse : mais j'avoue que celui de Vressac me
fit plaisir. Nous sortîmes ensemble ; et après avoir reçu ses longs
remerciements, nous allâmes chacun nous remettre au lit.

135 Si vous trouvez cette histoire plaisante, je ne vous en demande
pas le secret. A présent que je m'en suis amusé, il est juste que
le public ait son tour. Pour le moment, je ne parle que de
l'histoire, peut-être bientôt en dirons-nous autant de l'héroïne ?

Adieu, il y a une heure que mon chasseur attend ; je ne prends
140 plus que le moment de vous embrasser, et de vous recommander
surtout de vous garder de Prévan.

Du château de... ce 13 septembre 17**.

LETTRE LXXIX

LE VICOMTE DE VALMONT À LA MARQUISE DE MERTEUIL

Je comptais aller à la chasse ce matin : mais il fait un temps
détestable. Je n'ai pour toute lecture qu'un roman nouveau, qui
ennuierait même une pensionnaire. On déjeunera au plus tôt
dans deux heures : ainsi malgré ma longue lettre d'hier, je vais
5 encore causer avec vous. Je suis bien sûr de ne pas vous ennuyer,
car je vous parlerai *du très joli Prévan.* Comment n'avez-vous
pas su sa fameuse aventure, celle qui a séparé les *inséparables* ?
Je parie que vous vous la rappellerez au premier mot. La voici
pourtant, puisque vous le désirez.

10 Vous vous souvenez que tout Paris s'étonnait que trois femmes,
toutes trois jolies, ayant toutes trois les mêmes talents, et pouvant
avoir les mêmes prétentions, restassent intimement liées entre
elles depuis le moment de leur entrée dans le monde. On crut
d'abord en trouver la raison dans leur extrême timidité : mais
15 bientôt, entourées d'une cour nombreuse dont elles partageaient
les hommages, et éclairées sur leur valeur par l'empressement et

les soins dont elles étaient l'objet, leur union n'en devint pourtant que plus forte ; et l'on eût dit que le triomphe de l'une était toujours celui des deux autres. On espérait au moins que le
20 moment de l'amour amènerait quelque rivalité. Nos agréables se disputaient l'honneur d'être la pomme de discorde ; et moi-même, je me serais mis alors sur les rangs, si la grande faveur où la comtesse de... s'éleva dans ce même temps, m'eût permis de lui être infidèle avant d'avoir obtenu l'agrément que je deman-
25 dais.

Cependant nos trois beautés, dans le même carnaval firent leur choix comme de concert ; et loin qu'il excitât les orages qu'on s'en était promis, il ne fit que rendre leur amitié plus intéressante, par le charme des confidences.

30 La foule des prétendants malheureux se joignit alors à celle des femmes jalouses, et la scandaleuse constance fut soumise à la censure publique. Les uns prétendaient que dans cette société *des inséparables* (ainsi la nomma-t-on alors), la loi fondamentale était la communauté de biens, et que l'amour même y était
35 soumis ; d'autres assuraient que les trois amants, exempts de rivaux, ne l'étaient pas de rivales : on alla même jusqu'à dire qu'ils n'avaient été admis que par décence, et n'avaient obtenu qu'un titre sans fonction.

Ces bruits, vrais ou faux, n'eurent pas l'effet qu'on s'en était
40 promis. Les trois couples, au contraire, sentirent qu'ils étaient perdus s'ils se séparaient dans ce moment ; ils prirent le parti de faire tête à l'orage. Le public, qui se lasse de tout, se lassa bientôt d'une satire infructueuse. Emporté par sa légèreté naturelle, il s'occupa d'autres objets ; puis, revenant à celui-ci avec son incon-
45 séquence ordinaire, il changea la critique en éloge. Comme ici tout est de mode, l'enthousiasme gagna ; il devenait un vrai délire, lorsque Prévan entreprit de vérifier ces prodiges, et de fixer sur eux l'opinion publique et la sienne.

Il rechercha donc ces modèles de perfection. Admis facilement
50 dans leur société, il en tira un favorable augure. Il savait assez que les gens heureux ne sont pas d'un accès si facile. Il vit bientôt, en effet, que ce bonheur si vanté était, comme celui des rois, plus envié que désirable. Il remarqua que, parmi ces pré-tendus inséparables, on commençait à rechercher les plaisirs du
55 dehors, qu'on s'y occupait même de distraction ; et il en conclut que les liens d'amour ou d'amitié étaient déjà relâchés ou rompus, et que ceux de l'amour-propre et de l'habitude conservaient seuls quelque force.

Cependant les femmes, que le besoin rassemblait, conservaient
60 entre elles l'apparence de la même intimité ; mais les hommes,
plus libres dans leurs démarches, retrouvaient des devoirs à
remplir ou des affaires à suivre ; ils s'en plaignaient encore, mais
ne s'en dispensaient plus, et rarement les soirées étaient complètes.

65 Cette conduite de leur part fut profitable à l'assidu Prévan qui,
placé naturellement auprès de la délaissée du jour, trouvait à
offrir alternativement, et selon les circonstances, le même hommage aux trois amies. Il sentit facilement que faire un choix
entre elles, c'était se perdre ; que la fausse honte de se trouver
70 la première infidèle, effaroucherait la préférée ; que la vanité
blessée des deux autres, les rendrait ennemies du nouvel amant,
et qu'elles ne manqueraient pas de déployer contre lui la sévérité
des grands principes ; enfin, que la jalousie ramènerait à coup
sûr les soins d'un rival qui pouvait être encore à craindre. Tout
75 fût devenu obstacle ; tout devenait facile dans son triple projet ;
chaque femme était indulgente, parce qu'elle y était intéressée,
chaque homme parce qu'il croyait ne pas l'être.

Prévan, qui n'avait alors qu'une seule femme à sacrifier, fut
assez heureux pour qu'elle prît de la célébrité. Sa qualité d'étran-
80 gère, et l'hommage d'un grand prince assez adroitement refusé,
avaient fixé sur elle l'attention de la cour et de la ville ; son
amant en partageait l'honneur, et en profita auprès de ses nouvelles maîtresses. La seule difficulté était de mener de front ces
trois intrigues, dont la marche devait forcément se régler sur la
85 plus tardive ; en effet, je tiens d'un de ses confidents, que sa
plus grande peine fut d'en arrêter une, qui se trouva prête à
éclore près de quinze jours avant les autres.

Enfin le grand jour arriva. Prévan, qui avait obtenu les trois
aveux, se trouvait déjà maître des démarches, et les régla comme
90 vous allez voir. Des trois maris, l'un était absent, l'autre partait
le lendemain au point du jour, le troisième était à la ville. Les
inséparables amies devaient souper chez la veuve future ; mais
le nouveau maître n'avait pas permis que les anciens serviteurs
y fussent invités. Le matin même de ce jour, il fait trois lots des
95 lettres de sa belle, il accompagne l'un du portrait qu'il avait reçu
d'elle, le second d'un chiffre amoureux qu'elle-même avait peint,
le troisième d'une boucle de ses cheveux ; chacune reçut pour
complet ce tiers de sacrifice, et consentit, en échange, à envoyer
à l'amant disgracié, une lettre éclatante de rupture.

100 C'était beaucoup ; ce n'était pas assez. Celle dont le mari était
à la ville ne pouvait disposer que de la journée ; il fut convenu
qu'une feinte indisposition la dispenserait d'aller souper chez son
amie, et que la soirée serait toute à Prévan : la nuit fut accordée
par celle dont le mari fut absent : et le point du jour, moment
105 du départ du troisième époux, fut marqué par la dernière, pour
l'heure du berger.

Prévan qui ne néglige rien, court ensuite chez la belle étran-
gère, y porte et y fait naître l'humeur dont il avait besoin, et
n'en sort qu'après avoir établi une querelle qui lui assure vingt-
110 quatre heures de liberté. Ses dispositions ainsi faites, il rentra
chez lui, comptant prendre quelque repos ; d'autres affaires l'y
attendaient.

Les lettres de rupture avaient été un coup de lumière pour les
amants disgraciés : chacun d'eux ne pouvait douter qu'il n'eût
115 été sacrifié à Prévan ; et le dépit d'avoir été joué, se joignant à
l'humeur que donne presque toujours la petite humiliation d'être
quitté, tous trois, sans se communiquer, mais comme de concert,
avaient résolu d'en avoir raison, et pris le parti de la demander
à leur fortuné rival.

120 Celui-ci trouva donc chez lui les trois cartes ; il les accepta
loyalement : mais ne voulant perdre ni les plaisirs, ni l'éclat de
cette aventure, il fixa les rendez-vous au lendemain matin, et les
assigna tous les trois au même lieu et à la même heure. Ce fut
à une des portes du bois de Boulogne.

125 Le soir venu, il courut sa triple carrière avec un succès égal ;
au moins s'est-il vanté depuis, que chacune de ses nouvelles
maîtresses avait reçu trois fois, le gage et le serment de son
amour. Ici, comme vous le jugez bien, les preuves manquent à
l'histoire ; tout ce que peut faire l'historien impartial, c'est de
130 faire remarquer au lecteur incrédule que la vanité et l'imagination
exaltées peuvent enfanter des prodiges, et de plus, que la matinée
qui devait suivre une si brillante nuit, paraissait devoir dispenser
de ménagement pour l'avenir. Quoi qu'il en soit, les faits suivants
ont plus de certitude.

135 Prévan se rendit exactement au rendez-vous qu'il avait indi-
qué ; il y trouva ses trois rivaux, un peu surpris de leur rencontre,
et peut-être chacun d'eux déjà consolé en partie, en se voyant
des compagnons d'infortune. Il les aborda d'un air affable et
cavalier, et leur tint ce discours, qu'on m'a rendu fidèlement :
140 « Messieurs, leur dit-il, en vous trouvant rassemblés ici, vous
avez deviné sans doute que vous aviez tous trois le même sujet

de plainte contre moi. Je suis prêt à vous rendre raison. Que le
sort décide, entre vous, qui des trois tentera le premier une
vengeance à laquelle vous avez tous un droit égal. Je n'ai amené
145 ici ni second, ni témoins. Je n'en ai point pris pour l'offense ; je
n'en demande point pour la réparation. » Puis cédant à son
caractère joueur : « Je sais, ajouta-t-il, qu'on gagne rarement *le
sept et le va* [1] ; mais quel que soit le sort qui m'attend, on a
toujours assez vécu, quand on a eu le temps d'acquérir l'amour
150 des femmes et l'estime des hommes. »

Pendant que ses adversaires étonnés se regardaient en silence,
et que leur délicatesse calculait peut-être que ce triple combat ne
laissait pas la partie égale, Prévan reprit la parole : « Je ne vous
cache pas, continua-t-il donc, que la nuit que je viens de passer
155 m'a cruellement fatigué. Il serait généreux à vous de me permettre de réparer mes forces. J'ai donné mes ordres pour qu'on
tînt ici un déjeuner prêt ; faites-moi l'honneur de l'accepter.
Déjeunons ensemble, et surtout déjeunons gaiement. On peut se
battre pour de semblables bagatelles ; mais elles ne doivent pas,
160 je crois, altérer notre humeur. »

Le déjeuner fut accepté. Jamais, dit-on, Prévan ne fut plus
aimable. Il eut l'adresse de n'humilier aucun de ses rivaux ; de
leur persuader que tous eussent eu facilement les mêmes succès,
et surtout de les faire convenir qu'ils n'en eussent pas plus que
165 lui laissé échapper l'occasion. Ces faits une fois avoués, tout
s'arrangeait de soi-même. Aussi le déjeuner n'était-il pas fini,
qu'on y avait déjà répété dix fois que de pareilles femmes ne
méritaient pas que d'honnêtes gens se battissent pour elles. Cette
idée amena la cordialité ; le vin la fortifia ; si bien que peu de
170 moments après, ce ne fut pas assez de n'avoir plus de rancune,
on se jura amitié sans réserve.

Prévan, qui sans doute aimait bien autant ce dénouement que
l'autre, ne voulait pourtant y rien perdre de sa célébrité. En
conséquence, pliant adroitement ses projets aux circonstances :
175 « En effet, dit-il aux trois offensés, ce n'est pas de moi, mais de
vos infidèles maîtresses que vous avez à vous venger. Je vous en
offre l'occasion. Déjà je ressens, comme vous-mêmes, une injure
que bientôt je partagerais : car si chacun de vous n'a pu parvenir
à en fixer une seule, puis-je espérer de les fixer toutes trois ?
180 Votre querelle devient la mienne. Acceptez pour ce soir, un

---

1. Termes de jeu signifiant que l'on multiplie la mise (le *va*) par sept.

souper dans ma petite maison, et j'espère ne pas différer plus
longtemps votre vengeance. » On voulut le faire expliquer : mais
lui, avec ce ton de supériorité que la circonstance l'autorisait à
prendre : « Messieurs, répondit-il, je crois vous avoir prouvé que
185 j'avais quelque esprit de conduite ; reposez-vous sur moi. » Tous
consentirent ; et après avoir embrassé leur nouvel ami, ils se
séparèrent jusqu'au soir, en attendant l'effet de ses promesses.

Celui-ci, sans perdre de temps retourne à Paris, et va, suivant
l'usage, visiter ses nouvelles conquêtes. Il obtint de toutes trois,
190 qu'elles viendraient le soir même souper *en tête à tête* à sa petite
maison. Deux d'entre elles firent bien quelques difficultés, mais
que reste-t-il à refuser le lendemain ? Il donna le rendez-vous à
une heure de distance, temps nécessaire à ses projets. Après ces
préparatifs, il se retira, fit avertir les trois autres conjurés, et
195 tous quatre allèrent gaiement attendre leurs victimes.

On entend arriver la première. Prévan se présente seul, la
reçoit avec l'air de l'empressement, la conduit jusque dans le
sanctuaire dont elle se croyait la divinité ; puis, disparaissant sur
un léger prétexte, il se fait remplacer aussitôt par l'amant outragé.
200 Vous jugez que la confusion d'une femme qui n'a point encore
l'usage des aventures, rendait, en ce moment, le triomphe bien
facile : tout reproche qui ne fut pas fait, fut compté pour une
grâce ; et l'esclave fugitive, livrée de nouveau à son ancien maître,
fut trop heureuse de pouvoir espérer son pardon, en reprenant
205 sa première chaîne. Le traité de paix se ratifia dans un lieu plus
solitaire, et la scène, restée vide, fut alternativement remplie par
les autres acteurs, à peu près de la même manière, et surtout
avec le même dénouement.

Chacune des femmes pourtant se croyait encore seule en jeu.
210 Leur étonnement et leur embarras augmentèrent quand, au
moment du souper, les trois couples se réunirent ; mais la confusion fut au comble, quand Prévan, qui reparut au milieu de
tous eut la cruauté de faire aux trois infidèles des excuses qui,
en livrant leur secret, leur apprenaient entièrement jusqu'à quel
215 point elles avaient été jouées.

Cependant on se mit à table, et peu après, la contenance revint ;
les hommes se livrèrent, les femmes se soumirent. Tous avaient
la haine dans le cœur ; mais les propos n'en étaient pas moins
tendres : la gaieté éveilla le désir qui, à son tour, lui prêta de
220 nouveaux charmes. Cette étonnante orgie dura jusqu'au matin ;
et quand on se sépara, les femmes durent se croire pardonnées :
mais les hommes, qui avaient conservé leur ressentiment, firent

Lettre 79
Une « fameuse aventure du très joli Prévan »

• La polyphonie dans le roman épistolaire

Dans le texte intégral, c'est une lettre élégiaque et passionnée — une héroïde — de Danceny à Cécile Volanges qui succède à ce récit... En élargissant la perspective, et rétrospectivement, recherchez les harmoniques entre ce conte et l'ensemble du comportement de Valmont dans le roman.

• L'originalité de Laclos

Laurent Versini, commentant le chiffre trois dans les affaires de galanterie, fait remarquer qu'il a « comme ailleurs une valeur magique, et Prévan cherche la consécration que lui assurera la prouesse d'avoir su mener trois intrigues de front. Le vidame de Chartres remplissait Nemours d'admiration en conservant à la fois les faveurs de Mme de Thémines, de Mme de Martigues et de Catherine de Médicis dans *La Princesse de Clèves* ». « Mais Prévan raffine en s'adressant à trois amies accoutumées aux confidences réciproques » (éd. citée, p. 1276).
On suivra le jeu savoureux de répétition et variation ternaires dans le détail de l'histoire.

• L'art des formules

« *Il savait assez que les gens heureux ne sont pas d'un accès si facile.* »
On a déjà observé la propension de Valmont à fixer dans des formules sa connaissance des comportements, et à en faire, le moment venu, les bases de sa stratégie. Relevez dans ce conte les interventions du narrateur moraliste, rapprochez-les des formules brillantes qui sont comme l'enseigne de Prévan.

• Jeu de société

Prévan est joueur (« *on gagne rarement* le sept et va »). Les êtres ne sont-ils pas pour lui les pièces d'un jeu qui serait la vie (cf. p. 178) ?

• La guerre des sexes (suite)

« *De pareilles femmes ne méritaient pas que d'honnêtes gens se battissent pour elles.* » Le triple duel — combat de l'Horace français et des trois Curiaces bafoués — n'aura pas lieu. Il est transformé en un nouvel épisode de la guerre des sexes.
1. Quels sont, dès le début du récit, les signes annonciateurs de cette guerre ?
2. Suivre les épisodes de cette bataille, et le « crescendo » qui amène les vainqueurs à la vengeance la plus complète, malgré la péripétie galante du « traité » de paix (l. 205-208).
3. Mme de Merteuil avait pressenti l'enjeu du phénomène Prévan, dont on rappellera la déclaration originelle — déclaration de guerre, aussi bien — (lettre 70, § 2).

• Un effet spéculaire

Au dénouement, pour se venger, ils publient l'aventure de leurs maîtresses. La publication, dans tous les sens du terme, jouera un rôle important à la fin du roman, permettant la « mise en abyme » de l'histoire principale dans l'histoire enchâssée.

dès le lendemain une rupture qui n'eut point de retour ; et non
contents de quitter leurs légères maîtresses, ils achevèrent leur
225 vengeance, en publiant leur aventure. Depuis ce temps, une
d'elles est au couvent, et les deux autres languissent exilées dans
leurs terres.

Voilà l'histoire de Prévan ; c'est à vous de voir si vous voulez
ajouter à sa gloire, et vous atteler à son char de triomphe. Votre
230 lettre m'a vraiment donné de l'inquiétude et j'attends avec impatience une réponse plus sage et plus claire à la dernière que je
vous ai écrite.

Adieu, ma belle amie ; méfiez-vous des idées plaisantes ou
bizarres qui vous séduisent toujours trop facilement. Songez que
235 dans la carrière que vous courez, l'esprit ne suffit pas, qu'une
seule imprudence y devient un mal sans remède. Souffrez enfin
que la prudente amitié soit quelquefois le guide de vos plaisirs.

Adieu. Je vous aime pourtant comme si vous étiez raisonnable.

De... ce 18 septembre 17**.

LETTRE LXXXI

LA MARQUISE DE MERTEUIL AU VICOMTE DE VALMONT

Que vos craintes me causent de pitié ! Combien elles me
prouvent ma supériorité sur vous ! et vous voulez m'enseigner,
me conduire ? Ah ! mon pauvre Valmont, quelle distance il y a
encore de vous à moi ! Non, tout l'orgueil de votre sexe ne
10 suffirait pas pour remplir l'intervalle qui nous sépare. Parce que
vous ne pourriez exécuter mes projets, vous les jugez impossi-
bles ! Être orgueilleux et faible, il te sied bien de vouloir calculer
mes moyens et juger de mes ressources ! Au vrai, Vicomte, vos
conseils m'ont donné de l'humeur, et je ne puis vous le cacher.

15 Que pour masquer votre incroyable gaucherie auprès de votre
Présidente, vous m'étaliez comme un triomphe d'avoir déconcerté
un moment cette femme timide et qui vous aime, j'y consens ;
d'en avoir obtenu un regard, un seul regard, je souris et vous le
passe. Que sentant, malgré vous, le peu de valeur de votre
20 conduite, vous espériez la dérober à mon attention, en me flattant
de l'effort sublime de rapprocher deux enfants qui, tous deux,
brûlent de se voir, et qui, soit dit en passant, doivent à moi seule

l'ardeur de ce désir ; je le veux bien encore. Qu'enfin vous vous
autorisiez de ces actions d'éclat, pour me dire d'un ton doctoral,
25   qu'*il vaut mieux employer son temps à exécuter ses projets qu'à
les raconter* ; cette vanité ne me nuit pas, et je la pardonne. Mais
que vous puissiez croire que j'aie besoin de votre prudence, que
je m'égarerais en ne déférant pas à vos avis, que je dois leur
sacrifier un plaisir, une fantaisie : en vérité, Vicomte, c'est aussi
30   vous trop enorgueillir de la confiance que je veux bien avoir en
vous !
        Et qu'avez-vous donc fait, que je n'aie surpassé mille fois ?
Vous avez séduit, perdu même beaucoup de femmes : mais quelles difficultés avez-vous eues à vaincre ? quels obstacles à sur-
35   monter ? où est le mérite qui soit véritablement à vous ? Une
belle figure, pur effet du hasard ; des grâces, que l'usage donne
presque toujours, de l'esprit à la vérité, mais auquel du jargon
suppléerait au besoin ; une impudence assez louable, mais peut-
être uniquement due à la facilité de vos premiers succès ; si je
40   ne me trompe, voilà tous vos moyens : car, pour la célébrité que
vous avez pu acquérir, vous n'exigerez pas, je crois, que je
compte pour beaucoup l'art de faire naître ou de saisir l'occasion
d'un scandale.
        Quant à la prudence, à la finesse, je ne parle pas de moi : mais
45   quelle femme n'en aurait pas plus que vous ? Eh ! votre Présidente vous mène comme un enfant.
        Croyez-moi, Vicomte, on acquiert rarement les qualités dont
on peut se passer. Combattant sans risque, vous devez agir sans
précaution. Pour vous autres hommes, les défaites ne sont que
50   des succès de moins. Dans cette partie si inégale, notre fortune
est de ne pas perdre, et votre malheur de ne pas gagner. Quand
je vous accorderais autant de talents qu'à nous, de combien
encore ne devrions-nous pas vous surpasser, par la nécessité où
nous sommes d'en faire un continuel usage !
55   Supposons, j'y consens, que vous mettiez autant d'adresse à
nous vaincre, que nous à nous défendre ou à céder, vous conviendrez au moins, qu'elle vous devient inutile après le succès.
Uniquement occupé de votre nouveau goût, vous vous y livrez
sans crainte, sans réserve : ce n'est pas à vous que sa durée
60   importe.
        En effet, ces liens réciproquement donnés et reçus, pour parler
le jargon de l'amour, vous seul pouvez, à votre choix, les resserrer
ou les rompre : heureuses encore, si dans votre légèreté, préférant
le mystère à l'éclat, vous vous contentez d'un abandon humiliant,

65 et ne faites pas de l'idole de la veille la victime du lendemain !

Mais qu'une femme infortunée sente la première le poids de sa chaîne, quels risques n'a-t-elle pas à courir, si elle tente de s'y soustraire, si elle ose seulement la soulever ? Ce n'est qu'en tremblant qu'elle essaie d'éloigner d'elle l'homme que son cœur 70 repousse avec effort. S'obstine-t-il à rester, ce qu'elle accordait à l'amour, il faut le livrer à la crainte :

> Ses bras s'ouvrent encor, quand son cœur est fermé.

Sa prudence doit dénouer avec adresse, ces mêmes liens que vous auriez rompus. A la merci de son ennemi, elle est sans 75 ressource, s'il est sans générosité : et comment en espérer de lui, lorsque, si quelquefois on le loue d'en avoir, jamais pourtant on ne le blâme d'en manquer ?

Sans doute, vous ne nierez pas ces vérités que leur évidence a rendues triviales. Si cependant vous m'avez vue, disposant des 80 événements et des opinions, faire de ces hommes si redoutables le jouet de mes caprices ou de mes fantaisies ; ôter aux uns la volonté, aux autres la puissance de me nuire ; si j'ai su tour à tour, et suivant mes goûts mobiles, attacher à ma suite ou rejeter loin de moi

85   Ces tyrans détrônés devenus mes esclaves[*1] ;

si, au milieu de ces révolutions fréquentes, ma réputation s'est pourtant conservée pure ; n'avez-vous pas dû en conclure que, née pour venger mon sexe et maîtriser le vôtre, j'avais su me créer des moyens inconnus jusqu'à moi ?

90 Ah ! gardez vos conseils et vos craintes pour ces femmes à délire, et qui se disent à *sentiment* ; dont l'imagination exaltée ferait croire que la nature a placé leurs sens dans leur tête ; qui, n'ayant jamais réfléchi, confondent sans cesse l'amour et l'amant ;

---

* On ne sait si ce vers, ainsi que celui qui se trouve plus haut, Ses bras s'ouvrent encor, quand son cœur est fermé, sont des citations d'ouvrages peu connus ; ou s'ils font partie de la prose de madame de Merteuil. Ce qui le ferait croire, c'est la multitude de fautes de ce genre qui se trouvent dans toutes les lettres de cette correspondance. Celles du chevalier Danceny sont les seules qui en soient exemptes : peut-être que comme il s'occupait quelquefois de poésie, son oreille plus exercée lui faisait éviter plus facilement ce défaut.

---

1. Les deux vers sont bien de Mme de Merteuil...

qui, dans leur folle illusion, croient que celui-là seul avec qui
95   elles ont cherché le plaisir, en est l'unique dépositaire ; et vraies
superstitieuses, ont pour le prêtre, le respect et la foi qui n'est
dû qu'à la divinité.

Craignez encore pour celles qui, plus vaines que prudentes, ne
savent pas au besoin consentir à se faire quitter.

100   Tremblez surtout pour ces femmes actives dans leur oisiveté,
que vous nommez *sensibles* [1], et dont l'amour s'empare si facilement et avec tant de puissance ; qui sentent le besoin de s'en
occuper encore, même lorsqu'elles n'en jouissent pas ; et s'abandonnant sans réserve à la fermentation de leurs idées, enfantent
105   par elles ces lettres si douces, mais si dangereuses à écrire ; et
ne craignent pas de confier ces preuves de leur faiblesse à l'objet
qui les cause : imprudentes, qui, dans leur amant actuel, ne
savent pas voir leur ennemi futur.

Mais moi, qu'ai-je de commun avec ces femmes inconsidérées ?
110   quand m'avez-vous vue m'écarter des règles que je me suis
prescrites, et manquer à mes principes ? je dis mes principes, et
je le dis à dessein : car ils ne sont pas, comme ceux des autres
femmes, donnés au hasard, reçus sans examen et suivis par
habitude, ils sont le fruit de mes profondes réflexions ; je les ai
115   créés, et je puis dire que je suis mon ouvrage.

Entrée dans le monde dans le temps où, fille encore, j'étais
vouée par état au silence et à l'inaction, j'ai su en profiter pour
observer et réfléchir. Tandis qu'on me croyait étourdie ou dis-
traite, écoutant peu à la vérité les discours qu'on s'empressait à
120   me tenir, je recueillais avec soin ceux qu'on cherchait à me
cacher.

Cette utile curiosité, en servant à m'instruire, m'apprit encore
à dissimuler ; forcée souvent de cacher les objets de mon attention
aux yeux de ceux qui m'entouraient, j'essayai de guider les miens
125   à mon gré ; j'obtins dès lors de prendre à volonté ce regard
distrait que vous avez loué si souvent. Encouragée par ce premier
succès, je tâchai de régler de même les divers mouvements de
ma figure. Ressentais-je quelque chagrin, je m'étudiais à prendre
l'air de la sérénité, même celui de la joie ; j'ai porté le zèle
130   jusqu'à me causer des douleurs volontaires, pour chercher pen-

---

1. Terme intéressant par son ambiguïté : il signifie tantôt *sensuel*, tantôt (ici) *tendre*.
Cf. l'étude d'ensemble sur Mme de Merteuil, en fin de volume.

dant ce temps l'expression du plaisir. Je me suis travaillée avec
le même soin et plus de peine, pour réprimer les symptômes
d'une joie inattendue. C'est ainsi que j'ai su prendre, sur ma
physionomie, cette puissance dont je vous ai vu quelquefois si
135 étonné.

J'étais bien jeune encore, et presque sans intérêt : mais je
n'avais à moi que ma pensée, et je m'indignais qu'on pût me la
ravir ou me la surprendre contre ma volonté. Munie de ces
premières armes, j'en essayai l'usage : non contente de ne plus
140 me laisser pénétrer, je m'amusais à me montrer sous des formes
différentes ; sûre de mes gestes, j'observais mes discours ; je
réglais les uns et les autres, suivant les circonstances, ou même
seulement suivant mes fantaisies : dès ce moment, ma façon de
penser fut pour moi seule, et je ne montrai plus que celle qu'il
145 m'était utile de laisser voir.

Ce travail sur moi-même avait fixé mon attention sur l'expression des figures et le caractère des physionomies ; et j'y gagnai
ce coup d'œil pénétrant, auquel l'expérience m'a pourtant appris
à ne pas me fier entièrement ; mais qui, en tout, m'a rarement
150 trompée.

Je n'avais pas quinze ans, je possédais déjà les talents auxquels
la plus grande partie de nos politiques doivent leur réputation,
et je ne me trouvais encore qu'aux premiers éléments de la
science que je voulais acquérir.

155 Vous jugez bien que, comme toutes les jeunes filles, je cherchais à deviner l'amour et ses plaisirs : mais n'ayant jamais été
au couvent, n'ayant point de bonne amie, et surveillée par une
mère vigilante, je n'avais que des idées vagues et que je ne
pouvais fixer ; la nature même, dont assurément je n'ai eu qu'à
160 me louer depuis, ne me donnait encore aucun indice. On eût dit
qu'elle travaillait en silence à perfectionner son ouvrage. Ma tête
seule fermentait ; je ne désirais pas de jouir, je voulais savoir ;
le désir de m'instruire m'en suggéra les moyens.

Je sentis que le seul homme avec qui je pouvais parler sur cet
165 objet, sans me compromettre, était mon confesseur. Aussitôt je
pris mon parti ; je surmontai ma petite honte ; et me vantant
d'une faute que je n'avais pas commise, je m'accusai d'avoir fait
tout ce que font les femmes. Ce fut mon expression ; mais en
parlant ainsi je ne savais en vérité quelle idée j'exprimais. Mon
170 espoir ne fut ni tout à fait trompé, ni entièrement rempli ; la
crainte de me trahir m'empêchait de m'éclairer ; mais le bon
père me fit le mal si grand, que j'en conclus que le plaisir devait

être extrême ; et au désir de le connaître succéda celui de le
goûter.

175   Je ne sais où ce désir m'aurait conduite ; et alors dénuée
d'expérience, peut-être une seule occasion m'eût perdue : heureusement pour moi, ma mère m'annonça peu de jours après que
j'allais me marier ; sur-le-champ la certitude de savoir éteignit
ma curiosité, et j'arrivai vierge entre les bras de M. de Merteuil.

180   J'attendais avec sécurité le moment qui devait m'instruire, et
j'eus besoin de réflexion pour montrer de l'embarras et de la
crainte. Cette première nuit, dont on se fait pour l'ordinaire une
idée si cruelle ou si douce, ne me présentait qu'une occasion
d'expérience : douleur et plaisir, j'observai tout exactement, et

185   ne voyais dans ces diverses sensations, que des faits à recueillir
et à méditer.

Ce genre d'étude parvint bientôt à me plaire : mais fidèle à
mes principes, et sentant, peut-être par instinct, que nul ne devait
être plus loin de ma confiance que mon mari, je résolus, par cela

190   seul que j'étais sensible, de me montrer impassible à ses yeux.
Cette froideur apparente fut par la suite le fondement inébranla-
ble de son aveugle confiance : j'y joignis, par une seconde
réflexion, l'air d'étourderie qu'autorisait mon âge ; et jamais il
ne me jugea plus enfant que dans les moments où je le jouais

195   avec plus d'audace.

Cependant, je l'avouerai, je me laissai d'abord entraîner par le
tourbillon du monde, et je me livrai tout entière à ses distractions
futiles. Mais au bout de quelques mois, M. de Merteuil m'ayant
menée à sa triste campagne, la crainte de l'ennui fit revenir le

200   goût de l'étude ; et ne m'y trouvant entourée que de gens dont
la distance avec moi me mettait à l'abri de tout soupçon, j'en
profitai pour donner un champ plus vaste à mes expériences. Ce
fut là, surtout, que je m'assurai que l'amour que l'on nous vante
comme la cause de nos plaisirs, n'en est au plus que le prétexte.

205   La maladie de M. de Merteuil vint interrompre de si douces
occupations ; il fallut le suivre à la ville, où il venait chercher
des secours. Il mourut, comme vous savez, peu de temps après ;
et quoique, à tout prendre, je n'eusse pas à me plaindre de lui,
je n'en sentis pas moins vivement le prix de la liberté qu'allait

210   me donner mon veuvage, et je me promis bien d'en profiter.

Ma mère comptait que j'entrerais au couvent, ou reviendrais
vivre avec elle. Je refusai l'un et l'autre parti ; et tout ce que
j'accordai à la décence, fut de retourner dans cette même campagne, où il me restait bien encore quelques observations à faire.

215　　Je les fortifiai par le secours de la lecture : mais ne croyez pas
qu'elle fût toute du genre que vous la supposez. J'étudiai nos
mœurs dans les romans ; nos opinions dans les philosophes ; je
cherchai même dans les moralistes les plus sévères ce qu'ils
exigeaient de nous, et je m'assurai ainsi de ce qu'on pouvait
220　faire, de ce qu'on devait penser, et de ce qu'il fallait paraître.
Une fois fixée sur ces trois objets, le dernier seul présentait
quelques difficultés dans son exécution ; j'espérai les vaincre et
j'en méditai les moyens.

　　Je commençais à m'ennuyer de mes plaisirs rustiques, trop peu
225　variés pour ma tête active ; je sentais un besoin de coquetterie
qui me raccommoda avec l'amour ; non pour le ressentir à la
vérité, mais pour l'inspirer et le feindre. En vain m'avait-on dit,
et avais-je lu qu'on ne pouvait feindre ce sentiment ; je voyais
pourtant que, pour y parvenir, il suffisait de joindre à l'esprit
230　d'un auteur, le talent d'un comédien. Je m'exerçai dans les deux
genres, et peut-être avec quelque succès : mais au lieu de rechercher les vains applaudissements du théâtre, je résolus d'employer
à mon bonheur ce que tant d'autres sacrifiaient à la vanité.

　　Un an se passa dans ces occupations différentes. Mon deuil
235　me permettant alors de reparaître, je revins à la ville avec mes
grands projets ; je ne m'attendais pas au premier obstacle que
j'y rencontrai.

　　Cette longue solitude, cette austère retraite, avaient jeté sur
moi un vernis de pruderie qui effrayait nos plus agréables ; ils
240　se tenaient à l'écart, et me laissaient livrée à une foule d'ennuyeux, qui tous prétendaient à ma main. L'embarras n'était pas
de les refuser ; mais plusieurs de ces refus déplaisaient à ma
famille, et je perdais dans ces tracasseries intérieures, le temps
dont je m'étais promis un si charmant usage. Je fus donc obligée,
245　pour rappeler les uns et éloigner les autres, d'afficher quelques
inconséquences, et d'employer à nuire à ma réputation, le soin
que je comptais mettre à la conserver. Je réussis facilement,
comme vous pouvez croire. Mais n'étant emportée par aucune
passion, je ne fis que ce que je jugeai nécessaire, et mesurai avec
250　prudence les doses de mon étourderie.

　　Dès que j'eus touché le but que je voulais atteindre, je revins
sur mes pas, et fis honneur de mon amendement à quelques-
unes de ces femmes qui, dans l'impuissance d'avoir des prétentions à l'agrément, se rejettent sur celles du mérite et de la vertu.
255　Ce fut un coup de partie qui me valut plus que je n'avais espéré.
Ces reconnaissantes duègnes s'établirent mes apologistes ; et leur

zèle aveugle, pour ce qu'elles appelaient leur ouvrage, fut porté
au point qu'au moindre propos qu'on se permettait sur moi, tout
le parti prude criait au scandale et à l'injure. Le même moyen
260   me valut encore le suffrage de nos femmes à prétentions, qui,
persuadées que je renonçais à courir la même carrière qu'elles,
me choisirent pour l'objet de leurs éloges, toutes les fois qu'elles
voulaient prouver qu'elles ne médisaient pas de tout le monde.

Cependant ma conduite précédente avait ramené les amants ;
265   et pour me ménager entre eux et mes infidèles protectrices, je
me montrai comme une femme sensible, mais difficile, à qui
l'excès de sa délicatesse fournissait des armes contre l'amour.

Alors je commençai à déployer sur le grand théâtre les talents
que je m'étais donnés. Mon premier soin fut d'acquérir le renom
270   d'invincible. Pour y parvenir, les hommes qui ne me plaisaient
point furent toujours les seuls dont j'eus l'air d'accepter les
hommages. Je les employais utilement à me procurer les honneurs
de la résistance, tandis que je me livrais sans crainte à l'amant
préféré. Mais, celui-là, ma feinte timidité ne lui a jamais permis
275   de me suivre dans le monde ; et les regards du cercle ont été,
ainsi, toujours fixés sur l'amant malheureux.

Vous savez combien je me décide vite : c'est pour avoir observé
que ce sont presque toujours les soins antérieurs qui livrent le
secret des femmes. Quoi qu'on puisse faire, le ton n'est jamais
280   le même, avant ou après le succès. Cette différence n'échappe
point à l'observateur attentif et j'ai trouvé moins dangereux de
me tromper dans le choix, que de me laisser pénétrer. Je gagne
encore par là d'ôter les vraisemblances, sur lesquelles seules on
peut nous juger.

285   Ces précautions et celle de ne jamais écrire, de ne délivrer
jamais aucune preuve de ma défaite, pouvaient paraître excessi-
ves, et ne m'ont jamais paru suffisantes. Descendue dans mon
cœur, j'y ai étudié celui des autres. J'y ai vu qu'il n'est personne
qui n'y conserve un secret qu'il lui importe qui ne soit point
290   dévoilé : vérité que l'antiquité paraît avoir mieux connue que
nous, et dont l'histoire de Samson pourrait n'être qu'un ingé-
nieux emblème. Nouvelle Dalila[1], j'ai toujours, comme elle,
employé ma puissance à surprendre ce secret important. Hé ! de

---

1. Dans la Bible, le *Livre des Juges* raconte comment Dalila fut envoyée par les
ennemis auprès de Samson pour le séduire et l'amener à révéler le secret de sa
prodigieuse force : si on le rasait, il deviendrait un homme comme les autres
(ch. 16).

combien de nos Samsons modernes, ne tiens-je pas la chevelure
295 sous le ciseau ! et ceux-là, j'ai cessé de les craindre ; ce sont les
seuls que je me sois permis d'humilier quelquefois. Plus souple
avec les autres, l'art de les rendre infidèles pour éviter de leur
paraître volage, une feinte amitié, une apparente confiance, quelques procédés généreux, l'idée flatteuse et que chacun conserve
300 d'avoir été mon seul amant, m'ont obtenu leur discrétion. Enfin,
quand ces moyens m'ont manqué, j'ai su, prévoyant mes ruptures, étouffer d'avance, sous le ridicule ou la calomnie, la confiance que ces hommes dangereux auraient pu obtenir.

Ce que je vous dis là, vous me le voyez pratiquer sans cesse ;
305 et vous doutez de ma prudence ! Hé bien ! rappelez-vous le temps
où vous me rendîtes vos premiers soins : jamais hommage ne me
flatta autant : je vous désirais avant de vous avoir vu. Séduite
par votre réputation, il me semblait que vous manquiez à ma
gloire ; je brûlais de vous combattre corps à corps. C'est le seul
310 de mes goûts qui ait jamais pris un moment d'empire sur moi.
Cependant, si vous eussiez voulu me perdre, quels moyens eussiez-vous trouvés ? de vains discours qui ne laissent aucune trace
après eux, que votre réputation même eût aidé à rendre suspects,
et une suite de faits sans vraisemblance, dont le récit sincère
315 aurait l'air d'un roman mal tissu.

A la vérité, je vous ai depuis livré tous mes secrets : mais vous
savez quels intérêts nous unissent, et si de nous deux, c'est moi
qu'on doit taxer d'imprudence*.

Puisque je suis en train de vous rendre compte, je veux le faire
320 exactement. Je vous entends d'ici me dire que je suis au moins
à la merci de ma femme de chambre ; en effet, si elle n'a pas le
secret de mes sentiments, elle a celui de mes actions. Quand vous
m'en parlâtes jadis, je vous répondis seulement que j'étais sûre
d'elle ; et la preuve que cette réponse suffit alors à votre tran-
325 quillité, c'est que vous lui avez confié depuis, et pour votre
compte, des secrets assez dangereux. Mais à présent que Prévan
vous donne de l'ombrage, et que la tête vous en tourne, je me
doute bien que vous ne me croyez plus sur ma parole. Il faut
donc vous édifier.

330 Premièrement, cette fille est ma sœur de lait, et ce lien qui ne
nous en paraît pas un, n'est pas sans force pour les gens de cet

---

* On saura dans la suite, lettre CLII, non pas le secret de M. de Valmont, mais
à peu près de quel genre il était ; et le lecteur sentira qu'on n'a pu l'éclaircir
davantage sur cet objet.

état : de plus, j'ai son secret, et mieux encore ; victime d'une folie de l'amour, elle était perdue si je ne l'eusse sauvée. Ses parents, tout hérissés d'honneur, ne voulaient pas moins que la
335 faire enfermer. Ils s'adressèrent à moi. Je vis, d'un coup d'œil, combien leur courroux pouvait m'être utile. Je le secondai, et sollicitai l'ordre, que j'obtins. Puis passant tout à coup au parti de la clémence auquel j'amenai ses parents, et profitant de mon crédit auprès du vieux ministre, je les fis tous consentir à me
340 laisser dépositaire de cet ordre, et maîtresse d'en arrêter ou demander l'exécution, suivant que je jugerais du mérite de la conduite future de cette fille. Elle sait donc que j'ai son sort entre les mains ; et quand, par impossible, ces moyens puissants ne l'arrêteraient point, n'est-il pas évident que sa conduite dévoilée
345 et sa punition authentique ôteraient bientôt toute créance à ses discours ?

A ces précautions que j'appelle fondamentales, s'en joignent mille autres, ou locales, ou d'occasion, que la réflexion et l'habitude font trouver au besoin ; dont le détail serait minutieux,
350 mais dont la pratique est importante, et qu'il faut vous donner la peine de recueillir dans l'ensemble de ma conduite, si vous voulez parvenir à les connaître.

Mais de prétendre que je me sois donné tant de soins pour n'en pas retirer de fruits ; qu'après m'être autant élevée au-dessus
355 des autres femmes par mes travaux pénibles, je consente à ramper comme elles dans ma marche, entre l'imprudence et la timidité ; que surtout je pusse redouter un homme au point de ne plus voir mon salut que dans la fuite ? Non, Vicomte ; jamais. Il faut vaincre ou périr. Quant à Prévan, je veux l'avoir et je l'aurai ; il
360 veut le dire, et il ne le dira pas : en deux mots, voilà notre roman. Adieu.

*De... ce 20 septembre 17**.*

Lettre 81
Les Confessions *et le* Discours de la méthode
de Mme de Merteuil

1. Comment est construite cette lettre, à la fois d'un point de vue linéaire et selon un jeu subtil de récurrences ?
2. Commentez sa place (le roman en compte 175, dont quelques billets de moindre importance). Comparez à cet égard avec la lettre 18, de Julie, dans la 3e partie de *La Nouvelle Héloïse*.

- **L'attaque de la lettre**

1. Comment expliquer le ton agressif sur lequel elle débute ? Aucune allusion précise n'est faite au triomphe de Prévan, dont on déterminera la présence en creux à l'attaque de la lettre et dans la tension qui ne cesse de l'animer. Qu'est-ce qui rapproche, qu'est-ce qui différencie l'attaque, ici et dans les autres lettres de la marquise ?
« Un style de combat » (L. Versini). Quelles en sont les marques dans les trois premiers paragraphes ?
2. *« Être orgueilleux et faible ».* Le lecteur des *Contes* de Voltaire aura déjà entendu ce tour par lequel la divinité, ou le sage chargé de représenter son point de vue, s'adresse à un mortel présomptueux. Plus qu'un pastiche des grands genres (le tutoiement tragique), c'est l'entrée dans un champ lexical déterminant pour la signification profonde et oblique de ce texte : celui de la transcendance divine. La marquise a reçu son être d'elle-même (*« je puis dire que je suis mon ouvrage »*) et les autres ne se reçoivent, pour ainsi dire, que d'elle... Relevez les mots et formules justifiant le recours à la notion de transcendance et à son corollaire, la condescendance. (On n'exclura pas le rapprochement suggéré avec le couple Agrippine-Néron dans la scène 2 de l'acte II de *Britannicus*, car cette même pièce paraît, on l'a vu, avoir beaucoup parlé aux deux roués...)
3. Portrait de Valmont par la marquise : le rapprochement paradoxal avec un autre portrait du personnage, par Mme de Volanges, est-il justifié (lettre 9) ?

- **Un manifeste féministe ?**

1. La marquise impose ses formules éblouissantes : quels en sont les mécanismes ? A quelles motivations obéissent-elles ? Les rappels de maximes de Corneille ou de Beaumarchais ici sont-ils légitimes ?
2. Jusqu'à quel point peut-on parler ici d'un manifeste féministe ? Dans la guerre des sexes, quelle est la place exacte de Mme de Merteuil par rapport à l'un et l'autre camp ?
3. On connaissait son talent de portraitiste mondaine (lettre 5) et son art de l'analyse de la maxime, nourri de la méditation des moralistes. Étudiez la mise en œuvre rigoureuse de ces deux formes mondaines dans la peinture des « femmes à délire » et des « sensibles » (se rappeler que l'adjectif peut alors signifier « sensuel » ou « tendre »). Comparez la figure de la « sensible » à ce que nous savons et voyons de Mme de Tourvel. Cf. aussi la lettre sur les lettres (33).
En relisant quelques lettres de l'échange entre Valmont et la présidente, commentez cette analyse de L. Versini, relevant dans le terme « fermentation » (l. 104) un emprunt au langage scientifique : « On pourrait dire aussi que la génération des ces lettres en général est due à un principe mâle, actif, les "idées" en "fermentation" et à une passivité féminine » (p. 1284).
4. Comment Mme de Merteuil retourne-t-elle la culpabilité de la femme libertine contre la société ?
Comparez, par exemple, avec le portrait d'une femme qui « passait sa vie dans toutes les dissipations du grand monde » dans *Le Paysan parvenu* de Marivaux (1re partie, 1735), ou avec les analyses de Mme de Graffigny, *Lettres d'une Péruvienne* (XXXIV). Cf. aussi Marivaux, *La Colonie* (1750).
5. Mme de Merteuil ne pourrait-elle avoir signé le discours que Laclos projetait d'envoyer à l'Académie de Châlons-sur-Marne, *Des femmes et de leur éducation* (cf. p. 174) ?

- « **Je puis dire que je suis mon ouvrage** » (l. 115)

1. Pour la résonance métaphysique de cette création « ex nihilo », cf. le § 1. La marquise incarne dans le grand monde du XVIIIᵉ siècle, et de façon paroxystique, le rêve humain d'une autonomie totale par rapport à une puissance supérieure, dont elle usurperait l'intelligence sans défaut, la lucidité infaillible, « sondant les reins et les cœurs », en faisant des autres ses créatures (cf. p. 185).

2. L'ascèse de la future Merteuil : exercice spirituel travesti et formation de l'acteur. Relevez les mots appartenant respectivement à ces deux domaines.

Comment la syntaxe impose-t-elle presque physiquement l'image de ce travail de soi sur soi opéré par l'enfant (« *Je n'avais pas quinze ans...* »)?

3. Que tendent à faire sentir les verbes pronominaux et réfléchis si fréquents, les pronoms et adjectifs possessifs de la première personne (observez leur place, en particulier) ? Le style autobiographique seul justifie-t-il cette fréquence ? Si la marquise s'est voulue actrice à l'art consommé, maîtresse absolue de ses effets, elle l'est encore ici, écrivant sous le regard de Valmont et pour l'éblouir. Montrez qu'elle est, malgré elle, dans la comédie de l'écriture autobiographique... Ne se livre-t-elle pas à la construction d'une figure mythique ?

- « **Je revins à la ville avec mes grands projets** » (l. 230-231)

1. La Merteuil surpasse Tartuffe dans son art d'ajuster le masque : étudiez comment le jeu des corrélations syntaxiques, les parallélismes imposent l'image d'une impeccable rigueur dans cet ajustement.

2. « *Descendue dans mon cœur...* » Ce très grand art de l'apparence est fondé sur une profondeur, où la marquise rejoint le duc de la Rochefoucauld explorant les ressorts cachés de la comédie humaine dont chacun de nous est, en son fond, le théâtre. Dans quelle mesure l'enquête est-elle, ici également, démystification (cf., par exemple, l. 203-204 le constat-maxime : « *L'amour que l'on nous vante comme la cause de nos plaisirs n'en est au plus que le prétexte* ») ?

Comparez les formulations de la marquise avec le tour bien connu des *Maximes* (cf. l'épigraphe : « Nos vertus ne sont le plus souvent que des vices déguisés ») et avec les *Maximes* nᵒˢ 68-77 de l'édition de 1678 sur l'amour.

- « **Je vous ai depuis livré tous mes secrets** »

La lettre-confession « où elle fait l'histoire entière de sa vie et de ses principes, et qu'on dit le comble de l'horreur » sera, en effet, connue de tout Paris, au dénouement (lettre 168). Le lecteur, lui, a le privilège de lire déjà, par-dessus l'épaule de Valmont, et se trouve en situation d'effraction, de connivence avec l'auteur, pour surprendre les secrets de cette maîtresse du secret...

TROISIÈME PARTIE

LETTRE LXXXVIII

CÉCILE VOLANGES AU VICOMTE DE VALMONT

Malgré tout le plaisir que j'ai, Monsieur, à recevoir les lettres de M. le chevalier Danceny, et quoique je ne désire pas moins que lui, que nous puissions nous voir encore, sans qu'on puisse nous en empêcher, je n'ai pas osé cependant faire ce que vous
5 me proposez. Premièrement, c'est trop dangereux ; cette clef[1] que vous voulez que je mette à la place de l'autre lui ressemble bien assez à la vérité : mais pourtant, il ne laisse pas d'y avoir encore de la différence, et maman regarde à tout, et s'aperçoit de tout. De plus, quoiqu'on ne s'en soit pas encore servi depuis

---

Lettre 88

- **Retour au château**

La deuxième partie s'achevait sur une lettre de la marquise, de Paris ; la troisième s'ouvre sur celle de Cécile Volanges, au château de Mme de Rosemonde ; à partir de l'alternance des scènes ayant pour théâtre les hauts lieux de la société parisienne ou le château provincial, essayez de définir les rapports de ces lieux romanesques dans chacune des parties du texte.

- **Des clés et des lettres**

D'après le début du § 3, dégagez le sens de l'association entre circulation des clés et circulation des lettres. La clé indûment utilisée n'est-elle pas métaphore de l'effraction de la correspondance par les deux protagonistes, et de l'interception de *toutes* les lettres par le lecteur mis en position de voyeur, accédant à l'intimité de tous les personnages ? On notera la valeur peut-être inaugurale, à cet égard, de la présente lettre au moment où la double entreprise de séduction par Valmont revient au premier plan (se rappeler aussi la première lettre de l'ingénue, munie désormais d'un secrétaire et d'une clé).

---

1. Valmont a proposé de faire faire une clé semblable à celle que détient Mme de Volanges et qui ferme la porte de Cécile.

10   que nous sommes ici, il ne faut qu'un malheur ; et si on s'en
apercevait, je serais perdue pour toujours. Et puis, il me semble
aussi que ce serait mal ; faire comme cela une double clef : c'est
bien fort ! Il est vrai que c'est vous qui auriez la bonté de vous
en charger ; mais malgré cela, si on le savait, je n'en porterais
15   pas moins le blâme et la faute, puisque ce serait pour moi que
vous l'auriez faite. Enfin, j'ai voulu essayer deux fois de la
prendre, et certainement cela serait bien facile, si c'était toute
autre chose : mais je ne sais pas pourquoi je me suis toujours
mise à trembler, et n'en ai jamais eu le courage. Je crois donc
20   qu'il vaut mieux rester comme nous sommes.

Si vous avez toujours la bonté d'être aussi complaisant que
jusqu'ici, vous trouverez toujours bien le moyen de me remettre
une lettre. Même pour la dernière, sans le malheur qui a voulu
que vous vous retourniez tout de suite dans un certain moment,
25   nous aurions eu bien aisé. Je sens bien que vous ne pouvez pas,
comme moi, ne songer qu'à ça ; mais j'aime mieux avoir plus de
patience et ne pas tant risquer. Je suis sûre que M. Danceny
dirait comme moi : car toutes les fois qu'il voulait quelque chose
qui me faisait trop de peine, il consentait toujours que cela ne
30   fût pas.

Je vous remettrai, Monsieur, en même temps que cette lettre,
la vôtre, celle de M. Danceny, et votre clef. Je n'en suis pas
moins reconnaissante de toutes vos bontés. Je vous prie bien de
me les continuer. Il est bien vrai que je suis bien malheureuse,
35   et que sans vous je le serais encore bien davantage ; mais, après
tout, c'est ma mère ; il faut bien prendre patience. Et pourvu
que M. Danceny m'aime toujours, et que vous ne m'abandonniez
pas, il viendra peut-être un temps plus heureux.

J'ai l'honneur d'être, Monsieur, avec bien de la reconnaissance,
40   votre très humble et très obéissante servante.

De... ce 26 septembre 17**.

LETTRE XCVI

LE VICOMTE DE VALMONT À LA MARQUISE DE MERTEUIL

Je parie bien que, depuis votre aventure, vous attendez chaque
jour mes compliments et mes éloges ; je ne doute même pas que
vous n'ayez pris un peu d'humeur de mon long silence : mais

que voulez-vous ? j'ai toujours pensé que quand il n'y avait plus
5 que des louanges à donner à une femme, on pouvait s'en reposer
sur elle, et s'occuper d'autre chose. Cependant je vous remercie
pour mon compte, et vous félicite pour le vôtre. Je veux bien
même, pour vous rendre parfaitement heureuse, convenir que
pour cette fois vous avez surpassé mon attente. Après cela, voyons
10 si de mon côté j'aurai du moins rempli le vôtre en partie.

Ce n'est pas de madame de Tourvel dont je veux vous parler ;
sa marche trop lente vous déplaît. Vous n'aimez que les affaires
faites. Les scènes filées vous ennuient ; et moi, jamais je n'avais
goûté le plaisir que j'éprouve dans ces lenteurs prétendues.

15 Oui, j'aime à voir, à considérer cette femme prudente, engagée,
sans s'en être aperçue, dans un sentier qui ne permet plus de
retour, et dont la pente rapide et dangereuse l'entraîne malgré
elle, et la force à me suivre. Là, effrayée du péril qu'elle court,
elle voudrait s'arrêter et ne peut se retenir. Ses soins et son
20 adresse peuvent bien rendre ses pas moins grands ; mais il faut
qu'ils se succèdent. Quelquefois, n'osant fixer le danger, elle
ferme les yeux, et se laissant aller, s'abandonne à mes soins. Plus
souvent, une nouvelle crainte ranime ses efforts : dans son effroi
mortel, elle veut tenter encore de retourner en arrière ; elle épuise
25 ses forces pour gravir péniblement un court espace ; et bientôt
un magique pouvoir la replace plus près de ce danger, que
vainement elle avait voulu fuir. Alors n'ayant plus que moi pour
guide et pour appui, sans songer à me reprocher davantage une
chute inévitable, elle m'implore pour la retarder. Les ferventes
30 prières, les humbles supplications, tout ce que les mortels, dans
leur crainte, offrent à la Divinité, c'est moi qui le reçois d'elle ;
et vous voulez que, sourd à ses vœux, et détruisant moi-même
le culte qu'elle me rend, j'emploie à la précipiter, la puissance
qu'elle invoque pour la soutenir ! Ah ! laissez-moi du moins le
35 temps d'observer ces touchants combats entre l'amour et la vertu.

Eh quoi ! ce même spectacle qui vous fait courir au théâtre
avec empressement, que vous y applaudissez avec fureur, le
croyez-vous moins attachant dans la réalité ? Ces sentiments
d'une âme pure et tendre, qui redoute le bonheur qu'elle désire,
40 et ne cesse pas de se défendre, même alors qu'elle cesse de
résister, vous les écoutez avec enthousiasme : ne seraient-ils sans
prix que pour celui qui les fait naître ? Voilà pourtant, voilà les
délicieuses jouissances que cette femme céleste m'offre chaque
jour ; et vous me reprochez d'en savourer les douceurs ! Ah ! le

45 temps ne viendra que trop tôt, où, dégradée par sa chute, elle
ne sera plus pour moi qu'une femme ordinaire.

Mais j'oublie, en vous parlant d'elle, que je ne voulais pas
vous en parler. Je ne sais quelle puissance m'y attache, m'y
ramène sans cesse, même alors que je l'outrage. Écartons sa
50 dangereuse idée ; que je redevienne moi-même pour traiter un
sujet plus gai. Il s'agit de votre pupille, à présent devenue la
mienne, et j'espère qu'ici vous allez me reconnaître.

Depuis quelques jours, mieux traité par ma tendre dévote, et
par conséquent moins occupé d'elle, j'avais remarqué que la
55 petite Volanges était en effet fort jolie ; et que s'il y avait de la
sottise à en être amoureux comme Danceny, peut-être n'y en
avait-il pas moins de ma part, à ne pas chercher auprès d'elle
une distraction que ma solitude me rendait nécessaire. Il me
parut juste aussi de me payer des soins que je me donnais pour
60 elle : je me rappelais en outre que vous me l'aviez offerte, avant
que Danceny eût rien à y prétendre ; et je me trouvais fondé à
réclamer quelques droits, sur un bien qu'il ne possédait qu'à
mon refus et par mon abandon. La jolie mine de la petite
personne, sa bouche si fraîche, son air enfantin, sa gaucherie
65 même fortifiaient ces sages réflexions ; je résolus d'agir en conséquence, et le succès a couronné l'entreprise.

Déjà vous cherchez par quel moyen j'ai supplanté si tôt l'amant
chéri ; quelle séduction convient à cet âge, à cette expérience.
Épargnez-vous tant de peine, je n'en ai employé aucune. Tandis
70 que maniant avec adresse les armes de votre sexe, vous triomphiez
par la finesse ; moi, rendant à l'homme ses droits imprescripti-
bles, je subjuguais par l'autorité. Sûr de saisir ma proie si je
pouvais la joindre, je n'avais besoin de ruse que pour m'en
approcher, et même celle dont je me suis servi ne mérite presque
75 pas ce nom.

Je profitai de la première lettre que je reçus de Danceny pour
sa belle, et après l'en avoir avertie par le signal convenu entre
nous, au lieu de mettre mon adresse à la lui rendre, je la mis à
n'en pas trouver le moyen : cette impatience que je faisais naître,
80 je feignais de la partager, et après avoir causé le mal, j'indiquai
le remède.

La jeune personne habite une chambre dont une porte donne
sur le corridor ; mais comme de raison, la mère en avait pris la
clef. Il ne s'agissait que de s'en rendre maître. Rien de plus facile
85 dans l'exécution ; je ne demandais que d'en disposer deux heures,
et je répondais d'en avoir une semblable. Alors correspondances,

entrevues, rendez-vous nocturnes, tout devenait commode et sûr :
cependant, le croiriez-vous ? l'enfant timide prit peur et refusa.
Un autre s'en serait désolé ; moi, je n'y vis que l'occasion d'un
90 plaisir plus piquant. J'écrivis à Danceny pour me plaindre de ce
refus, et je fis si bien que notre étourdi n'eut de cesse qu'il n'eût
obtenu, exigé même de sa craintive maîtresse, qu'elle accordât
ma demande et se livrât toute à ma discrétion.

J'étais bien aise, je l'avoue, d'avoir ainsi changé de rôle, et que
95 le jeune homme fît pour moi ce qu'il comptait que je ferais pour
lui. Cette idée doublait, à mes yeux, le prix de l'aventure : aussi
dès que j'ai eu la précieuse clef, me suis-je hâté d'en faire usage,
c'était la nuit dernière.

Après m'être assuré que tout était tranquille dans le château ;
120 armé de ma lanterne sourde, et dans la toilette que comportait
l'heure et qu'exigeait la circonstance, j'ai rendu ma première
visite à votre pupille. J'avais tout fait préparer (et cela par elle-
même), pour pouvoir entrer sans bruit. Elle était dans son premier sommeil, et dans celui de son âge ; de façon que je suis
125 arrivé jusqu'à son lit, sans qu'elle se soit réveillée. J'ai d'abord
été tenté d'aller plus avant, et d'essayer de passer pour un songe ;
mais craignant l'effet de la surprise et le bruit qu'elle entraîne,
j'ai préféré d'éveiller avec précaution la jolie dormeuse, et suis
en effet parvenu à prévenir le cri que je redoutais.

130 Après avoir calmé ses premières craintes, comme je n'étais pas
venu là pour causer, j'ai risqué quelques libertés. Sans doute on
ne lui a pas bien appris dans son couvent, à combien de périls
divers est exposée la timide innocence, et tout ce qu'elle a à
garder pour n'être pas surprise : car, portant toute son attention,
135 toutes ses forces, à se défendre d'un baiser, qui n'était qu'une
fausse attaque, tout le reste était laissé sans défense ; le moyen
de n'en pas profiter ! J'ai donc changé ma marche, et sur-le-
champ j'ai pris poste. Ici nous avons pensé être perdus tous
deux : la petite fille, tout effarouchée, a voulu crier de bonne
140 foi ; heureusement sa voix s'est éteinte dans les pleurs. Elle s'était
jetée aussi au cordon de sa sonnette, mais mon adresse a retenu
son bras à temps.

« Que voulez-vous faire (lui ai-je dit alors), vous perdre pour
toujours ? Qu'on vienne, et que m'importe ? à qui persuaderez-
145 vous que je ne sois pas ici de votre aveu ? Quel autre que vous
m'aura fourni le moyen de m'y introduire ? et cette clef que je
tiens de vous, que je n'ai pu avoir que par vous, vous chargerez-
vous d'en indiquer l'usage ? » Cette courte harangue n'a calmé

ni la douleur, ni la colère, mais elle a amené la soumission. Je
150 ne sais si j'avais le ton de l'éloquence ; au moins est-il vrai que
je n'en avais pas le geste. Une main occupée pour la force, l'autre
pour l'amour, quel orateur pourrait prétendre à la grâce en
pareille situation ? Si vous vous la peignez bien, vous conviendrez
qu'au moins elle était favorable à l'attaque : mais moi, je n'en-
155 tends rien à rien, et, comme vous dites, la femme la plus simple,
une pensionnaire, me mène comme un enfant.

Celle-ci, tout en se désolant, sentait qu'il fallait prendre un
parti, et entrer en composition. Les prières me trouvant inexorable, il a fallu passer aux offres. Vous croyez que j'ai vendu bien
160 cher ce poste important : non, j'ai tout promis pour un baiser.
Il est vrai que, le baiser pris, je n'ai pas tenu ma promesse :
mais j'avais de bonnes raisons. Étions-nous convenus qu'il serait
pris ou donné ? A force de marchander, nous sommes tombés
d'accord pour un second ; et celui-là, il était dit qu'il serait reçu.
165 Alors ayant guidé les bras timides autour de mon corps, et la
pressant de l'un des miens plus amoureusement, le doux baiser
a été reçu en effet ; mais bien, mais parfaitement reçu : tellement
enfin que l'amour n'aurait pas pu mieux faire.

Tant de bonne foi méritait récompense, aussi ai-je aussitôt
170 accordé la demande. La main s'est retirée ; mais je ne sais par
quel hasard je me suis trouvé moi-même à sa place. Vous me
supposez là bien empressé, bien actif, n'est-il pas vrai ? point du
tout. J'ai pris goût aux lenteurs, vous dis-je. Une fois sûr d'arriver, pourquoi tant presser le voyage ?

175 Sérieusement, j'étais bien aise d'observer une fois la puissance
de l'occasion, et je la trouvais ici dénuée de tout secours étranger.
Elle avait pourtant à combattre l'amour, et l'amour soutenu par
la pudeur ou la honte, et fortifié surtout par l'humeur que j'avais
donnée, et dont on avait beaucoup pris. L'occasion était seule ;
180 mais elle était là, toujours offerte, toujours présente, et l'amour
était absent.

Lettre 96

1. La marquise : à quand remonte sa dernière lettre ? Comment expliquer
le silence de Valmont, et quelle sorte de réponse lui adresse-t-il ?
2. Deux entreprises simultanées de séduction : la « tendre dévote », la
« pupille ». Offrent-elles des traits communs ? Peut-on établir des rapports,
et de quels types, entre les deux « liaisons dangereuses » ?

Pour assurer mes observations, j'avais la malice de n'employer de force que ce qu'on en pouvait combattre. Seulement si ma charmante ennemie, abusant de ma facilité, se trouvait prête à
185 m'échapper, je la contenais par cette même crainte, dont j'avais déjà éprouvé les heureux effets. Hé bien ! sans autre soin, la tendre amoureuse, oubliant ses serments, a cédé d'abord et fini par consentir : non pas qu'après ce premier moment les reproches et les larmes ne soient revenus de concert ; j'ignore s'ils étaient
190 vrais ou feints : mais, comme il arrive toujours, ils ont cessé, dès que je me suis occupé à y donner lieu de nouveau. Enfin, de faiblesse en reproche, et de reproche en faiblesse, nous ne nous sommes séparés que satisfaits l'un de l'autre, et également d'accord pour le rendez-vous de ce soir.

195 Je ne me suis retiré chez moi qu'au point du jour, et j'étais rendu de fatigue et de sommeil : cependant j'ai sacrifié l'un et l'autre au désir de me trouver ce matin au déjeuner : j'aime, de passion, les mines de lendemain. Vous n'avez pas idée de celle-ci. C'était un embarras dans le maintien ! une difficulté dans la
200 marche ! des yeux toujours baissés, et si gros et si battus ! Cette figure si ronde s'était tant allongée ! rien n'était si plaisant. Et pour la première fois, sa mère, alarmée de ce changement extrême, lui témoignait un intérêt assez tendre ! et la Présidente aussi, qui s'empressait autour d'elle ! Oh ! pour ces soins-là ils ne sont que prêtés ; un jour viendra où on pourra les lui rendre, et ce jour n'est pas loin. Adieu, ma belle amie.

Du château de... ce 1ᵉʳ octobre 17**.

LETTRE XCVII

CÉCILE VOLANGES À LA MARQUISE DE MERTEUIL

Ah ! mon Dieu, Madame, que je suis affligée ! que je suis malheureuse ! Qui me consolera dans mes peines ? qui me conseillera dans l'embarras où je me trouve ? Ce M. de Valmont... et Danceny ! non, l'idée de Danceny me met au désespoir...
5 Comment vous raconter ? comment vous dire ?... Je ne sais comment faire. Cependant mon cœur est plein... Il faut que je parle à quelqu'un, et vous êtes la seule à qui je puisse, à qui

j'ose me confier. Vous avez tant de bonté pour moi ! Mais n'en
ayez pas dans ce moment-ci ; je n'en suis pas digne : que vous
10 dirai-je ? je ne le désire point. Tout le monde ici m'a témoigné
de l'intérêt aujourd'hui... ils ont tous augmenté ma peine. Je
sentais tant que je ne le méritais pas ! Grondez-moi au contraire ;
grondez-moi bien, car je suis bien coupable : mais après, sauvez-
moi : si vous n'avez pas la bonté de me conseiller, je mourrai de
15 chagrin.

Apprenez donc... ma main tremble, comme vous voyez, je ne
peux presque pas écrire, je me sens le visage tout en feu... Ah !
c'est bien le rouge de la honte. Hé bien ! je la souffrirai ; ce sera
la première punition de ma faute. Oui, je vous dirai tout.

20 Vous saurez donc que M. de Valmont, qui m'a remis jusqu'ici
les lettres de M. Danceny, a trouvé tout d'un coup que c'était
trop difficile ; il a voulu avoir une clef de ma chambre. Je puis
bien vous assurer que je ne voulais pas ; mais il a été en écrire
à Danceny, et Danceny l'a voulu aussi ; et moi, ça me fait tant
25 de peine quand je lui refuse quelque chose, surtout depuis mon
absence qui le rend si malheureux, que j'ai fini par y consentir.
Je ne prévoyais pas le malheur qui en arriverait.

Hier, M. de Valmont s'est servi de cette clef pour venir dans
ma chambre, comme j'étais endormie ; je m'y attendais si peu,
30 qu'il m'a fait bien peur en me réveillant ; mais comme il m'a
parlé tout de suite, je l'ai reconnu, et je n'ai pas crié ; et puis
l'idée m'est venue d'abord, qu'il venait peut-être m'apporter une
lettre de Danceny. C'en était bien loin. Un petit moment après,
il a voulu m'embrasser ; et pendant que je me défendais, comme
35 c'est naturel, il a si bien fait, que je n'aurais pas voulu pour
toute chose au monde... mais, lui voulait un baiser auparavant.
Il a bien fallu, car comment faire ? d'autant que j'avais essayé
d'appeler, mais outre que je n'ai pas pu, il a bien su me dire
que s'il venait quelqu'un, il saurait bien rejeter toute la faute sur
40 moi ; et en effet, c'était bien facile, à cause de cette clef. Ensuite,
il ne s'est pas retiré davantage. Il en a voulu un second ; et celui-
là, je ne savais pas ce qui en était, mais il m'a toute troublée ;
et après, c'était encore pis qu'auparavant. Oh ! par exemple, c'est
bien mal ça. Enfin après..., vous m'exempterez bien de dire le
45 reste ; mais je suis malheureuse autant qu'on peut l'être.

Ce que je me reproche le plus, et dont pourtant il faut que je
vous parle, c'est que j'ai peur de ne pas m'être défendue autant
que je le pouvais. Je ne sais pas comment cela se faisait : sûrement, je n'aime pas M. de Valmont, bien au contraire ; et il y

50 avait des moments où j'étais comme si je l'aimais... Vous jugez
bien que ça ne m'empêchait pas de lui dire toujours que non :
mais je sentais bien que je ne faisais pas comme je disais ; et ça,
c'était comme malgré moi ; et puis aussi, j'étais bien troublée !
S'il est toujours aussi difficile que ça de se défendre, il faut y
55 être bien accoutumée ! Il est vrai que M. de Valmont a des façons
de dire, qu'on ne sait pas comment faire pour lui répondre :
enfin, croiriez-vous que quand il s'en est allé, j'en étais comme
fâchée, et que j'ai eu la faiblesse de consentir qu'il revînt ce
soir : ça me désole encore plus que tout le reste.

60 Oh ! malgré ça, je vous promets bien que je l'empêcherai d'y
venir. Il n'a pas été sorti, que j'ai bien senti que j'avais eu bien
tort de lui promettre. Aussi, j'ai pleuré tout le reste du temps.
C'est surtout Danceny qui me faisait de la peine ! toutes les fois
que je songeais à lui mes pleurs redoublaient que j'en étais
65 suffoquée, et j'y songeais toujours..., et à présent encore, vous
en voyez l'effet ; voilà mon papier tout trempé. Non, je ne me
consolerai jamais, ne fût-ce qu'à cause de lui... Enfin, je n'en
pouvais plus, et pourtant je n'ai pas pu dormir une minute. Et
ce matin en me levant, quand je me suis regardée au miroir, je
70 faisais peur, tant j'étais changée.

Maman s'en est aperçue dès qu'elle m'a vue et elle m'a demandé
ce que j'avais. Moi, je me suis mise à pleurer tout de suite. Je
croyais qu'elle m'allait gronder, et peut-être ça m'aurait fait
moins de peine : mais, au contraire. Elle m'a parlé avec douceur !
75 Je ne le méritais guère. Elle m'a dit de ne pas m'affliger comme
ça. Elle ne savait pas le sujet de mon affliction. Que je me
rendrais malade ! Il y a des moments où je voudrais être morte.
Je n'ai pas pu y tenir. Je me suis jetée dans ses bras en sanglotant,
et en lui disant : « Ah ! Maman, votre fille est bien mal-
80 heureuse ! » Maman n'a pas pu s'empêcher de pleurer un peu ;

Lettre 97

1. Bel exemple de rotation des points de vue sur le même événement, la
lettre 97 peut être comparée paragraphe par paragraphe avec la précédente.
2. Quel intérêt nouveau présentent ici le babillage et les approximations
de Cécile Volanges ?
3. Comparez avec l'aveu de Julie à son amie Claire, *La Nouvelle Héloïse*,
I, 29.

et tout cela n'a fait qu'augmenter mon chagrin : heureusement
elle ne m'a pas demandé pourquoi j'étais si malheureuse, car je
n'aurais su que lui dire.

Je vous en supplie, Madame, écrivez-moi le plus tôt que vous
85 pourrez, et dites-moi ce que je dois faire, car je n'ai pas le
courage de songer à rien, et je ne sais que m'affliger. Vous
voudrez bien m'adresser votre lettre par M. de Valmont ; mais
je vous en prie, si vous lui écrivez en même temps, ne lui parlez
pas que je vous aie rien dit.

90 J'ai l'honneur d'être, Madame, avec toujours bien de l'amitié,
votre très humble et très obéissante servante...

Je n'ose pas signer cette lettre

Du château de... ce 1ᵉʳ octobre 17**.

LETTRE XCIX

LE VICOMTE DE VALMONT À LA MARQUISE DE MERTEUIL

Encore de petits événements, ma belle amie ; mais des scènes
seulement, point d'actions. Ainsi, armez-vous de patience ; pre-
nez-en même beaucoup : car tandis que ma Présidente marche à
si petits pas, votre pupille recule, et c'est bien pis encore. Hé
5 bien ! j'ai le bon esprit de m'amuser de ces misères-là. Véritablement je m'accoutume fort bien à mon séjour ici ; et je puis dire
que dans le triste château de ma vieille tante, je n'ai pas éprouvé
un moment d'ennui. Au fait, n'y ai-je pas jouissances, privations,
espoir, incertitude ? Qu'a-t-on de plus sur un plus grand théâtre ?
10 des spectateurs ? Hé ! laissez faire, ils ne me manqueront pas.
S'ils ne me voient pas à l'ouvrage, je leur montrerai ma besogne
faite : ils n'auront plus qu'à admirer et applaudir. Oui, ils applau-
diront ; car je puis enfin prédire, avec certitude, le moment de
la chute de mon austère dévote. J'ai assisté ce soir à l'agonie de
15 la vertu. La douce faiblesse va régner à sa place. Je n'en fixe pas
l'époque plus tard qu'à notre première entrevue : mais déjà je
vous entends crier à l'orgueil. Annoncer sa victoire, se vanter à
l'avance ! Hé, là, là, calmez-vous ! Pour vous prouver ma modestie, je vais commencer par l'histoire de ma défaite...

20 En vérité, votre pupille est une petite personne bien ridicule !
C'est bien un enfant qu'il faudrait traiter comme tel, et à qui on

ferait grâce en ne la mettant qu'en pénitence ! Croiriez-vous
qu'après ce qui s'est passé avant-hier entre elle et moi, après la
façon amicale dont nous nous sommes quittés hier matin, lorsque
25 j'ai voulu y retourner le soir, comme elle en était convenue, j'ai
trouvé sa porte fermée en dedans ? Qu'en dites-vous ? on éprouve
quelquefois de ces enfantillages-là la veille : mais le lendemain !
cela n'est-il pas plaisant ?

Je n'en ai pourtant pas ri d'abord ; jamais je n'avais autant
30 senti l'empire de mon caractère. Assurément j'allais à ce rendez-
vous sans plaisir, et uniquement par procédé. Mon lit, dont
j'avais grand besoin, me semblait, pour le moment, préférable à
celui de tout autre, et je ne m'en étais éloigné qu'à regret.
Cependant je n'ai pas eu plutôt trouvé un obstacle, que je brûlais
35 de le franchir ; j'étais humilié, surtout, qu'un enfant m'eût joué.
Je me retirai donc avec beaucoup d'humeur : et dans le projet
de ne plus me mêler de ce sot enfant, ni de ses affaires, je lui
avais écrit, sur-le-champ, un billet que je comptais lui remettre
aujourd'hui, et où je l'évaluais à son juste prix. Mais, comme on
40 dit, la nuit porte conseil ; j'ai trouvé ce matin que, n'ayant pas
ici le choix des distractions, il fallait garder celle-là : j'ai donc
supprimé le sévère billet. Depuis que j'y ai réfléchi, je ne reviens
pas d'avoir eu l'idée de finir une aventure, avant d'avoir en main
de quoi en perdre l'héroïne. Où nous mène pourtant un premier
45 mouvement ! Heureux, ma belle amie, qui a su, comme vous,
s'accoutumer à n'y jamais céder ! Enfin j'ai différé ma vengeance ; j'ai fait ce sacrifice à vos vues sur Gercourt.

À présent que je ne suis plus en colère, je ne vois plus que du
ridicule dans la conduite de votre pupille. En effet, je voudrais
50 bien savoir ce qu'elle espère gagner par là ! pour moi je m'y
perds : si ce n'est que pour se défendre, il faut convenir qu'elle
s'y prend un peu tard. Il faudra bien qu'un jour elle me dise le
mot de cette énigme ! J'ai grande envie de le savoir. C'est peut-
être seulement qu'elle se trouvait fatiguée ? Franchement cela se
55 pourrait ; car sans doute elle ignore encore que les flèches de
l'amour, comme la lance d'Achille[1], portent avec elles le remède
aux blessures qu'elles font. Mais non, à sa petite grimace de
toute la journée, je parierais qu'il entre là-dedans du repentir...
là... quelque chose... comme de la vertu... De la vertu !... c'est
60 bien à elle qu'il convient d'en avoir ! Ah ! qu'elle la laisse à la

---

1. Pélias, la lance d'Achille, guérissait les blessures qu'elle avait faites.

femme véritablement née pour elle, la seule qui sache l'embellir, qui la ferait aimer !... Pardon, ma belle amie : mais c'est ce soir même que s'est passée, entre madame de Tourvel et moi, la scène dont j'ai à vous rendre compte, et j'en conserve encore
65 quelque émotion. J'ai besoin de me faire violence pour me distraire de l'impression qu'elle m'a faite ; c'est même pour m'y aider, que je me suis mis à vous écrire. Il faut pardonner quelque chose à ce premier moment.

Il y a déjà quelques jours que nous sommes d'accord, madame
70 de Tourvel et moi, sur nos sentiments ; nous ne disputons plus que sur les mots. C'était toujours, à la vérité, *son amitié* qui répondait à *mon amour :* mais ce langage de convention ne changeait pas le fond des choses ; et quand nous serions restés ainsi, j'en aurais peut-être été moins vite, mais non pas moins
75 sûrement. Déjà même il n'était plus question de m'éloigner, comme elle le voulait d'abord ; et pour les entretiens que nous avons journellement, si je mets mes soins à lui en offrir l'occa-sion, elle met les siens à la saisir.

Comme c'est ordinairement à la promenade que se passent nos
80 petits rendez-vous, le temps affreux qu'il a fait aujourd'hui, ne me laissait rien espérer : j'en étais même vraiment contrarié ; je ne prévoyais pas combien je devais gagner à ce contretemps.

Ne pouvant se promener, on s'est mis à jouer en sortant de table ; et comme je joue peu, et que je ne suis plus nécessaire,
85 j'ai pris ce temps pour monter chez moi, sans autre projet que d'y attendre, à peu près, la fin de la partie.

Je retournais joindre le cercle, quand j'ai trouvé la charmante femme qui entrait dans son appartement, et qui, soit imprudence ou faiblesse, m'a dit de sa douce voix : « Où allez-vous donc ? Il
90 n'y a personne au salon. » Il ne m'en a pas fallu davantage, comme vous pouvez croire, pour essayer d'entrer chez elle ; j'y ai trouvé moins de résistance que je ne m'y attendais. Il est vrai que j'avais eu la précaution de commencer la conversation à la porte, et de la commencer indifférente ; mais à peine avons-nous
95 été établis, que j'ai ramené la véritable, et que j'ai parlé de *mon amour à mon amie .* Sa première réponse, quoique simple, m'a paru assez expressive : « Oh ! tenez, m'a-t-elle dit, ne parlons pas de cela ici » ; et elle tremblait. La pauvre femme ! elle se voit mourir.
100 Pourtant elle avait tort de craindre. Depuis quelque temps, assuré du succès un jour ou l'autre, et la voyant user tant de force dans d'inutiles combats, j'avais résolu de ménager les mien-

nes, et d'attendre sans effort, qu'elle se rendît de lassitude. Vous
sentez bien qu'ici il faut un triomphe complet, et que je ne veux
105 rien devoir à l'occasion. C'était même d'après ce plan formé, et
pour pouvoir être pressant, sans m'engager trop, que je suis
revenu à ce mot d'amour, si obstinément refusé ; sûr qu'on me
croyait assez d'ardeur, j'ai essayé un ton plus tendre. Ce refus
ne me fâchait plus, il m'affligeait ; ma sensible amie ne me
110 devait-elle pas quelques consolations ?

Tout en me consolant, une main était restée dans la mienne ;
le joli corps était appuyé sur mon bras, et nous étions extrêmement rapprochés. Vous avez sûrement remarqué combien, dans
cette situation, à mesure que la défense mollit, les demandes et
115 les refus se passent de plus près ; comment la tête se détourne
et les regards se baissent, tandis que les discours, toujours prononcés d'une voix faible, deviennent rares et entrecoupés. Ces
symptômes précieux annoncent, d'une manière non équivoque,
le consentement de l'âme : mais rarement a-t-il encore passé
120 jusqu'aux sens ; je crois même qu'il est toujours dangereux de
tenter alors quelque entreprise trop marquée ; parce que cet état
d'abandon n'étant jamais sans un plaisir très doux, on ne saurait
forcer d'en sortir, sans causer une humeur qui tourne infaillible-
ment au profit de la défense.

125 Mais, dans le cas présent, la prudence m'était d'autant plus
nécessaire, que j'avais surtout à redouter l'effroi que cet oubli
d'elle-même ne manquerait pas de causer à ma tendre rêveuse.
Aussi cet aveu que je demandais, je n'exigeais pas même qu'il
fût prononcé ; un regard pouvait suffire ; un seul regard, et
130 j'étais heureux.

Ma belle amie, les beaux yeux se sont en effet levés sur moi,
la bouche céleste a même prononcé : « Eh bien ! oui, je... » Mais
tout à coup le regard s'est éteint, la voix a manqué, et cette
femme adorable est tombée dans mes bras. A peine avais-je eu
135 le temps de l'y recevoir, que se dégageant avec une force con-
vulsive, la vue égarée, et les mains élevées vers le Ciel... « Dieu...
ô mon Dieu, sauvez-moi », s'est-elle écriée ; et sur-le-champ, plus
prompte que l'éclair, elle était à genoux à dix pas de moi. Je
l'entendais prête à suffoquer. Je me suis avancé pour la secourir ;
140 mais elle, prenant mes mains qu'elle baignait de pleurs, quelquefois même embrassant mes genoux : « Oui, ce sera vous,
disait-elle, ce sera vous qui me sauverez ! Vous ne voulez pas ma
mort, laissez-moi ; sauvez-moi ; laissez-moi ; au nom de Dieu,
laissez-moi ! » Et ces discours peu suivis s'échappaient à peine à

« Vous ne voulez pas ma mort, laissez-moi ; sauvez-moi. » (Lettre
XCIX.)
(Gravure de J.-L. Delignon d'après J.-F. Le Barbier, 1801. Bibliothèque
Nationale, Paris. Ph. © Bibl. Nat. - Arch. Photeb.)

145 travers des sanglots redoublés. Cependant elle me tenait avec une
force qui ne m'aurait pas permis de m'éloigner ; alors rassemblant
les miennes, je l'ai soulevée dans mes bras. Au même instant les
pleurs ont cessé ; elle ne parlait plus ; tous ses membres se sont
roidis, et de violentes convulsions ont succédé à cet orage.

150 J'étais, je l'avoue, vivement ému, et je crois que j'aurais consenti à sa demande, quand les circonstances ne m'y auraient pas
forcé. Ce qu'il y a de vrai, c'est qu'après lui avoir donné quelques
secours, je l'ai laissée comme elle m'en priait, et que je m'en
félicite. Déjà j'en ai presque reçu le prix.

155 Je m'attendais qu'ainsi que le jour de ma première déclaration,
elle ne se montrerait pas de la soirée. Mais vers les huit heures,
elle est descendue au salon, et a seulement annoncé au cercle
qu'elle s'était trouvée fort incommodée. Sa figure était abattue,
sa voix faible, et son maintien composé ; mais son regard était
160 doux, et souvent il s'est fixé sur moi. Son refus de jouer m'ayant
même obligé de prendre sa place, elle a pris la sienne à mes
côtés. Pendant le souper, elle est restée seule dans le salon.
Quand on y est revenu, j'ai cru m'apercevoir qu'elle avait pleuré :
pour m'en éclaircir, je lui ai dit qu'il me semblait qu'elle s'était
165 encore ressentie de son incommodité ; à quoi elle m'a obligeam-
ment répondu : « Ce mal-là ne s'en va pas si vite qu'il vient ! »
Enfin quand on s'est retiré, je lui ai donné la main ; et à la porte
de son appartement elle a serré la mienne avec force. Il est vrai
que ce mouvement m'a paru avoir quelque chose d'involontaire :
170 mais tant mieux ; c'est une preuve de plus de mon empire.

Je parierais qu'à présent elle est enchantée d'en être là : tous
les frais sont faits ; il ne reste plus qu'à jouir. Peut-être, pendant
que je vous écris, s'occupe-t-elle déjà de cette douce idée ! et
quand même elle s'occuperait, au contraire, d'un nouveau projet
175 de défense, ne savons-nous pas bien ce que deviennent tous ces
projets-là ? Je vous le demande, cela peut-il aller plus loin que
notre prochaine entrevue ? Je m'attends bien, par exemple, qu'il
y aura quelques façons pour l'accorder, mais bon ! le premier
pas franchi, ces prudes austères savent-elles s'arrêter ? leur amour
180 est une véritable explosion ; la résistance y donne plus de force.
Ma farouche dévote courrait après moi, si je cessais de courir
après elle.

Enfin, ma belle amie, incessamment j'arriverai chez vous, pour
vous sommer de votre parole. Vous n'avez pas oublié sans doute
185 ce que vous m'avez promis après le succès ; cette infidélité à
votre chevalier ? êtes-vous prête ? pour moi je le désire comme

si nous ne nous étions jamais connus. Au reste, vous connaître est peut-être une raison pour le désirer davantage :

Je suis juste, et ne suis point galant*.

190   Aussi ce sera la première infidélité que je ferai à ma grave conquête ; et je vous promets de profiter du premier prétexte pour m'absenter vingt-quatre heures d'auprès d'elle. Ce sera sa punition, de m'avoir tenu si longtemps éloigné de vous. Savez-vous que voilà plus de deux mois que cette aventure m'occupe ?

* VOLTAIRE, Comédie de Nanine.

Lettre 99

• **Lettres en chiasme**

1. L'ordre de présentation dans les « bulletins de campagne » est ici inversé par rapport à la lettre 96. La raison qu'en donne Valmont (fin du § 1) est-elle la seule ? Comment glisse-t-il de « l'affaire Volanges à l'affaire Tourvel ?
2. Si les récits sont aussi des armes dirigées contre la destinataire de la lettre, les coups portés le sont-ils de la même manière que dans la lettre 96 (cf. l'insolence des propos : « *J'ai besoin de me faire violence pour me distraire de l'impression qu'elle m'a faite ; c'est même pour m'y aider, que je me suis mis à vous écrire.* » Cf. aussi la formule de clôture...) ?

• **La rhétorique de Valmont** a donc retourné contre Mme de Tourvel sa propre lettre. Avec une égale maîtrise en présence de sa proie, il dose l'audace et la prudence : montrez comment elles donnent le rythme dans chaque séquence du récit.

• **Valmont clinicien de l'abandon**

1. Comparez la précision des notations avec celles de la lettre 96 (séduction de « la petite Volanges ») ; cette précision s'explique-t-elle seulement par la curiosité du témoin-destinataire de la lettre (cf. la problématique des rapports entre érotisme et écriture dans *Les Liaisons dangereuses*) ?
2. On comparera aussi avec l'analyse toute différente — pourquoi ? — que donnait Mme de Merteuil dans la lettre 5 (§ 3) des manifestations de la passion chez les femmes dévotes.

• **Le goût des citations**

Valmont, en spectateur averti, se redonne, sous le regard de sa correspondante, le plaisir de redire les mots échappés à la présidente : cette lettre est intéressante par la comparaison qu'elle permet avec le style écrit de l'imploration chez elle.

195 oui, deux mois et trois jours ; il est vrai que je compte demain,
puisqu'elle ne sera véritablement consommée qu'alors. Cela me
rappelle que mademoiselle de B★★★ a résisté les trois mois com-
plets. Je suis bien aise de voir que la franche coquetterie a plus
de défense que l'austère vertu.

200   Adieu, ma belle amie ; il faut vous quitter, car il est fort tard.
Cette lettre m'a mené plus loin que je ne comptais ; mais comme
j'envoie demain matin à Paris, j'ai voulu en profiter, pour vous
faire partager un jour plus tôt la joie de votre ami.

Du château de... ce 2 octobre 17★★, au soir.

LETTRE CII

LA PRÉSIDENTE DE TOURVEL À MADAME DE ROSEMONDE

Vous serez bien étonnée, Madame, en apprenant que je pars
de chez vous aussi précipitamment. Cette démarche va vous
paraître bien extraordinaire : mais que votre surprise va redoubler
encore quand vous en saurez les raisons ! Peut-être trouverez-
5 vous qu'en vous les confiant, je ne respecte pas assez la tranquillité nécessaire à votre âge ; que je m'écarte même des sentiments de vénération qui vous sont dus à tant de titres ? Ah !
Madame, pardon : mais mon cœur est oppressé ; il a besoin
d'épancher sa douleur dans le sein d'une amie également douce
10 et prudente : quelle autre que vous pouvait-il choisir ? Regardez-
moi comme votre enfant. Ayez pour moi les bontés maternelles ;
je les implore. J'y ai peut-être quelques droits par mes sentiments
pour vous.

Où est le temps où, tout entière à ces sentiments louables, je
15 ne connaissais point ceux qui, portant dans l'âme le trouble
mortel que j'éprouve, ôtent la force de les combattre en même
temps qu'ils en imposent le devoir ? Ah ! ce fatal voyage m'a
perdue...

Que vous dirai-je enfin ? j'aime, oui, j'aime éperdument. Hélas !
20 ce mot que j'écris pour la première fois, ce mot si souvent
demandé sans être obtenu, je payerais de ma vie la douceur de
pouvoir une fois seulement le faire entendre à celui qui l'inspire ;
et pourtant il faut le refuser sans cesse ! Il va douter encore de
mes sentiments ; il croira avoir à s'en plaindre. Je suis bien

25 malheureuse ! Que ne lui est-il aussi facile de lire dans mon cœur
que d'y régner ? Oui, je souffrirais moins, s'il savait tout ce que
je souffre ; mais vous-même, à qui je le dis, vous n'en aurez
encore qu'une faible idée.

Dans peu de moments, je vais le fuir et l'affliger. Tandis qu'il
30 se croira encore près de moi, je serai déjà loin de lui : à l'heure
où j'avais coutume de le voir chaque jour, je serai dans des lieux
où il n'est jamais venu, où je ne dois pas permettre qu'il vienne.
Déjà tous mes préparatifs sont faits ; tout est là, sous mes yeux ;
je ne puis les reposer sur rien qui ne m'annonce ce cruel départ.
35 Tout est prêt, excepté moi !... et plus mon cœur s'y refuse, plus
il me trouve la nécessité de m'y soumettre.

Je m'y soumettrai sans doute, il vaut mieux mourir que de
vivre coupable. Déjà, je le sens, je ne le suis que trop ; je n'ai
sauvé que ma sagesse, la vertu[1] s'est évanouie. Faut-il vous
40 l'avouer, ce qui me reste encore, je le dois à sa générosité. Enivrée
du plaisir de le voir, de l'entendre, de la douceur de le sentir
auprès de moi, du bonheur plus grand de pouvoir faire le sien,
j'étais sans puissance et sans force ; à peine m'en restait-il pour
combattre, je n'en avais plus pour résister ; je frémissais de mon
45 danger, sans pouvoir le fuir. Hé bien ! il a vu ma peine, et il a
eu pitié de moi. Comment ne le chérirais-je pas ? je lui dois bien
plus que la vie.

Ah ! si en restant auprès de lui je n'avais à trembler que pour
elle, ne croyez pas que jamais je consentisse à m'éloigner ? Que
50 m'est-elle sans lui, ne serais-je pas trop heureuse de la perdre ?
Condamnée à faire éternellement son malheur et le mien ; à
n'oser ni me plaindre, ni le consoler ; à me défendre chaque jour
contre lui, contre moi-même ; à mettre mes soins à causer sa
peine, quand je voudrais les consacrer tous à son bonheur. Vivre
55 ainsi n'est-ce pas mourir mille fois ? voilà pourtant quel va être
mon sort. Je le supporterai cependant, j'en aurai le courage. O
vous, que je choisis pour ma mère, recevez-en le serment.

Recevez aussi celui que je fais de ne vous dérober aucune de
mes actions ; recevez-le, je vous en conjure ; je vous le demande
60 comme un secours dont j'ai besoin : ainsi, engagée à vous dire
tout, je m'accoutumerai à me croire toujours en votre présence.
Votre vertu remplacera la mienne. Jamais, sans doute, je ne
consentirai à rougir à vos yeux ; et retenue par ce frein puissant,

---

1. Quelle différence à faire entre les deux notions ?

tandis que je chérirai en vous l'indulgente amie, confidente de
65 ma faiblesse, j'y honorerai encore l'ange tutélaire qui me sauvera
de la honte.

C'est bien en éprouver assez que d'avoir à faire cette demande.
Fatal effet d'une présomptueuse confiance ! pourquoi n'ai-je pas
redouté plutôt ce penchant que j'ai senti naître ? Pourquoi me
70 suis-je flattée de pouvoir à mon gré le maîtriser ou le vaincre ?
Insensée ! je connaissais bien peu l'amour ! Ah ! si je l'avais
combattu avec plus de soin, peut-être eût-il pris moins d'empire !
peut-être alors ce départ n'eût pas été nécessaire ; ou même, en
me soumettant à ce parti douloureux, j'aurais pu ne pas rompre
75 entièrement une liaison qu'il eût suffi de rendre moins fréquente !

Lettre 102

• **Trois élégies**

On lira celle-ci avec les lettres 108 et 124 (accessoirement la lettre 114)
pour en faire apparaître les cadences, majeures et mineures, les rythmes
de l'épanchement et de l'oppression, les beaux échos raciniens.
N'exaltent-elles pas aussi le personnage de Mme de Tourvel, donnant un
sens possible au livre ?

• **La rotation des points de vue**

Comparez l'interprétation par Valmont du coup de théâtre ouvrant la
lettre 100 avec l'aveu de la présidente (§ 3). Quelle est la supériorité du
lecteur sur Valmont lui-même, si lucide par ailleurs (cf. lettre 99, ses
observations sur le mot « amitié » chez elle) ?

• **« Que vous dirai-je enfin ? j'aime, oui j'aime éperdument » (§ 3)**

L'emploi absolu du verbe ramène avec lui la figure de Phèdre (*Phèdre*, II,
5, v. 673), et d'autres réminiscences raciniennes (« fatal voyage », § 2 :
Phèdre, I, 3, v. 267 ; « Que vous dirai-je enfin ? » : *Bérénice*, I, 4, v. 277) ;
« Je m'égare encore dans des vœux criminels » : *Phèdre*, I, 3, v. 180). Quelle
est la portée de ces rapprochements ?

• **« Insensée ! je connaissais bien peu l'amour ! » (l. 71)**

1. Lucide, jusqu'à quel point la présidente l'est-elle maintenant ? De quelles illusions se flatte-t-elle, désormais ?
2. L'aveu écrit auquel elle se livre est-il, par lui-même, un acte neutre ?
L'écriture n'est-elle pas plus que la simple relation des sentiments ?
3. Comparez ce retour de l'héroïne sur elle-même avec les monologues de
Mme de Clèves (en particulier pour le vocabulaire du repos et de la passion,
du combat et de la défaite).

Mais tout perdre à la fois ! et pour jamais ! O mon amie !... Mais
quoi ! même en vous écrivant, je m'égare encore dans des vœux
criminels. Ah ! partons, partons, et que du moins ces torts
involontaires soient expiés par mes sacrifices.

80   Adieu, ma respectable amie ; aimez-moi comme votre fille,
adoptez-moi pour telle ; et soyez sûre que, malgré ma faiblesse,
j'aimerais mieux mourir que de me rendre indigne de votre choix.

De... ce 3 octobre 17**, à une heure du matin.

LETTRE CVIII

LA PRÉSIDENTE DE TOURVEL À MADAME DE ROSEMONDE

O mon indulgente mère ! que j'ai de grâces à vous rendre, et
que j'avais besoin de votre lettre ! Je l'ai lue et relue sans cesse ;
je ne pouvais pas m'en détacher. Je lui dois les seuls moments
moins pénibles que j'aie passés depuis mon départ. Comme vous
5   êtes bonne ! la sagesse, la vertu, savent donc compatir à la
faiblesse ! vous avez pitié de mes maux ! ah ! si vous les connaissiez !... ils sont affreux. Je croyais avoir éprouvé les peines
de l'amour, mais le tourment inexprimable, celui qu'il faut avoir
senti pour en avoir l'idée, c'est de se séparer de ce qu'on aime,
10 de s'en séparer pour toujours !... Oui, la peine qui m'accable
aujourd'hui reviendra demain, après-demain, toute ma vie ! Mon
Dieu, que je suis jeune encore, et qu'il me reste de temps à
souffrir !

Être soi-même l'artisan de son malheur ; se déchirer le cœur
15 de ses propres mains ; et tandis qu'on souffre ces douleurs
insupportables, sentir à chaque instant qu'on peut les faire cesser
d'un mot et que ce mot soit un crime ! ah ! mon amie !...

Quand j'ai pris ce parti si pénible de m'éloigner de lui, j'espérais que l'absence augmenterait mon courage et mes forces :
20 combien je me suis trompée ! il semble au contraire qu'elle ait
achevé de les détruire. J'avais plus à combattre, il est vrai : mais
même en résistant, tout n'était pas privation ; au moins je le
voyais quelquefois ; souvent même, sans oser porter mes regards
sur lui, je sentais les siens fixés sur moi : oui, mon amie, je le
25 sentais, il semblait qu'ils réchauffassent mon âme ; et sans passer
par mes yeux, ils n'en arrivaient pas moins à mon cœur. A
présent, dans ma pénible solitude, isolée de tout ce qui m'est

cher, tête à tête avec mon infortune, tous les moments de ma triste existence sont marqués par mes larmes, et rien n'en adoucit
30 l'amertume, nulle consolation ne se mêle à mes sacrifices : et ceux que j'ai faits jusqu'à présent n'ont servi qu'à me rendre plus douloureux ceux qui me restent à faire.

Hier encore, je l'ai bien vivement senti. Dans les lettres qu'on m'a remises, il y en avait une de lui ; on était encore à deux pas
35 de moi, que je l'avais reconnue entres les autres. Je me suis levée involontairement : je tremblais, j'avais peine à cacher mon émotion ; et cet état n'était pas sans plaisir. Restée seule le moment d'après, cette trompeuse douceur s'est bientôt évanouie, et ne m'a laissé qu'un sacrifice de plus à faire. En effet, pouvais-je
40 ouvrir cette lettre, que pourtant je brûlais de lire ? Par la fatalité qui me poursuit, les consolations qui paraissent se présenter à moi ne font, au contraire, que m'imposer de nouvelles privations ; et celles-ci deviennent plus cruelles encore, par l'idée que M. de Valmont les partage.

45 Le voilà enfin, ce nom qui m'occupe sans cesse, et que j'ai eu tant de peine à écrire ; l'espèce de reproche que vous m'en faites, m'a véritablement alarmée. Je vous supplie de croire qu'une fausse honte n'a point altéré ma confiance en vous ; et pourquoi craindrais-je de le nommer ? ah ! je rougis de mes sentiments, et
50 non de l'objet qui les cause. Quel autre que lui est plus digne de les inspirer ! Cependant je ne sais pourquoi ce nom ne se présente point naturellement sous ma plume ; et cette fois encore, j'ai eu besoin de réflexion pour le placer. Je reviens à lui.

Vous me mandez qu'il vous a paru *vivement affecté de mon*
55 *départ*. Qu'a-t-il donc fait ? qu'a-t-il dit ? a-t-il parlé de revenir à Paris ? Je vous prie de l'en détourner autant que vous pourrez. S'il m'a bien jugée, il ne doit pas m'en vouloir de cette démarche : mais il doit sentir aussi que c'est un parti pris sans retour. Un de mes plus grands tourments est de ne pas savoir ce qu'il
60 pense. J'ai bien encore là sa lettre…, mais vous êtes sûrement de mon avis, je ne dois pas l'ouvrir.

Ce n'est que par vous, mon indulgente amie, que je puis ne pas être entièrement séparée de lui. Je ne veux pas abuser de vos bontés ; je sens à merveille que vos lettres ne peuvent pas être
65 longues : mais vous ne refuserez pas deux mots à votre enfant ; un pour soutenir son courage, et l'autre pour l'en consoler. Adieu, ma respectable amie.

Paris, ce 5 octobre 17**.

LETTRE CX

LE VICOMTE DE VALMONT À LA MARQUISE DE MERTEUIL

Puissances du Ciel, j'avais une âme pour la douleur : donnez-
m'en une pour la félicité[1] *!* C'est, je crois, le tendre Saint-Preux
qui s'exprime ainsi. Mieux partagé que lui, je possède à la fois
les deux existences. Oui, mon amie, je suis, en même temps, très
heureux et très malheureux ; et puisque vous avez entière confiance, je vous dois le double récit de mes peines et de mes
plaisirs.

Sachez donc que mon ingrate dévote me tient toujours rigueur.
J'en suis à ma quatrième lettre renvoyée. J'ai peut-être tort de
dire la quatrième ; car ayant bien deviné dès le premier renvoi,
qu'il serait suivi de beaucoup d'autres, et ne voulant pas perdre
ainsi mon temps, j'ai pris le parti de mettre mes doléances en
lieux communs, et de ne point dater : et depuis le second courrier, c'est toujours la même lettre qui va et vient ; je ne fais que
changer d'enveloppe. Si ma belle finit comme finissent ordinairement les belles, et s'attendrit un jour, au moins de lassitude, elle
gardera enfin la missive, et il sera temps alors de me remettre
au courant. Vous voyez qu'avec ce nouveau genre de correspondance, je ne peux pas être parfaitement instruit.

J'ai découvert pourtant que la légère personne a changé de
confidente ; au moins me suis-je assuré que, depuis son départ
du château, il n'est venu aucune lettre d'elle pour madame de
Volanges, tandis qu'il en est venu deux pour la vieille Rosemonde ; et comme celle-ci ne nous en a rien dit, comme elle
n'ouvre plus la bouche de *sa chère Belle*, dont auparavant elle
parlait sans cesse, j'en ai conclu que c'était elle qui avait la
confidence. Je présume que d'une part, le besoin de parler de
moi, et de l'autre, la petite honte de revenir vis-à-vis de madame
de Volanges sur un sentiment si longtemps désavoué, ont produit
cette grande révolution. Je crains encore d'avoir perdu au change :
car plus les femmes vieillissent, et plus elles deviennent rêches
et sévères. La première lui aurait dit bien plus de mal de moi ;

---

* Nouvelle Héloïse.

---

1. La citation est tirée de la lettre 5 de la 1re partie du roman de Rousseau.

mais celle-ci lui en dira plus de l'amour ; et la sensible prude a
bien plus de frayeur du sentiment que de la personne.

35   Le seul moyen de me mettre au fait, est, comme vous voyez,
d'intercepter le commerce clandestin. J'en ai déjà envoyé l'ordre
à mon chasseur ; et j'en attends l'exécution de jour en jour.
Jusque-là, je ne puis rien faire qu'au hasard : aussi, depuis huit
jours, je repasse inutilement tous les moyens connus, tous ceux
40   des romans et de mes mémoires secrets ; je n'en trouve aucun
qui convienne, ni aux circonstances de l'aventure, ni au caractère
de l'héroïne. La difficulté ne serait pas de m'introduire chez elle,
même la nuit, même encore de l'endormir, et d'en faire une
nouvelle Clarisse : mais après plus de deux mois de soins et de
45   peines, recourir à des moyens qui me soient étrangers ! me traîner
servilement sur la trace des autres, et triompher sans gloire !...
Non, elle n'aura pas *les plaisirs du vice et les honneurs de la
vertu*[*]. Ce n'est pas assez pour moi de la posséder, je veux qu'elle
se livre. Or, il faut pour cela non seulement pénétrer jusqu'à
50   elle, mais y arriver de son aveu ; la trouver seule et dans l'intention de m'écouter ; surtout, lui fermer les yeux sur le danger,
car si elle le voit, elle saura le surmonter ou mourir. Mais mieux
je sais ce qu'il faut faire, plus j'en trouve l'exécution difficile ;
et dussiez-vous encore vous moquer de moi, je vous avouerai que
55   mon embarras redouble à mesure que je m'en occupe davantage.

    La tête m'en tournerait, je crois, sans les heureuses distractions
que me donne notre commune pupille ; c'est à elle que je dois
d'avoir encore à faire autre chose que des élégies.

    Croiriez-vous que cette petite fille était tellement effarouchée,
60   qu'il s'est passé trois grands jours avant que votre lettre ait
produit tout son effet ? Voilà comme une seule idée fausse peut
gâter le plus heureux naturel !

    Enfin, ce n'est que samedi qu'on est venu tourner autour de
moi et me balbutier quelques mots ; encore prononcés si bas et
65   tellement étouffés par la honte, qu'il était impossible de les
entendre. Mais la rougeur qu'ils causèrent m'en fit deviner le
sens. Jusque-là, je m'étais tenu fier : mais fléchi par un si plaisant
repentir je voulus bien promettre d'aller trouver le soir même la
jolie pénitente ; et cette grâce de ma part, fut reçue avec toute
70   la reconnaissance due à un si grand bienfait.

---

[*] Nouvelle Héloïse.

Comme je ne perds jamais de vue ni vos projets ni les miens, j'ai résolu de profiter de cette occasion pour connaître au juste la valeur de cet enfant, et aussi pour accélérer son éducation. Mais pour suivre ce travail avec plus de liberté j'avais besoin de
75 changer le lieu de nos rendez-vous ; car un simple cabinet, qui sépare la cheminée de votre pupille de celle de sa mère, ne pouvait lui inspirer assez de sécurité, pour la laisser se déployer à l'aise. Je m'étais donc promis de faire *innocemment* quelque bruit, qui pût lui causer assez de crainte pour la décider à
80 prendre, à l'avenir, un asile plus sûr ; elle m'a encore épargné ce soin.

La petite personne est rieuse ; et, pour favoriser sa gaieté, je m'avisai, dans nos entractes, de lui raconter toutes les aventures scandaleuses qui me passaient par la tête ; et pour les rendre
85 plus piquantes et fixer davantage son attention, je les mettais toutes sur le compte de sa maman, que je me plaisais à chamarrer ainsi de vices et de ridicules.

Ce n'était pas sans motif que j'avais fait ce choix ; il encourageait mieux que tout autre ma timide écolière, et je lui inspirais
90 en même temps le plus profond mépris pour sa mère. J'ai remarqué depuis longtemps, que si ce moyen n'est pas toujours nécessaire à employer pour séduire une jeune fille, il est indispensable, et souvent même le plus efficace, quand on veut la dépraver ; car celle qui ne respecte pas sa mère, ne se respectera
95 pas elle-même : vérité morale que je crois si utile que j'ai été bien aise de fournir un exemple à l'appui du précepte.

Cependant votre pupille, qui ne songeait pas à la morale, étouffait de rire à chaque instant ; et enfin, une fois, elle pensa éclater. Je n'eus pas de peine à lui faire croire qu'elle avait fait
100 *un bruit affreux*. Je feignis une grande frayeur, qu'elle partagea facilement. Pour qu'elle s'en ressouvînt mieux, je ne permis plus au plaisir de reparaître, et la laissai seule trois heures plus tôt que de coutume : aussi convînmes-nous, en nous séparant, que dès le lendemain ce serait dans ma chambre que nous nous
105 rassemblerions.

Je l'y ai déjà reçue deux fois ; et dans ce court intervalle l'écolière est devenue presque aussi savante que le maître. Oui, en vérité, je lui ai tout appris, jusqu'aux complaisances ! je n'ai excepté que les précautions. [...]
110 J'occupe mon loisir, en rêvant aux moyens de reprendre sur mon ingrate les avantages que j'ai perdus, et aussi à composer une espèce de catéchisme de débauche, à l'usage de mon écolière.

Je m'amuse à n'y rien nommer que par le mot technique ; et je
ris d'avance de l'intéressante conversation que cela doit fournir
115 entre elle et Gercourt la première nuit de leur mariage. Rien
n'est plus plaisant que l'ingénuité avec laquelle elle se sert déjà
du peu qu'elle sait de cette langue ! elle n'imagine pas qu'on
puisse parler autrement. Cette enfant est réellement séduisante !
Ce contraste de la candeur naïve avec le langage de l'effronterie
120 ne laisse pas de faire de l'effet ; et, je ne sais pourquoi, il n'y a
plus que les choses bizarres qui me plaisent. [...]

Vous voilà, ma belle amie, au courant de mes affaires comme
moi-même. Je désire avoir bientôt des nouvelles plus intéressantes
à vous apprendre ; et je vous prie de croire que, dans le plaisir
125 que je m'en promets, je compte pour beaucoup la récompense
que j'attends de vous.

Du château de... ce 11 octobre 17**.

LETTRE CXVI

LE CHEVALIER DANCENY À CÉCILE VOLANGES

Madame de Merteuil est partie ce matin pour la campagne ;
ma charmante Cécile, me voilà privé du seul plaisir qui me
restait en votre absence, celui de parler de vous à votre amie et
à la mienne. Depuis quelque temps, elle m'a permis de lui donner
5 ce titre ; et j'en ai profité avec d'autant plus d'empressement,
qu'il me semblait, par là, me rapprocher de vous davantage. Mon
Dieu ! que cette femme est aimable ! et quel charme flatteur elle
sait donner à l'amitié ! Il semble que ce doux sentiment s'em-
bellisse et se fortifie chez elle de tout ce qu'elle refuse à l'amour.
10 Si vous saviez comme elle vous aime, comme elle se plaît à
m'entendre lui parler de vous !... C'est là sans doute ce qui
m'attache autant à elle. Quel bonheur de pouvoir vivre uniquement pour vous deux, de passer sans cesse des délices de l'amour
aux douceurs de l'amitié, d'y consacrer toute mon existence,
15 d'être en quelque sorte le point de réunion de votre attachement
réciproque ; et de sentir toujours que m'occupant du bonheur de
l'une, je travaillerais également à celui de l'autre ! Aimez, aimez
beaucoup, ma charmante amie, cette femme adorable. L'attachement que j'ai pour elle, donnez-y plus de prix encore, en le
20 partageant. Depuis que j'ai goûté le charme de l'amitié, je désire

que vous l'éprouviez à votre tour. Les plaisirs que je ne partage
pas avec vous, il me semble n'en jouir qu'à moitié. Oui, ma
Cécile, je voudrais entourer votre cœur de tous les sentiments
les plus doux ; que chacun de ses mouvements vous fît éprouver
25 une sensation de bonheur ; et je croirais encore ne pouvoir jamais
vous rendre qu'une partie de la félicité que je tiendrais de vous.

Pourquoi faut-il que ces projets charmants ne soient qu'une
chimère de mon imagination, et que la réalité ne m'offre au
contraire que des privations douloureuses et indéfinies ? L'espoir
30 que vous m'aviez donné de vous voir à cette campagne, je
m'aperçois bien qu'il faut y renoncer. Je n'ai plus de consolation
que celle de me persuader qu'en effet cela ne vous est pas
possible. Et vous négligez de me le dire, de vous en affliger avec
moi ! Déjà, deux fois, mes plaintes à ce sujet sont restées sans
35 réponse. Ah Cécile ! Cécile, je crois bien que vous m'aimez de
toutes les facultés de votre âme, mais votre âme n'est pas brûlante
comme la mienne ! Que n'est-ce à moi à lever les obstacles ?
Pourquoi ne sont-ce pas mes intérêts qu'il me faille ménager, au
lieu des vôtres ? je saurais bientôt vous prouver que rien n'est
40 impossible à l'amour.

Vous ne me mandez pas non plus quand doit finir cette absence
cruelle : au moins, ici, peut-être vous verrais-je. Vos charmants
regards ranimeraient mon âme abattue ; leur touchante expression rassurerait mon cœur, qui quelquefois en a besoin. Pardon,
45 ma Cécile ; cette crainte n'est pas un soupçon. Je crois à votre
amour, à votre constance. Ah ! je serais trop malheureux, si j'en
doutais. Mais tant d'obstacles ! et toujours renouvelés ! Mon
amie, je suis triste, bien triste. Il semble que ce départ de madame
de Merteuil ait renouvelé en moi le sentiment de tous mes
50 malheurs.

Adieu, ma Cécile ; adieu, ma bien-aimée. Songez que votre
amant s'afflige, et que vous pouvez seule lui rendre le bonheur.

Paris, ce 17 octobre 17**.

Illustration ci-contre : « Et je l'ai décidée à écrire une autre lettre
sous ma dictée… » (Lettre CXV, de Valmont à la marquise de
Merteuil.)
(Gravure de L. Pauquet d'après Marguerite Gérard, 1796. Bibliothèque Nationale, Paris. Ph. © Bibl. Nat. - Arch. Photeb.)

LETTRE CXVII

CÉCILE VOLANGES AU CHEVALIER DANCENY
(Dictée par Valmont.)

Croyez-vous donc mon bon ami, que j'aie besoin d'être grondée pour être triste, quand je sais que vous vous affligez ? et doutez-vous que je ne souffre autant que vous de toutes vos peines ? Je partage même celles que je vous cause volontairement ; et j'ai de
5 plus que vous, de voir que vous ne me rendez pas justice. Oh ! cela n'est pas bien. Je vois bien ce qui vous fâche ; c'est que les deux dernières fois que vous m'avez demandé de venir ici je ne vous ai pas répondu à cela : mais cette réponse est-elle donc si aisée à faire ? Croyez-vous que je ne sache pas que ce que vous
10 voulez est bien mal ? Et pourtant, si j'ai déjà tant de peine à vous refuser de loin, que serait-ce donc si vous étiez là ? Et puis, pour avoir voulu vous consoler un moment, je resterais affligée toute ma vie.

Tenez, je n'ai rien de caché pour vous, moi ; voilà mes raisons,
15 jugez vous-même. J'aurais peut-être fait ce que vous voulez, sans ce que je vous ai mandé, que ce M. de Gercourt, qui cause tout notre chagrin, n'arrivera pas encore de sitôt ; et comme, depuis quelque temps, maman me témoigne beaucoup plus d'amitié ; comme, de mon côté, je la caresse le plus que je peux ; qui sait
20 ce que je pourrai obtenir d'elle ? Et si nous pouvions être heureux sans que j'aie rien à me reprocher, est-ce que cela ne vaudrait pas bien mieux ? Si j'en crois ce qu'on m'a dit souvent, les hommes même n'aiment plus tant leurs femmes, quand elles les ont trop aimés avant de l'être. Cette crainte-là me retient encore
25 plus que tout le reste. Mon ami, n'êtes-vous pas sûr de mon cœur, et ne sera-t-il pas toujours temps ?

Écoutez, je vous promets que, si je ne peux pas éviter le malheur d'épouser M. de Gercourt, que je hais déjà tant avant de le connaître, rien ne me retiendra plus pour être à vous autant
30 que je pourrai, et même avant tout. Comme je ne me soucie d'être aimée que de vous, et que vous verrez bien que si je fais mal, il n'y aura pas de ma faute, le reste me sera bien égal ; pourvu que vous me promettiez de m'aimer toujours autant que vous faites. Mais, mon ami, jusque-là, laissez-moi continuer
35 comme je fais ; et ne me demandez plus une chose que j'ai de bonnes raisons pour ne pas faire, et que pourtant il me fâche de vous refuser.

Je voudrais bien aussi que M. de Valmont ne fût pas si pressant pour vous ; cela ne sert qu'à me rendre plus chagrine encore.
40 Oh ! vous avez là un bien bon ami, je vous assure ! Il fait comme vous feriez vous-même. Mais adieu, mon cher ami ; j'ai commencé bien tard à vous écrire, et j'y ai passé une partie de la nuit. Je vais me coucher et réparer le temps perdu. Je vous embrasse, mais ne me grondez plus.

*Du château de... ce 18 octobre 17**.*

LETTRE CXVIII

LE CHEVALIER DANCENY À LA MARQUISE DE MERTEUIL

Si j'en crois mon almanach, il n'y a, mon adorable amie, que deux jours que vous êtes absente ; mais si j'en crois mon cœur, il y a deux siècles. Or, je le tiens de vous-même, c'est toujours son cœur qu'il faut croire ; il est donc bien temps que vous
5 reveniez, et toutes vos affaires doivent être plus que finies. Comment voulez-vous que je m'intéresse à votre procès, si, perte ou gain, j'en dois également payer les frais par l'ennui de votre absence ? Oh ! que j'aurais envie de quereller ! et qu'il est triste, avec un si beau sujet d'avoir de l'humeur, de n'avoir pas le droit
10 d'en montrer !
N'est-ce pas cependant une véritable infidélité, une noire trahison, que de laisser votre ami loin de vous, après l'avoir accoutumé à ne pouvoir plus se passer de votre présence ? Vous aurez beau consulter vos avocats, ils ne vous trouveront pas de justi-
15 fication pour ce mauvais procédé : et puis, ces gens-là ne disent que des raisons, et des raisons ne suffisent pas pour répondre à des sentiments.
Pour moi, vous m'avez tant dit que c'était par raison que vous faisiez ce voyage, que vous m'avez tout à fait brouillé avec elle.
20 Je ne veux plus du tout l'entendre ; pas même quand elle me dit de vous oublier. Cette raison-là est pourtant bien raisonnable ; et au fait, cela ne serait pas si difficile que vous pouviez le croire. Il suffirait seulement de perdre l'habitude de penser toujours à vous, et rien ici, je vous assure, ne vous rappellerait à moi.
25 Nos plus jolies femmes, celles qu'on dit les plus aimables, sont encore si loin de vous, qu'elles ne pourraient en donner qu'une bien faible idée. Je crois même qu'avec des yeux exercés, plus

on a cru d'abord qu'elles vous ressemblaient, plus on y trouve
après de différence : elles ont beau faire, beau y mettre tout ce
30   qu'elles savent, il leur manque toujours d'être vous, et c'est
positivement là qu'est le charme. Malheureusement, quand les
journées sont si longues, et qu'on est désoccupé, on rêve, on fait
des châteaux en Espagne, on se crée sa chimère ; peu à peu
l'imagination s'exalte : on veut embellir son ouvrage, on rassem-
35   ble tout ce qui peut plaire, on arrive enfin à la perfection ; et
dès qu'on en est là, le portrait ramène au modèle, et on est tout
étonné de voir qu'on n'a fait que songer à vous.

Dans ce moment même, je suis encore la dupe d'une erreur à
peu près semblable. Vous croyez peut-être que c'était pour m'oc-
40   cuper de vous, que je me suis mis à vous écrire ? point du tout :
c'était pour m'en distraire. J'avais cent choses à vous dire, dont
vous n'étiez pas l'objet, qui comme vous savez, m'intéressent
bien vivement ; et ce sont celles-là pourtant dont j'ai été distrait.
Et depuis quand le charme de l'amitié distrait-il donc de celui
45   de l'amour ? Ah ! si j'y regardais de bien près, peut-être aurais-
je un petit reproche à me faire ! Mais chut ! oublions cette légère
faute de peur d'y retomber ; et que mon amie elle-même l'ignore.

Aussi pourquoi n'êtes-vous pas là pour me répondre, pour me
ramener si je m'égare, pour me parler de ma Cécile, pour
50   augmenter, s'il est possible, le bonheur que je goûte à l'aimer,

---

Lettres 116 à 118

• **Un triptyque**

1. Précisez l'importance de ce triptyque dans l'évolution de l'intrigue et la
métamorphose des schémas initiaux gouvernant les relations des personnages. Commentez la disposition des lettres, en fonction de la lettre 110
que seuls le lecteur et les libertins ont eue en mains.
2. La virtuosité de Valmont dans le pastiche de Cécile Volanges (117) :
comparez avec les lettres rédigées de sa propre main. Pour le contexte de
la rédaction et la jubilation de Valmont, comparez avec la lettre 48.
3. Les métamorphoses du style de Danceny (lettre 118) : relevez les tours
galants et l'aisance mondaine.
4. A la fin de la lettre 115, Valmont écrivait à Merteuil, à propos de sa
relation avec Danceny, « liens dangereux » : « *car vous posséder et vous
perdre, c'est acheter un moment de bonheur par une éternité de regrets.
Adieu, ma belle amie ; ayez le courage de dépêcher Belleroche le plus que
vous pourrez. Laissez là Danceny, et préparez-vous à retrouver, et à me
rendre, les délicieux plaisirs de notre première liaison.* » Cf. l'étude du
titre, p. 164.

par l'idée si douce que c'est votre amie que j'aime ? Oui, je
l'avoue, l'amour qu'elle m'inspire m'est devenu plus précieux
encore, depuis que vous avez bien voulu en recevoir la confidence. J'aime tant à vous ouvrir mon cœur, à occuper le vôtre
55 de mes sentiments, à les y déposer sans réserve ! il me semble
que je les chéris davantage, à mesure que vous daignez les
recueillir ; et puis, je vous regarde et je me dis : C'est en elle
qu'est renfermé tout mon bonheur.

Je n'ai rien de nouveau à vous apprendre sur ma situation. La
60 dernière lettre que j'ai reçue d'*elle* augmente et assure mon
espoir, mais le retarde encore. Cependant ses motifs sont si
tendres et si honnêtes, que je ne puis l'en blâmer ni m'en
plaindre. Peut-être n'entendez-vous pas trop bien ce que je vous
dis là ; mais pourquoi n'êtes-vous pas ici ? Quoiqu'on dise tout
65 à son amie, on n'ose pas tout écrire. Les secrets de l'amour,
surtout, sont si délicats, qu'on ne peut les laisser aller ainsi sur
leur bonne foi. Si quelquefois on leur permet de sortir, il ne faut
pas au moins les perdre de vue ; il faut en quelque sorte les voir
entrer dans leur nouvel asile. Ah ! revenez donc, mon adorable
70 amie ; vous voyez bien que votre retour est nécessaire. Oubliez
enfin les *mille raisons* qui vous retiennent où vous êtes, ou
apprenez-moi à vivre où vous n'êtes pas.

J'ai l'honneur d'être, etc.

Paris, ce 19 octobre 17**.

LETTRE CXXIV

LA PRÉSIDENTE DE TOURVEL À MADAME DE ROSEMONDE

Au milieu de l'étonnement où m'a jetée, Madame, la nouvelle
que j'ai apprise hier, je n'oublie pas la satisfaction qu'elle doit
vous causer, et je me hâte de vous en faire part. M. de Valmont
ne s'occupe plus ni de moi ni de son amour ; et ne veut plus
5 que réparer, par une vie plus édifiante, les fautes ou plutôt les
erreurs de sa jeunesse. J'ai été informée de ce grand événement
par le père Anselme, auquel il s'est adressé pour le diriger à
l'avenir, et aussi pour lui ménager une entrevue avec moi, dont
je juge que l'objet principal est de me rendre mes lettres qu'il

10   avait gardées jusqu'ici, malgré la demande contraire que je lui
en avais faite.

Je ne puis, sans doute, qu'applaudir à cet heureux changement,
et m'en féliciter, si, comme il le dit, j'ai pu y concourir en
quelque chose. Mais pourquoi fallait-il que j'en fusse l'instru-
15   ment, et qu'il m'en coûtât le repos de ma vie ? Le bonheur de
M. de Valmont ne pouvait-il arriver jamais que par mon infortune ? Oh ! mon indulgente amie, pardonnez-moi cette plainte.
Je sais qu'il ne m'appartient pas de sonder les décrets de Dieu ;
mais tandis que je lui demande sans cesse, et toujours vainement,
20   la force de vaincre mon malheureux amour, il la prodigue à celui
qui ne la lui demandait pas, et me laisse, sans secours, entièrement livrée à ma faiblesse.

Mais étouffons ce coupable murmure. Ne sais-je pas que l'enfant prodigue, à son retour, obtint plus de grâces de son père,
25   que le fils qui ne s'était jamais absenté ? Quel compte avons-
nous à demander à celui qui ne nous doit rien ? Et quand il
serait possible que nous eussions quelques droits auprès de lui,
quels pourraient être les miens ? Me vanterais-je d'une sagesse,
que déjà je ne dois qu'à Valmont ? Il m'a sauvée, et j'oserais me
30   plaindre en souffrant pour lui ! Non : mes souffrances me seront
chères, si son bonheur en est le prix. Sans doute il fallait qu'il
revînt à son tour au Père commun. Le Dieu qui l'a formé devait
chérir son ouvrage. Il n'avait point créé cet être charmant, pour
n'en faire qu'un réprouvé. C'est à moi de porter la peine de mon
35   audacieuse imprudence ; ne devais-je pas sentir que, puisqu'il
m'était défendu de l'aimer, je ne devais pas me permettre de le
voir ?

Ma faute ou mon malheur est de m'être refusée trop longtemps
à cette vérité. Vous m'êtes témoin, ma chère et digne amie, que
40   je me suis soumise à ce sacrifice, aussitôt que j'en ai reconnu la
nécessité : mais, pour qu'il fût entier, il y manquait que M. de
Valmont ne le partageât point. Vous avouerai-je que cette idée
est à présent ce qui me tourmente le plus ? Insupportable orgueil,
qui adoucit les maux que nous éprouvons, par ceux que nous
45   faisons souffrir ! Ah ! je vaincrai ce cœur rebelle, je l'accoutumerai aux humiliations.

C'est surtout pour y parvenir que j'ai enfin consenti à recevoir
jeudi prochain, la pénible visite de M. de Valmont. Là, je
l'entendrai me dire lui-même que je ne lui suis plus rien, que
50   l'impression faible et passagère que j'avais faite sur lui, est
entièrement effacée ! Je verrai ses regards se porter sur moi, sans

émotion, tandis que la crainte de déceler la mienne me fera baisser les yeux. Ces mêmes lettres qu'il refusa si longtemps à mes demandes réitérées, je les recevrai de son indifférence ; il
55 me les remettra comme des objets inutiles, et qui ne l'intéressent plus ; et mes mains tremblantes, en recevant ce dépôt honteux, sentiront qu'il leur est remis d'une main ferme et tranquille ! Enfin, je le verrai s'éloigner... s'éloigner pour jamais, et mes regards qui le suivront, ne verront pas les siens se retourner sur
60 moi !

Et j'étais réservée à tant d'humiliations ! Ah ! que du moins je me la rende utile, en me pénétrant par elle du sentiment de ma faiblesse. Oui, ces lettres qu'il ne se soucie plus de garder, je les conserverai précieusement. Je m'imposerai la honte de les relire
65 chaque jour, jusqu'à ce que mes larmes en aient effacé les dernières traces ; et les siennes, je les brûlerai comme infectées du poison dangereux qui a corrompu mon âme. Oh ! qu'est-ce donc que l'amour, s'il nous fait regretter jusqu'aux dangers auxquels il nous expose ; si surtout, on peut craindre de le
70 ressentir encore, même alors qu'on ne l'inspire plus ! Fuyons cette passion funeste, qui ne laisse de choix qu'entre la honte et le malheur, et souvent même les réunit tous deux ; et qu'au moins la prudence remplace la vertu.

Que ce jeudi est encore loin ! que ne puis-je consommer à
75 l'instant ce douloureux sacrifice, et en oublier à la fois et la cause et l'objet ! Cette visite m'importune ; je me repens d'avoir promis. Hé ! qu'a-t-il besoin de me revoir encore ? que sommes-nous à présent l'un à l'autre ? S'il m'a offensée, je le lui pardonne. Je le félicite même de vouloir réparer ses torts ; je l'en loue. Je
80 ferai plus, je l'imiterai ; et séduite par les mêmes erreurs, son exemple me ramènera. Mais quand son projet est de me fuir, pourquoi commencer par me chercher ? Le plus pressé pour chacun de nous, n'est-il pas d'oublier l'autre ? Ah ! sans doute, et ce sera dorénavant mon unique soin.

85 Si vous le permettez, mon aimable amie, ce sera auprès de vous que j'irai m'occuper de ce travail difficile. Si j'ai besoin de secours, peut-être même de consolation, je n'en veux recevoir que de vous. Vous seule savez m'entendre et parler à mon cœur. Votre précieuse amitié remplira toute mon existence. Rien ne me
90 paraîtra difficile pour seconder les soins que vous voudrez bien vous donner. Je vous devrai ma tranquillité, mon bonheur, ma vertu ; et le fruit de vos bontés pour moi sera de m'en avoir enfin rendue digne.

Je me suis, je crois, beaucoup égarée dans cette lettre ; je le
95 présume au moins par le trouble où je n'ai pas cessé d'être en
vous écrivant. S'il s'y trouvait quelques sentiments dont j'aie à
rougir, couvrez-les de votre indulgente amitié. Je m'en remets
entièrement à elle. Ce n'est pas à vous que je veux dérober aucun
des mouvements de mon cœur.
100   Adieu, ma respectable amie. J'espère, sous peu de jours, vous
annoncer celui de mon arrivée.

*Paris, ce 25 octobre 17**.*

Lettre 124
Fin de partie ?

• **L'élégie clôt la troisième partie**

1. Quels accents nouveaux l'amour fait-il ici entendre (cf. les lettres 102
et 108, et la question 1 pour la lettre 102) ?
2. Quels sentiments et quelles dispositions se disputent le cœur de Mme de
Tourvel ?
3. Sa place privilégiée donne-t-elle à cette lettre un supplément de sens ?

• **« Ce serait une belle conversion à faire » (lettre 8, § 4)**

1. La « fausse » conversion faite, Mme de Tourvel est-elle satisfaite ?
Analysez le discours religieux (références bibliques, formules dévotes, etc.)
et ses rapports avec le discours amoureux.
2. Une telle lettre condamne-t-elle l'hypocrisie de Valmont, ou les illusions
et les sophismes de la femme amoureuse ?

• **« Que ce jeudi est encore loin ! »**

1. Que traduit l'évocation si précise, et si visionnaire, de l'entretien avec
Valmont (§ 5) ?
2. Mme de Tourvel, nouvelle Bérénice : « *Enfin, je le verrai s'éloigner...,
s'éloigner pour jamais...* » (cf. *Bérénice*, IV, 5, v. 1110). On suivra Laclos
dans ses ratures (l. 58-60) : « je le verrai [me quitter *biffé*] s'éloigner [de
moi, s'en *biffé*]... s'éloigner pour jamais, et mes [yeux *biffé*] regards qui le
suivront, ne verront pas les siens se retourner vers moi. Et j'étais réservée
à [cet excès *biffé*] tant d'humiliations ! »

• **Fuite, rencontre, poursuite, lettres et regards**

1. Quelles valeurs prennent tour à tour ces réalités, au long du combat
dont la présidente est le théâtre ?
2. Quels rapports nouveaux instaure-t-elle avec la pratique épistolaire
(écriture et lecture de la lettre) ?

QUATRIÈME PARTIE

LETTRE CXXV

LE VICOMTE DE VALMONT À LA MARQUISE DE MERTEUIL

La voilà donc vaincue, cette femme superbe qui avait osé croire qu'elle pourrait me résister ! Oui, mon amie, elle est à moi, entièrement à moi ; et depuis hier, elle n'a plus rien à m'accorder.

Je suis encore trop plein de mon bonheur, pour pouvoir l'ap
5 précier, mais je m'étonne du charme inconnu que j'ai ressenti. Serait-il donc vrai que la vertu augmentât le prix d'une femme, jusque dans le moment même de sa faiblesse ? Mais reléguons cette idée puérile avec les contes de bonnes femmes. Ne rencontre-t-on pas presque partout, une résistance plus ou moins bien
10 feinte au premier triomphe ? et ai-je trouvé nulle part le charme dont je parle ? ce n'est pourtant pas non plus celui de l'amour ; car enfin, si j'ai eu quelquefois, auprès de cette femme étonnante, des moments de faiblesse qui ressemblaient à cette passion pusillanime, j'ai toujours su les vaincre et revenir à mes principes.
15 Quand même la scène d'hier m'aurait, comme je le crois, emporté un peu plus loin que je ne comptais ; quand j'aurais, un moment, partagé le trouble et l'ivresse que je faisais naître : cette illusion passagère serait dissipée à présent ; et cependant le même charme subsiste. J'aurais même, je l'avoue, un plaisir assez doux à m'y
20 livrer, s'il ne me causait quelque inquiétude. Serai-je donc, à mon âge, maîtrisé comme un écolier, par un sentiment involontaire et inconnu ? Non : il faut, avant tout, le combattre et l'approfondir.

Peut-être, au reste, en ai-je déjà entrevu la cause ! Je me plais
25 au moins dans cette idée, et je voudrais qu'elle fût vraie.

Dans la foule des femmes auprès desquelles j'ai rempli jusqu'à ce jour le rôle et les fonctions d'amant, je n'en avais encore rencontré aucune qui n'eût, au moins, autant d'envie de se rendre, que j'en avais de l'y déterminer ; je m'étais accoutumé à
30 appeler *prudes* celles qui ne faisaient que la moitié du chemin, par opposition à tant d'autres, dont la défense provocante ne couvre jamais qu'imparfaitement les premières avances qu'elles ont faites.

Ici, au contraire, j'ai trouvé une première prévention défavora-
35 ble et fondée depuis sur les conseils et les rapports d'une femme
haineuse, mais clairvoyante ; une timidité naturelle et extrême,
que fortifiait une pudeur éclairée ; un attachement à la vertu,
que la religion dirigeait, et qui comptait déjà deux années de
triomphe, enfin les démarches éclatantes, inspirées par ces dif-
40 férents motifs et qui toutes n'avaient pour but que de se soustraire
à mes poursuites.

Ce n'est donc pas, comme dans mes autres aventures, une
simple capitulation plus ou moins avantageuse, et dont il est plus
facile de profiter que de s'enorgueillir ; c'est une victoire com-
45 plète, achetée par une campagne pénible, et décidée par de
savantes manœuvres. Il n'est donc pas surprenant que ce succès,
dû à moi seul, m'en devienne plus précieux ; et le surcroît de
plaisir que j'ai éprouvé dans mon triomphe, et que je ressens
encore, n'est que la douce impression du sentiment de la gloire.
50 Je chéris cette façon de voir, qui me sauve l'humiliation de
penser que je puisse dépendre en quelque manière de l'esclave
même que je me serais asservie ; que je n'aie pas en moi seul la
plénitude de mon bonheur ; et que la faculté de m'en faire jouir
dans toute son énergie soit réservée à telle ou telle femme,
55 exclusivement à toute autre.

Ces réflexions sensées régleront ma conduite dans cette importante occasion ; et vous pouvez être sûre que je ne me laisserai
pas tellement enchaîner, que je ne puisse toujours briser ces
nouveaux liens, en me jouant et à ma volonté. Mais déjà je vous
60 parle de ma rupture ; et vous ignorez encore par quels moyens
j'en ai acquis le droit ; lisez donc, et voyez à quoi s'expose la
sagesse, en essayant de secourir la folie. J'étudiais si attentivement
mes discours et les réponses que j'obtenais, que j'espère vous
rendre les uns et les autres avec une exactitude dont vous serez
65 contente.

Vous verrez par les deux copies des lettres ci-jointes*, quel
médiateur j'avais choisi pour me rapprocher de ma belle, et avec
quel zèle le saint personnage s'est employé pour nous réunir. Ce
qu'il faut vous dire encore, et que j'avais appris par une lettre
70 interceptée suivant l'usage, c'est que la crainte et la petite
humiliation d'être quittée, avaient un peu dérangé la prudence

* Lettres CXX et CXXIII.

de l'austère dévote ; et avaient rempli son cœur et sa tête de
sentiments et d'idées, qui, pour n'avoir pas le sens commun,
n'en étaient pas moins intéressants. C'est après ces préliminaires,
75 nécessaires à savoir, qu'hier jeudi 28, jour préfix et donné par
l'ingrate, je me suis présenté chez elle en esclave timide et
repentant, pour en sortir en vainqueur couronné.

Il était six heures du soir quand j'arrivai chez la belle recluse,
car depuis son retour, sa porte était restée fermée à tout le
80 monde. Elle essaya de se lever quand on m'annonça ; mais ses
genoux tremblants ne lui permirent pas de rester dans cette
situation : elle se rassit sur-le-champ. Comme le domestique qui
m'avait introduit eut quelque service à faire dans l'appartement,
elle en parut impatientée. Nous remplîmes cet intervalle par les
85 compliments d'usage. Mais pour ne rien perdre d'un temps dont
tous les moments étaient précieux, j'examinais soigneusement le
local ; et dès lors, je marquai de l'œil le théâtre de ma victoire.
J'aurais pu en choisir un plus commode : car, dans cette même
chambre, il se trouvait une ottomane. Mais je remarquai qu'en
90 face d'elle était un portrait du mari ; et j'eus peur, je l'avoue,
qu'avec une femme si singulière, un seul regard que le hasard
dirigerait de ce côté, ne détruisît en un moment l'ouvrage de
tant de soins. Enfin, nous restâmes seuls et j'entrai en matière.

Après avoir exposé, en peu de mots, que le père Anselme l'avait
95 dû informer des motifs de ma visite, je me suis plaint du traitement rigoureux que j'avais éprouvé ; et j'ai particulièrement
appuyé sur le *mépris* qu'on m'avait témoigné. On s'en est
défendu, comme je m'y attendais ; et, comme vous vous y atten-
diez bien aussi, j'en ai fondé la preuve sur la méfiance et l'effroi
100 que j'avais inspirés, sur la fuite scandaleuse qui s'en était suivie,
le refus de répondre à mes lettres, celui même de les recevoir,
etc., etc. Comme on commençait une justification qui aurait été
bien facile, j'ai cru devoir l'interrompre ; et pour me faire pardonner cette manière brusque je l'ai couverte aussitôt par une
110 cajolerie. « Si tant de charmes, ai-je donc repris, ont fait sur mon
cœur une impression si profonde, tant de vertus n'en ont pas
moins fait sur mon âme. Séduit, sans doute, par le désir de m'en
rapprocher, j'avais osé m'en croire digne. Je ne vous reproche
point d'en avoir jugé autrement ; mais je me punis de mon
115 erreur. » Comme on gardait le silence de l'embarras, j'ai conti-
nué : « J'ai désiré, Madame, ou de me justifier à vos yeux, ou
d'obtenir de vous le pardon des torts que vous me supposez ;
afin de pouvoir au moins terminer, avec quelque tranquillité, des

jours auxquels je n'attache plus de prix, depuis que vous avez
120   refusé de les embellir. »

Ici, on a pourtant essayé de répondre. « Mon devoir ne me
permettait pas... » Et la difficulté d'achever le mensonge que le
devoir exigeait n'a pas permis de finir la phrase. J'ai donc repris
du ton le plus tendre : « Il est donc vrai que c'est moi que vous
125   avez fui ? — Ce départ était nécessaire. — Et que vous m'éloignez
de vous ? — Il le faut — Et pour toujours ? — Je le dois. » Je
n'ai pas besoin de vous dire que pendant ce court dialogue, la
voix de la tendre prude était oppressée, et que ses yeux ne
s'élevaient pas jusqu'à moi.

130   Je jugeai devoir animer un peu cette scène languissante ; ainsi,
me levant avec l'air du dépit : « Votre fermeté, dis-je alors, me
rend toute la mienne. Hé bien ! oui, Madame, nous serons
séparés, séparés même plus que vous ne pensez : et vous vous
féliciterez à loisir de votre ouvrage. » Un peu surprise de ce ton
135   de reproche, elle voulut répliquer. « La résolution que vous avez
prise... dit-elle. — N'est que l'effet de mon désespoir, repris-je
avec emportement. Vous avez voulu que je sois malheureux ; je
vous prouverai que vous avez réussi au-delà de vos souhaits. —
Je désire votre bonheur », répondit-elle. Et le son de sa voix
140   commençait à annoncer une émotion assez forte. Aussi me précipitant à ses genoux, et du ton dramatique, que vous me connaissez : « Ah ! cruelle, me suis-je écrié, peut-il exister pour moi
un bonheur que vous ne partagiez pas ? Où donc le trouver loin
de vous ? Ah ! jamais ! jamais ! » J'avoue qu'en me livrant à ce
145   point j'avais beaucoup compté sur le secours des larmes : mais
soit mauvaise disposition, soit peut-être seulement l'effet de l'attention pénible et continuelle que je mettais à tout, il me fut
impossible de pleurer.

Par bonheur je me ressouvins que pour subjuguer une femme
150   tout moyen était également bon ; et qu'il suffisait de l'étonner
par un grand mouvement, pour que l'impression en restât profonde et favorable. Je suppléai donc, par la terreur, à la sensibilité
qui se trouvait en défaut ; et pour cela, changeant seulement
l'inflexion de ma voix, et gardant la même posture : « Oui,
155   continuai-je, j'en fais le serment à vos pieds, vous posséder ou
mourir. » En prononçant ces dernières paroles, nos regards se
rencontrèrent. Je ne sais ce que la timide personne vit ou crut
voir dans les miens, mais elle se leva d'un air effrayé, et s'échappa
de mes bras dont je l'avais entourée. Il est vrai que je ne fis rien
160   pour la retenir : car j'avais remarqué plusieurs fois que les scènes

de désespoir menées trop vivement, tombaient dans le ridicule dès qu'elles devenaient longues, ou ne laissaient que des ressources vraiment tragiques et que j'étais fort éloigné de vouloir prendre. Cependant, tandis qu'elle se dérobait à moi, j'ajoutai
165 d'un ton bas et sinistre, mais de façon qu'elle pût m'entendre : « Hé bien ! la mort ! »

Je me relevai alors ; et gardant un moment le silence, je jetais sur elle, comme au hasard, des regards farouches qui, pour avoir l'air d'être égarés, n'en étaient pas moins clairvoyants et obser-
170 vateurs. Le maintien mal assuré, la respiration haute, la contraction de tous les muscles, les bras tremblants, et à demi élevés, tout me prouvait assez que l'effet était tel que j'avais voulu le produire ; mais, comme en amour rien ne se finit que de très près, et que nous étions alors assez loin l'un de l'autre, il fallait
175 avant tout se rapprocher. Ce fut pour y parvenir, que je passai le plus tôt possible à une apparente tranquillité, propre à calmer les effets de cet état violent, sans en affaiblir l'impression.

Ma transition fut : « Je suis bien malheureux. J'ai voulu vivre pour votre bonheur, et je l'ai troublé. Je me dévoue pour votre
180 tranquillité, et je la trouble encore. » Ensuite d'un air composé, mais contraint : « Pardon, Madame ; peu accoutumé aux orages des passions, je sais mal en réprimer les mouvements. Si j'ai eu tort de m'y livrer, songez au moins que c'est pour la dernière fois. Ah ! calmez-vous, calmez-vous, je vous en conjure. » Et
185 pendant ce long discours je me rapprochais insensiblement. « Si vous voulez que je me calme, répondit la belle effarouchée, vous-même soyez donc plus tranquille. — Hé bien ! oui, je vous le promets », lui dis-je. J'ajoutai d'une voix plus faible : « Si l'effort est grand, au moins ne doit-il pas être long. Mais, repris-je
190 aussitôt d'un air égaré, je suis venu, n'est-il pas vrai, pour vous rendre vos lettres ? De grâce, daignez les reprendre. Ce douloureux sacrifice me reste à faire : ne me laissez rien qui puisse affaiblir mon courage. » Et tirant de ma poche le précieux recueil : « Le voilà, dis-je, ce dépôt trompeur des assurances de
195 votre amitié ! Il m'attachait à la vie, reprenez-le. Donnez ainsi vous-même le signal qui doit me séparer de vous pour jamais. »

Ici l'amante craintive céda entièrement à sa tendre inquiétude. « Mais, Monsieur de Valmont, qu'avez-vous, et que voulez-vous dire ? la démarche que vous faites aujourd'hui n'est-elle pas
200 volontaire ? n'est-ce pas le fruit de vos propres réflexions ? et ne sont-ce pas elles qui vous ont fait approuver vous-même le parti nécessaire que j'ai suivi par devoir ? — Hé bien ! ai-je repris, ce

parti a décidé le mien. — Et quel est-il ? — Le seul qui puisse,
en me séparant de vous, mettre un terme à mes peines. — Mais,
205 répondez-moi, quel est-il ? » Là, je la pressai de mes bras, sans
qu'elle se défendît aucunement ; et jugeant par cet oubli des
bienséances, combien l'émotion était forte et puissante : « Femme
adorable, lui dis-je en risquant l'enthousiasme, vous n'avez pas
d'idée de l'amour que vous inspirez ; vous ne saurez jamais
210 jusqu'à quel point vous fûtes adorée, et de combien ce sentiment
m'était plus cher que mon existence ! Puissent tous vos jours
être fortunés et tranquilles ; puissent-ils s'embellir de tout le
bonheur dont vous m'avez privé ! Payez au moins ce vœu sincère
par un regret, par une larme ; et croyez que le dernier de mes
215 sacrifices, ne sera pas le plus pénible à mon cœur. Adieu. »

Tandis que je parlais ainsi, je sentais son cœur palpiter avec
violence ; j'observais l'altération de la figure ; je voyais, surtout,
les larmes la suffoquer, et ne couler cependant que rares et
pénibles. Ce ne fut qu'alors, que je pris le parti de feindre de
220 m'éloigner ; aussi, me retenant avec force : « Non, écoutez-moi,
dit-elle vivement. — Laissez-moi, répondis-je. — Vous m'écou-
terez, je le veux. — Il faut vous fuir, il le faut ! — Non ! »
s'écria-t-elle... A ce dernier mot, elle se précipita ou plutôt tomba
évanouie entre mes bras. Comme je doutais encore d'un si heureux
225 succès, je feignis un grand effroi ; mais tout en m'effrayant, je
la conduisais, ou la portais vers le lieu précédemment désigné
pour le champ de ma gloire ; et en effet elle ne revint à elle que
soumise et déjà livrée à son heureux vainqueur.

Jusque-là, ma belle amie, vous me trouverez, je crois, une
230 pureté de méthode qui vous fera plaisir ; et vous verrez que je
ne me suis écarté en rien des vrais principes de cette guerre, que
nous avons remarqué souvent être si semblable à l'autre. Jugez-
moi donc comme Turenne[1] ou Frédéric[2]. J'ai forcé à combattre
l'ennemi qui ne voulait que temporiser ; je me suis donné, par
235 de savantes manœuvres, le choix du terrain et celui des dispositions ; j'ai su inspirer la sécurité à l'ennemi, pour le joindre plus
facilement dans sa retraite ; j'ai su y faire succéder la terreur,
avant d'en venir au combat ; je n'ai rien mis au hasard, que par
la considération d'un grand avantage en cas de succès, et la
240 certitude des ressources en cas de défaite ; enfin, je n'ai engagé
l'action qu'avec une retraite assurée, par où je pusse couvrir et

---

1. Turenne, chef de l'armée française durant la guerre de Hollande, tué en juillet
1675. — 2. Frédéric II de Prusse, le correspondant et hôte de Voltaire.

conserver tout ce que j'avais conquis précédemment. C'est, je
crois, tout ce qu'on peut faire ; mais je crains, à présent, de
m'être amolli comme Annibal dans les délices de Capoue[1]. Voilà
245 ce qui s'est passé depuis.

Je m'attendais bien qu'un si grand événement ne se passerait
pas sans les larmes et le désespoir d'usage ; et si je remarquai
d'abord un peu plus de confusion, et une sorte de recueillement,
j'attribuai l'un et l'autre à l'état de prude : aussi, sans m'occuper
250 de ces légères différences que je croyais purement locales, je
suivais simplement la grande route des consolations ; bien persuadé que, comme il arrive d'ordinaire, les sensations aideraient
le sentiment, et qu'une seule action ferait plus que tous les
discours, que pourtant je ne négligeais pas. Mais je trouvai une
255 résistance vraiment effrayante, moins encore par son excès que
par la forme sous laquelle elle se montrait.

Figurez-vous une femme assise, d'une raideur immobile, et
d'une figure invariable ; n'ayant l'air ni de penser, ni d'écouter,
ni d'entendre ; dont les yeux fixes laissent échapper des larmes
260 assez continues, mais qui coulent sans effort. Telle était madame
de Tourvel, pendant mes discours ; mais si j'essayais de ramener
son attention vers moi par une caresse, par le geste même le plus
innocent, à cette apparente apathie succédaient aussitôt la terreur,
la suffocation, les convulsions, les sanglots, et quelques cris par
265 intervalle, mais sans un mot articulé.

Ces crises revinrent plusieurs fois, et toujours plus fortes ; la
dernière même fut si violente, que j'en fus entièrement découragé
et craignis un moment d'avoir remporté une victoire inutile. Je
me rabattis sur les lieux communs d'usage ; et dans le nombre
270 se trouva celui-ci : « Et vous êtes dans le désespoir, parce que
vous avez fait mon bonheur ? » A ce mot, l'adorable femme se
tourna vers moi ; et sa figure, quoique encore un peu égarée,
avait pourtant déjà repris son expression céleste. « Votre bonheur,
me dit-elle ! » Vous devinez ma réponse. « Vous êtes donc
275 heureux ? » Je redoublai les protestations. « Et heureux par moi ! »
J'ajoutai les louanges et les tendres propos. Tandis que je parlais,
tous ses membres s'assoupirent ; elle retomba avec mollesse
appuyée sur son fauteuil ; et m'abandonnant une main que j'avais
osé prendre : « Je sens, dit-elle, que cette idée me console et me
280 soulage. »

---

1. Au livre XXIII de son *Histoire romaine*, Tite-Live raconte comment les troupes
d'Hannibal, goûtant au charme de la vie à Capoue, y perdirent leur énergie.

Vous jugez qu'ainsi remis sur la voie, je ne la quittai plus ;
c'était tellement la bonne, et peut-être la seule. Aussi quand je
voulus tenter un second succès, j'éprouvai d'abord quelque résistance, et ce qui s'était passé auparavant me rendait circonspect :
285 mais ayant appelé à mon secours cette même idée de mon
bonheur, j'en ressentis bientôt les favorables effets : « Vous avez
raison, me dit la tendre personne ; et je ne puis plus supporter
mon existence, qu'autant qu'elle servira à vous rendre heureux.
Je m'y consacre tout entière : dès ce moment je me donne à
290 vous, et vous n'éprouverez de ma part ni refus, ni regrets. » Ce
fut avec cette candeur naïve ou sublime, qu'elle me livra sa
personne et ses charmes, qu'elle augmenta mon bonheur en
le partageant. L'ivresse fut complète et réciproque ; et, pour la
première fois, la mienne survécut au plaisir. Je ne sortis de ses
295 bras que pour tomber à ses genoux, pour lui jurer un amour
éternel ; et, il faut tout avouer, je pensais ce que je disais. Enfin,
même après nous être séparés, son idée ne me quittait point, et
j'ai eu besoin de me travailler pour m'en distraire.

Ah ! pourquoi n'êtes-vous pas ici, pour balancer au moins le
300 charme de l'action par celui de la récompense ? Mais je ne perdrai
rien pour attendre, n'est-il pas vrai ? et j'espère pouvoir regarder,
comme convenu entre nous, l'heureux arrangement que je vous
ai proposé dans ma dernière lettre. Vous voyez que je m'exécute,
et que, comme je vous l'ai promis, mes affaires seront assez
305 avancées pour pouvoir vous donner une partie de mon temps.
Dépêchez-vous donc de renvoyer votre pesant Belleroche, et
laissez là le doucereux Danceny pour ne vous occuper que de
moi. Mais que faites-vous donc tant à cette campagne que vous
ne me répondez seulement pas ? Savez-vous que je vous gron-
310 derais volontiers ? Mais le bonheur porte à l'indulgence. Et puis
je n'oublie pas qu'en me replaçant au nombre de vos soupirants
je dois me soumettre, de nouveau, à vos petites fantaisies. Sou-
venez-vous cependant que le nouvel amant ne veut rien perdre
des anciens droits de l'ami.

315 Adieu, comme autrefois... *Oui, adieu, mon ange ! Je t'envoie
tous les baisers de l'amour.*

P.-S. Savez-vous que Prévan, au bout de son mois de prison, a
été obligé de quitter son corps ? C'est aujourd'hui la nouvelle de
tout Paris. En vérité, le voilà cruellement puni d'un tort qu'il
320 n'a pas eu, et votre succès est complet !

*Paris, ce 29 octobre 17**.*

Lettre 125

• « **La voilà donc vaincue, cette femme superbe...** »

1. Quelle résonance prend l'attaque de cette lettre au début de la dernière partie du roman (relire la lettre 124. Cf. l'étude de la construction et polyphonie épistolaires) ?

2. Comparez avec les débuts des trois autres parties (identité des scripteurs et des destinataires, informations fournies par la lettre, ton, etc.).

3. Quels sont les deux sentiments qui divisent Valmont après son triomphe ?

4. Comment interprétez-vous la récurrence du mot *charme* dans le § 2 ?

• **Analyse et récit**

1. Quel rôle joue l'analyse qui précède le récit ?

2. Quelles valeurs Valmont veut-il sauvegarder ?

• « **Il était six heures du soir** » (l. 78)

Admirable conteur (lettres 21, 79), Valmont donne avec ce bulletin de campagne un chef-d'œuvre : regards, inflexions des voix, silences, mouvements des corps, toute la « pantomime » de Diderot est là, parfaitement assimilée (cf. l'étude du modèle théâtral, p. 178).

1. Pourquoi a-t-il préféré l'usage des temps passés (cf. au contraire l'emploi du présent dans la lettre 21, ou, partiellement, dans la lettre 79) ?

2. Est-ce que le contrôle et la maîtrise de la manœuvre et de soi sont constants ?

3. Quel est l'enjeu de ce récit dans la relation de Valmont et de Mme de Merteuil ?

• « **Une pureté de méthode...** » (l. 225)

1. Définissez cette pureté. Montrez comment la précision d'observation, la science du cœur et de la séduction soutiennent la moindre initiative de Valmont.

2. Quelles sont les étapes conduisant à la défaite de la présidente ?

3. La fonction de l'analyse est-elle seulement de préparer chaque coup ?

4. Se reporter à la lettre 133 pour l'apologie de la « méthode ».

• « **Jugez-moi donc comme Turenne ou Frédéric** » (l. 232-233)

D'une façon générale, quelle est la portée politique et sociale des références aux modèles chevaleresques et guerriers chez cet aristocrate de 1782 ?

• « **Je me rabattis sur les lieux communs...** » (l. 269)

1. Étudiez la mise en œuvre des « lieux communs ».

2. Mais le libertin qui méprise le naturel et le sentiment et connaît par cœur la rhétorique de la séduction n'éprouve-t-il pas leurs limites ? Est-ce ici la consommation d'une séduction libertine ou la découverte mal dominée du bonheur dans l'amour ?

3. Quel est l'argument décisif capable de désarmer totalement Mme de Tourvel (cf. lettre 102) ?

Ce bulletin de victoire n'est-il pas un hommage, entre toutes les femmes, à la présidente (relire la lettre 6) ?

LETTRE CXXXIII

LE VICOMTE DE VALMONT À LA MARQUISE DE MERTEUIL

Quels sont donc, ma belle amie, ces sacrifices que vous jugez que je ne ferais pas, et dont pourtant le prix serait de vous plaire ? Faites-les-moi connaître seulement, et si je balance à vous les offrir, je vous permets d'en refuser l'hommage. Eh ! comment
5 me jugez-vous depuis quelque temps, si, même dans votre indulgence, vous doutez de mes sentiments ou de mon énergie ? Des sacrifices que je ne voudrais ou ne pourrais pas faire ! Ainsi, vous me croyez amoureux, subjugué ? et le prix que j'ai mis au succès, vous me soupçonnez de l'attacher à la personne ? Ah !
10 grâces au Ciel, je n'en suis pas encore réduit là, et je m'offre à vous le prouver. Oui, je vous le prouverai, quand même ce devrait être envers madame de Tourvel. Assurément, après cela, il ne doit pas vous rester de doute.

J'ai pu, je crois, sans me compromettre, donner quelque temps
15 à une femme, qui a au moins le mérite d'être d'un genre qu'on rencontre rarement. Peut-être aussi la saison morte dans laquelle est venue cette aventure, m'a fait m'y livrer davantage ; et encore à présent, qu'à peine le grand courant commence à reprendre, il n'est pas étonnant qu'elle m'occupe presque en entier. Mais
20 songez donc qu'il n'y a guère que huit jours que je jouis du fruit de trois mois de soins. Je me suis si souvent arrêté davantage à ce qui valait bien moins, et ne m'avait pas tant coûté !... et jamais vous n'en avez rien conclu contre moi.

Et puis, voulez-vous savoir la véritable cause de l'empressement
25 que j'y mets ? la voici. Cette femme est naturellement timide ; dans les premiers temps, elle doutait sans cesse de son bonheur, et ce doute suffisait pour le troubler : en sorte que je commence à peine à pouvoir remarquer jusqu'où va ma puissance en ce genre. C'est une chose que j'étais pourtant curieux de savoir ; et
30 l'occasion ne s'en trouve pas si facilement qu'on le croit.

D'abord, pour beaucoup de femmes, le plaisir est toujours le plaisir, et n'est jamais que cela ; et auprès de celles-là, de quelque titre qu'on nous décore, nous ne sommes jamais que des facteurs, de simples commissionnaires, dont l'activité fait tout le mérite,
35 et parmi lesquels, celui qui fait le plus, est toujours celui qui fait le mieux.

Dans une autre classe, peut-être la plus nombreuse aujourd'hui, la célébrité de l'amant, le plaisir de l'avoir enlevé à une rivale,

la crainte de se le voir enlever à son tour, occupent les femmes
40 presque tout entières : nous entrons bien, plus ou moins, pour
quelque chose dans l'espèce de bonheur dont elles jouissent ;
mais il tient plus aux circonstances qu'à la personne. Il leur vient
par nous, et non de nous.

Il fallait donc trouver, pour mon observation, une femme déli-
45 cate et sensible, qui fît son unique affaire de l'amour, et qui,
dans l'amour même, ne vît que son amant ; dont l'émotion, loin
de suivre la route ordinaire, partît toujours du cœur, pour arriver
aux sens ; que j'ai vue par exemple (et je ne parle pas du premier
jour) sortir du plaisir tout éplorée, et le moment d'après retrouver
50 la volupté dans un mot qui répondait à son âme. Enfin, il fallait
qu'elle réunît encore cette candeur naturelle, devenue insurmon-
table par l'habitude de s'y livrer, et qui ne lui permet de dissimuler aucun des sentiments de son cœur. Or, vous en conviendrez, de telles femmes sont rares ; et je puis croire que sans celle-
55 ci, je n'en aurais peut-être jamais rencontré.

Il ne serait donc pas étonnant qu'elle me fixât plus longtemps
qu'une autre, et si le travail que je veux faire sur elle, exige que
je la rende heureuse, parfaitement heureuse, pourquoi m'y refu-
serais-je, surtout quand cela me sert, au lieu de me contrarier ?
60 Mais de ce que l'esprit est occupé, s'ensuit-il que le cœur soit
esclave ? non, sans doute. Aussi le prix que je ne me défends
pas de mettre à cette aventure, ne m'empêchera pas d'en courir
d'autres, ou même de la sacrifier à de plus agréables. [...]

Mais laissons ce couple enfantin, et revenons à nous ; que je
65 puisse m'occuper uniquement de l'espoir si doux que m'a donné
votre lettre. Oui, sans doute vous me fixerez, et je ne vous
pardonnerais pas d'en douter. Ai-je donc jamais cessé d'être
constant pour vous ? Nos liens ont été dénoués, et non pas
rompus ; notre prétendue rupture ne fut qu'une erreur de notre
70 imagination : nos sentiments, nos intérêts, n'en sont pas moins
restés unis. [...]

Ne combattez donc plus l'idée ou plutôt le sentiment qui vous
ramène à moi ; et après avoir essayé de tous les plaisirs dans nos
courses différentes, jouissons du bonheur de sentir qu'aucun
75 d'eux n'est comparable à celui que nous avions éprouvé, et que
nous retrouverons plus délicieux encore !

Adieu, ma charmante amie. Je consens à attendre votre retour :
mais pressez-le donc, et n'oubliez pas combien je le désire.

Paris, ce 8 novembre 17**.

LETTRE CXXXIV

LA MARQUISE DE MERTEUIL AU VICOMTE DE VALMONT

En vérité Vicomte, vous êtes bien comme les enfants, devant qui il ne faut rien dire, et à qui on ne peut rien montrer qu'ils ne veuillent s'en emparer aussitôt ! Une simple idée qui me vient, à laquelle même je vous avertis que je ne veux pas m'ar-
5 rêter, parce que je vous en parle, vous en abusez pour y ramener mon intention ; pour m'y fixer, quand je cherche à m'en dis-traire ; et me faire, en quelque sorte, partager malgré moi vos désirs étourdis ! Est-il donc généreux à vous de me laisser sup-porter seule tout le fardeau de la prudence ? Je vous le redis, et
10 me le répète plus souvent encore, l'arrangement que vous me proposez est réellement impossible. Quand vous y mettriez toute la générosité que vous me montrez en ce moment, croyez-vous que je n'aie pas aussi ma délicatesse, et que je veuille accepter des sacrifices qui nuiraient à votre bonheur ?
15 Or, est-il vrai, Vicomte, que vous vous faites illusion sur le sentiment qui vous attache à madame de Tourvel ? C'est de l'amour, ou il n'en exista jamais : vous le niez bien de cent façons ; mais vous le prouvez de mille. Qu'est-ce, par exemple, que ce subterfuge dont vous vous servez vis-à-vis de vous-même
20 (car je vous crois sincère avec moi), qui vous fait rapporter à l'envie d'observer le désir que vous ne pouvez ni cacher ni combattre, de garder cette femme ? Ne dirait-on pas que jamais vous n'en avez rendu une autre heureuse, parfaitement heureuse ? Ah ! si vous en doutez, vous avez bien peu de mémoire ! Mais
25 non, ce n'est pas cela. Tout simplement votre cœur abuse votre esprit, et le fait se payer de mauvaises raisons : mais moi, qui ai un grand intérêt à ne pas m'y tromper, je ne suis pas si facile à contenter.
C'est ainsi qu'en remarquant votre politesse, qui vous a fait
30 supprimer soigneusement tous les mots que vous vous êtes ima-giné m'avoir déplu, j'ai vu cependant que, peut-être sans vous en apercevoir, vous n'en conserviez pas moins les mêmes idées. En effet, ce n'est plus l'adorable, la céleste madame de Tourvel, mais c'est *une femme étonnante, une femme délicate et sensible,*
35 et cela, à l'exclusion de toutes les autres ; *une femme rare enfin,* et telle *qu'on n'en rencontrerait pas une seconde*. Il en est de même de ce charme inconnu qui n'est pas *le plus fort*. Hé bien ! soit : mais puisque vous ne l'aviez jamais trouvé jusque-là, il est

bien à croire que vous ne le trouveriez pas davantage à l'avenir,
40 et la perte que vous feriez n'en serait pas moins irréparable. Ou
ce sont là, Vicomte, des symptômes assurés d'amour, ou il faut
renoncer à en trouver aucun.

Soyez assuré, que pour cette fois, je vous parle sans humeur.
Je me suis promis de n'en plus prendre ; j'ai trop bien reconnu
45 qu'elle pouvait devenir un piège dangereux. Croyez-moi, ne
soyons qu'amis, et restons-en là. Sachez-moi gré seulement de
mon courage à me défendre : oui, de mon courage ; car il en faut
quelquefois, même pour ne pas prendre un parti qu'on sent être
mauvais.

50 Ce n'est donc plus que pour vous ramener à mon avis par
persuasion, que je vais répondre à la demande que vous me faites
sur les sacrifices que j'exigerais et que vous ne pourriez pas faire.
Je me sers à dessein de ce mot *exiger*, parce que je suis sûre
que, dans un moment, vous m'allez en effet trouver trop exi-
55 geante : mais tant mieux ! Loin de me fâcher de vos refus, je
vous en remercierai. Tenez, ce n'est pas avec vous que je veux
dissimuler, j'en ai peut-être besoin.

J'exigerais donc, voyez la cruauté ! que cette rare, cette étonnante madame de Tourvel ne fût plus pour vous qu'une femme
60 ordinaire, une femme telle qu'elle est seulement : car il ne faut
pas s'y tromper ; ce charme qu'on croit trouver dans les autres,
c'est en nous qu'il existe ; et c'est l'amour seul qui embellit tant
l'objet aimé. Ce que je vous demande là, tout impossible que
cela soit, vous feriez peut-être bien l'effort de me le promettre,
65 et de me le jurer même ; mais, je l'avoue, je n'en croirais pas de
vains discours. Je ne pourrais être persuadée que par l'ensemble
de votre conduite.

Ce n'est pas tout encore, je serais capricieuse. Ce sacrifice de
la petite Cécile, que vous m'offrez de si bonne grâce, je ne m'en
70 soucierais pas du tout. Je vous demanderais au contraire de
continuer ce pénible service, jusqu'à nouvel ordre de ma part ;
soit que j'aimasse à abuser ainsi de mon empire ; soit que, plus
indulgente ou plus juste, il me suffît de disposer de vos sentiments, sans vouloir contrarier vos plaisirs. Quoi qu'il en soit, je
75 voudrais être obéie ; et mes ordres seraient bien rigoureux !

Il est vrai qu'alors je me croirais obligée de vous remercier ;
que sait-on ? peut-être même de vous récompenser. Sûrement,
par exemple, j'abrégerais une absence qui me deviendrait insupportable. Je vous reverrais enfin, Vicomte, et je vous reverrais...
80 comment ?... Mais vous vous souvenez que ceci n'est plus qu'une

conversation, un simple récit d'un projet impossible, et je ne
veux pas l'oublier toute seule...

Savez-vous que mon procès m'inquiète un peu ? J'ai voulu
enfin connaître au juste quels étaient mes moyens ; mes avocats
85 me citent bien quelques lois, et surtout beaucoup d'*autorités*,
comme ils les appellent : mais je n'y vois pas autant de raison et
de justice. J'en suis presque à regretter d'avoir refusé l'accom-
modement. Cependant je me rassure, en songeant que le procureur est adroit, l'avocat éloquent, et la plaideuse jolie. Si ces
90 trois moyens devaient ne plus valoir, il faudrait changer tout le
train des affaires, et que deviendrait le respect pour les anciens
usages ?

Ce procès est actuellement la seule chose qui me retienne ici.
Celui de Belleroche est fini : hors de Cour, dépens compensés.
95 Il en est à regretter le bal de ce soir ; c'est bien le regret d'un
désœuvré ! Je lui rendrai sa liberté entière, à mon retour à la
ville. Je lui fais ce douloureux sacrifice, et je m'en console par
la générosité qu'il y trouve.

Adieu, Vicomte, écrivez-moi souvent : le détail de vos plaisirs
100 me dédommagera au moins en partie des ennuis que j'éprouve.

Du château de..., ce 11 novembre 17**.

Lettres 133-134

• **Une explication de texte (lettre 134)**

Le plaisir du lecteur vigilant est de se confondre avec l'implacable lectrice :
quelle est sa méthode pour percer l'écran de mauvaises raisons tendu par
Valmont dans la lettre 133 (lire également la lettre 141) ?

• **Une escrime**

Les jeux de la simulation, de la dissimulation et de la sincérité dans cet
échange.

• **« C'est l'amour seul qui embellit tant l'objet aimé » (lettre 134, l. 62)**

1. Les deux épistoliers rivalisent dans la science du cœur : relevez leurs
maximes et distinctions ; leur rhétorique désabusée de moralistes les pré-
serve-t-elle des mouvements de la sensibilité ?
2. Pour la maxime citée ici, comparez avec Stendhal, *De l'amour* (la
cristallisation), Molière, *Le Misanthrope,* II, 4 (tirade d'Éliante), et Rousseau, *La Nouvelle Héloïse,* III, 20.

LETTRE CXXXV

LA PRÉSIDENTE DE TOURVEL À MADAME DE ROSEMONDE

J'essaie de vous écrire, sans savoir encore si je le pourrai. Ah !
Dieu, quand je songe qu'à ma dernière lettre c'était l'excès de
mon bonheur qui m'empêchait de la continuer ! C'est celui de
mon désespoir qui m'accable à présent ; qui ne me laisse de force
que pour sentir mes douleurs, et m'ôte celle de les exprimer.

Valmont... Valmont ne m'aime plus, il ne m'a jamais aimée.
L'amour ne s'en va pas ainsi. Il me trompe, il me trahit, il
m'outrage. Tout ce qu'on peut réunir d'infortunes, d'humiliations, je les éprouve, et c'est de lui qu'elles me viennent.

Et ne croyez pas que ce soit un simple soupçon : j'étais si loin
d'en avoir ! Je n'ai pas le bonheur de pouvoir douter. Je l'ai vu :
que pourrait-il me dire pour se justifier ?... Mais que lui importe !
il ne le tentera seulement pas... Malheureuse ! que lui feront tes
reproches et tes larmes ? c'est bien de toi qu'il s'occupe !...

Il est donc vrai qu'il m'a sacrifiée, livrée même... et à qui ?...
une vile créature... Mais que dis-je ? Ah ! j'ai perdu jusqu'au
droit de la mépriser. Elle a trahi moins de devoirs, elle est moins
coupable que moi. Oh ! que la peine est douloureuse, quand elle
s'appuie sur le remords ! Je sens mes tourments qui redoublent.

Adieu, ma chère amie ; quelque indigne que je me sois rendue
de votre pitié, vous en aurez cependant pour moi, si vous pouvez
vous former l'idée de ce que je souffre.

Je viens de relire ma lettre, et je m'aperçois qu'elle ne peut
vous instruire de rien ; je vais donc tâcher d'avoir le courage de
vous raconter ce cruel événement. C'était hier ; je devais pour la
première fois, depuis mon retour, souper hors de chez moi.
Valmont vint me voir à cinq heures ; jamais il ne m'avait paru
si tendre. Il me fit connaître que mon projet de sortir le con-
trariait, et vous jugez que j'eus bientôt celui de rester chez moi.
Cependant, deux heures après, et tout à coup, son air et son ton
changèrent sensiblement. Je ne sais s'il me sera échappé quelque
chose qui aura pu lui déplaire ; quoi qu'il en soit, peu de temps
après, il prétendit se rappeler une affaire qui l'obligeait de me
quitter, et il s'en alla : ce ne fut pourtant pas sans m'avoir
témoigné des regrets très vifs, qui me parurent tendres, et qu'alors
je crus sincères.

Rendue à moi-même, je jugeai plus convenable de ne pas me
dispenser de mes premiers engagements, puisque j'étais libre de

les remplir. Je finis ma toilette, et montai en voiture. Malheureu-
40 sement mon cocher me fit passer devant l'Opéra, et je me trouvai
dans l'embarras de la sortie ; j'aperçus à quatre pas devant moi,
et dans la file à côté de la mienne, la voiture de Valmont. Le
cœur me battit aussitôt, mais ce n'était pas de crainte ; et la seule
idée qui m'occupait, était le désir que ma voiture avançât. Au
45 lieu de cela, ce fut la sienne qui fut forcée de reculer, et qui se
trouvait à côté de la mienne. Je m'avançai sur-le-champ : quel
fut mon étonnement, de trouver à ses côtés une fille, bien connue
pour telle ! Je me retirai, comme vous pouvez penser, et c'en
était déjà bien assez pour navrer mon cœur : mais ce que vous
50 aurez peine à croire, c'est que cette même fille, apparemment
instruite par une odieuse confidence, n'a pas quitté la portière
de la voiture, ni cessé de me regarder, avec des éclats de rire à
faire scène.

Dans l'anéantissement où j'en fus, je me laissai pourtant con-
55 duire dans la maison où je devais souper : mais il me fut impossible d'y rester ; je me sentais, à chaque instant, prête à m'éva-
nouir, et surtout je ne pouvais retenir mes larmes.

En rentrant, j'écrivis à M. de Valmont, et lui envoyai ma lettre
aussitôt ; il n'était pas chez lui. Voulant, à quelque prix que ce
60 fût, sortir de cet état de mort, ou le confirmer à jamais, je
renvoyai avec ordre de l'attendre : mais avant minuit mon domestique revint, en me disant que le cocher, qui était de retour, lui
avait dit que son maître ne rentrerait pas de la nuit. J'ai cru ce
matin n'avoir plus autre chose à faire qu'à lui redemander mes
65 lettres, et le prier de ne plus revenir chez moi. J'ai en effet donné
des ordres en conséquence ; mais sans doute, ils étaient inutiles.
Il est près de midi ; il ne s'est point encore présenté, et je n'ai
même pas reçu un mot de lui.

A présent, ma chère amie, je n'ai plus rien à ajouter : vous
70 voilà instruite, et vous connaissez mon cœur. Mon seul espoir
est de n'avoir pas longtemps encore à affliger votre sensible
amitié.

Paris, ce 15 novembre 17**.

LETTRE CXLI

LA MARQUISE DE MERTEUIL AU VICOMTE DE VALMONT

[...] Parlez-moi vrai ; vous faites-vous illusion à vous-même, ou cherchez-vous à me tromper ? la différence entre vos discours et vos actions, ne me laisse pas de choix qu'entre ces deux sentiments : lequel est le véritable ? Que voulez-vous donc que je
5 vous dise, quand moi-même je ne sais que penser ?

Vous paraissez vous faire un grand mérite de votre dernière scène avec la Présidente ; mais qu'est-ce donc qu'elle prouve pour votre système, ou contre le mien ? Assurément je ne vous
10 ai jamais dit que vous aimiez assez cette femme pour ne pas la tromper, pour n'en pas saisir toutes les occasions qui vous paraîtraient agréables ou faciles ; je ne doutais même pas qu'il ne vous fût à peu près égal de satisfaire avec une autre, avec la première venue, jusqu'aux désirs que celle-ci seule aurait fait naître ; et je ne suis pas surprise que, pour un libertinage d'esprit qu'on aurait
15 tort de vous disputer, vous ayez fait une fois par projet, ce que vous aviez fait mille autres par occasion. Qui ne sait que c'est là le simple courant du monde, et votre usage à tous, tant que vous êtes, depuis le scélérat jusqu'aux *espèces* ? Celui qui s'en abstient aujourd'hui passe pour romanesque ; et ce n'est pas là, je crois,
20 le défaut que je vous reproche.

Mais ce que j'ai dit, ce que j'ai pensé, ce que je pense encore, c'est que vous n'en avez pas moins de l'amour pour votre Présidente ; non pas, à la vérité, de l'amour bien pur ni bien tendre, mais de celui que vous pouvez avoir ; de celui, par exemple, qui
25 fait trouver à une les agréments ou les qualités qu'elle n'a pas ; qui la place dans une classe à part, et met toutes les autres en second ordre ; qui vous tient encore attaché à elle, même alors que vous l'outragez ; tel enfin que je conçois qu'un sultan peut le ressentir pour sa sultane favorite, ce qui ne l'empêche pas de
30 lui préférer souvent une simple odalisque.[...] Prenez-y garde, Vicomte ! si une fois je réponds, ma réponse sera irrévocable ; et craindre de la faire en ce moment, c'est peut-être déjà en dire trop. Aussi je n'en veux absolument plus parler.

Tout ce que je peux faire, c'est de vous raconter une histoire.
35 Peut-être n'aurez-vous pas le temps de la lire, ou celui d'y faire assez attention pour la bien entendre ? libre à vous. Ce ne sera, au pis aller, qu'une histoire de perdue.

Un homme de ma connaissance s'était empêtré, comme vous,

d'une femme qui lui faisait peu d'honneur. Il avait bien, par
intervalle, le bon esprit de sentir que, tôt ou tard, cette aventure
40 lui ferait tort : mais quoiqu'il en rougît, il n'avait pas le courage
de rompre. Son embarras était d'autant plus grand, qu'il s'était
vanté à ses amis d'être entièrement libre ; et qu'il n'ignorait pas
que le ridicule qu'on a, augmente toujours en proportion qu'on
s'en défend. Il passait ainsi sa vie, ne cessant de faire des sottises,
45 et ne cessant de dire après : *Ce n'est pas ma faute.* Cet homme
avait une amie qui fut tentée un moment de le livrer au public
en cet état d'ivresse, et de rendre ainsi son ridicule ineffaçable ;
mais pourtant, plus généreuse que maligne, ou peut-être encore
par quelque autre motif, elle voulut tenter un dernier moyen,
50 pour être, à tout événement, dans le cas de dire comme son ami :
Ce n'est pas ma faute. Elle lui fit donc parvenir sans aucun autre
avis, la lettre qui suit, comme un remède dont l'usage pourrait
être utile à son mal.

« On s'ennuie de tout, mon ange, c'est une loi de la nature ;
55 ce n'est pas ma faute.

« Si donc, je m'ennuie aujourd'hui d'une aventure qui m'a
occupé entièrement depuis quatre mortels mois, ce n'est pas ma
faute.

« Si, par exemple, j'ai eu juste autant d'amour que toi de vertu,
60 et c'est sûrement beaucoup dire, il n'est pas étonnant que l'un
ait fini en même temps que l'autre. Ce n'est pas ma faute.

« Il suit de là, que depuis quelque temps je t'ai trompée : mais
aussi, ton impitoyable tendresse m'y forçait en quelque sorte !
Ce n'est pas ma faute.

65 « Aujourd'hui, une femme que j'aime éperdument exige que je
te sacrifie. Ce n'est pas ma faute.

« Je sens bien que voilà une belle occasion de crier au parjure :
mais si la Nature n'a accordé aux hommes que la constance,
tandis qu'elle donnait aux femmes l'obstination, ce n'est pas ma
70 faute.

« Crois-moi, choisis un autre amant, comme j'ai fait une autre
maîtresse. Ce conseil est bon, très bon ; si tu le trouves mauvais,
ce n'est pas ma faute.

« Adieu, mon ange, je t'ai prise avec plaisir, je te quitte sans
75 regret : je te reviendrai peut-être. Ainsi va le monde. Ce n'est
pas ma faute. »

De vous dire, Vicomte, l'effet de cette dernière tentative, et ce
qui s'en est suivi, ce n'est pas le moment : mais je vous promets
de vous le dire dans ma première lettre. Vous y trouverez aussi

80 mon *ultimatum* sur le renouvellement du traité que vous me
proposez. Jusque-là, adieu tout simplement...

A propos, je vous remercie de vos détails sur la petite Volanges ;
c'est un article à réserver jusqu'au lendemain du mariage, pour
la gazette de médisance. En attendant, je vous fais mon compli-
85 ment de condoléance sur la perte de votre postérité. Bonsoir,
Vicomte.

Du château de..., ce 24 novembre 17**.

LETTRE CL

LE CHEVALIER DANCENY À LA MARQUISE DE MERTEUIL

En attendant le bonheur de te voir, je me livre, ma tendre
amie, au plaisir de t'écrire ; et c'est en m'occupant de toi, que
je charme le regret d'en être éloigné. Te tracer mes sentiments,
me rappeler les tiens, est pour mon cœur une vraie jouissance ;
5 et c'est par elle que le temps même des privations m'offre encore
mille biens précieux à mon amour. Cependant, s'il faut t'en
croire, je n'obtiendrai point de réponse de toi : cette lettre même
sera la dernière ; et nous nous priverons d'un commerce qui,
selon toi, est dangereux, *et dont nous n'avons pas besoin*. Sûre-
10 ment je t'en croirai, si tu persistes : car que peux-tu vouloir, que
par cette raison même je ne le veuille aussi ? Mais avant de te
décider entièrement, ne permettras-tu pas que nous en causions
ensemble ?

Sur l'article des dangers, tu dois juger seule : je ne puis rien
15 calculer, et je m'en tiens à te prier de veiller à ta sûreté, car je
ne puis être tranquille quand tu seras inquiète. Pour cet objet,
ce n'est pas nous deux qui ne sommes qu'un, c'est toi qui es
nous deux.

Il n'en est pas de même *sur le besoin* ; ici nous ne pouvons
20 avoir qu'une même pensée ; et si nous différons d'avis, ce ne
peut être que faute de nous expliquer ou de nous entendre. Voici
donc ce que je crois sentir.

Sans doute, une lettre paraît bien peu nécessaire, quand on
peut se voir librement. Que dirait-elle, qu'un mot, un regard, ou
25 même le silence, n'exprimassent cent fois mieux encore ? Cela
me paraît si vrai, que dans le moment où tu me parlas de ne

plus nous écrire, cette idée glissa facilement sur mon âme ; elle
la gêna peut-être, mais ne l'affecta point. Tel à peu près, quand
30   voulant donner un baiser sur ton cœur, je rencontre un ruban
ou une gaze, je l'écarte seulement, et n'ai cependant pas le
sentiment d'un obstacle.

Mais depuis, nous nous sommes séparés ; et dès que tu n'as
plus été là, cette idée de lettre est revenue me tourmenter.
Pourquoi, me suis-je dit, cette privation de plus ? Quoi ! pour
35   être éloigné, n'a-t-on plus rien à se dire ? Je suppose que favorisé
par les circonstances, on passe ensemble une journée entière ;
faudra-t-il prendre le temps de causer sur celui de jouir ? Oui,
de jouir, ma tendre amie ; car auprès de toi, les moments même
du repos fournissent encore une jouissance délicieuse. Enfin,
40   quel que soit le temps, on finit par se séparer, et puis, on est si
seul ! C'est alors qu'une lettre est si précieuse ; si on ne la lit
pas, du moins on la regarde... Ah ! sans doute, on peut regarder
une lettre sans la lire, comme il me semble que la nuit j'aurais
encore quelque plaisir à toucher ton portrait...

45   Ton portrait, ai-je dit ? Mais une lettre est le portrait de l'âme.
Elle n'a pas, comme une froide image, cette stagnance si éloignée
de l'amour ; elle se prête à tous nos mouvements : tour à tour
elle s'anime, elle jouit, elle se repose... Tes sentiments me sont
tous si précieux ! me priveras-tu d'un moyen de les recueillir ?

50   Es-tu donc sûre que le besoin de m'écrire ne te tourmentera
jamais ? Si dans la solitude, ton cœur se dilate ou s'oppresse, si
un mouvement de joie passe jusqu'à ton âme, si une tristesse
involontaire vient la troubler un moment ; ce ne sera donc pas
dans le sein de ton ami, que tu répandras ton bonheur ou ta
55   peine ? tu auras donc un sentiment qu'il ne partagera pas ? tu le
laisseras donc, rêveur et solitaire, s'égarer loin de toi ? Mon
amie... ma tendre amie ! Mais c'est à toi qu'il appartient de
prononcer. J'ai voulu discuter seulement, et non pas te séduire ;
je ne t'ai dit que des raisons, j'ose croire que j'eusse été plus
60   fort par des prières. Je tâcherai donc, si tu persistes, de ne pas
m'affliger ; je ferai mes efforts pour me dire ce que tu m'aurais
écrit ; mais tiens, tu le dirais mieux que moi ; et j'aurai surtout
plus de plaisir à l'entendre.

Adieu, ma charmante amie ; l'heure approche enfin où je pour-
65   rai te voir ; je te quitte bien vite, pour t'aller retrouver plus tôt.

*Paris, ce 3 décembre 17**.*

LETTRE CLIII

LE VICOMTE DE VALMONT À LA MARQUISE DE MERTEUIL

[...] De longs discours n'étaient pas nécessaires pour établir que chacun de nous ayant en main tout ce qu'il faut pour perdre l'autre, nous avons un égal intérêt à nous ménager mutuellement : aussi, ce n'est pas de cela dont il s'agit. Mais encore entre le parti violent de se perdre, et celui, sans doute meilleur, de rester unis comme nous l'avons été, de le devenir davantage encore en reprenant notre première liaison, entre ces deux partis, dis-je, il y en a mille autres à prendre. Il n'était donc pas ridicule de vous dire, et il ne l'est pas de vous répéter que, de ce jour même, je serai ou votre amant ou votre ennemi.

Je sens à merveille que ce choix vous gêne ; qu'il vous conviendrait mieux de tergiverser ; et je n'ignore pas que vous n'avez jamais aimé à être placée ainsi entre le oui et le non ; mais vous devez sentir aussi que je ne puis vous laisser sortir de ce cercle étroit, sans risquer d'être joué ; et vous avez dû prévoir que je ne le souffrirais pas. C'est maintenant à vous à décider : je peux vous laisser le choix mais non pas rester dans l'incertitude.

Je vous préviens seulement que vous ne m'abuserez pas par vos raisonnements, bons ou mauvais ; que vous ne me séduirez pas davantage par quelques cajoleries dont vous chercheriez à parer vos refus, et qu'enfin, le moment de la franchise est arrivé. Je ne demande pas mieux que de vous donner l'exemple ; et je vous déclare avec plaisir, que je préfère la paix et l'union : mais s'il faut rompre l'une ou l'autre, je crois en avoir le droit et les moyens.

J'ajoute donc que le moindre obstacle mis de votre part sera pris de la mienne pour une véritable déclaration de guerre : vous voyez que la réponse que je vous demande n'exige ni longues ni belles phrases. Deux mots suffisent.

Paris, ce 4 décembre 17**.

RÉPONSE DE LA MARQUISE DE MERTEUIL
écrite au bas de la même lettre.

Hé bien ! la guerre.

LETTRE CLXI

LA PRÉSIDENTE DE TOURVEL À...
(Dictée par elle et écrite par sa femme de chambre.)

Être cruel et malfaisant, ne te lasseras-tu point de me persé-
cuter ? Ne te suffit-il pas de m'avoir tourmentée, dégradée, avilie,
veux-tu me ravir jusqu'à la paix du tombeau ? Quoi ! dans ce
séjour de ténèbres où l'ignominie m'a forcée de m'ensevelir, les
5   peines sont-elles sans relâche, l'espérance est-elle méconnue ? Je
n'implore point une grâce que je ne mérite point : pour souffrir
sans me plaindre, il me suffira que mes souffrances n'excèdent
pas mes forces. Mais ne rends pas mes tourments insupportables.
En me laissant mes douleurs, ôte-moi le cruel souvenir des biens
10 que j'ai perdus. Quand tu me les as ravis, n'en retrace plus à
mes yeux la désolante image. J'étais innocente et tranquille : c'est
pour t'avoir vu que j'ai perdu le repos ; c'est en t'écoutant que
je suis devenue criminelle. Auteur de mes fautes, quel droit as-
tu de les punir ?
15   Où sont les amis qui me chérissaient, où sont-ils ? mon infortune les épouvante. Aucun n'ose m'approcher. Je suis opprimée,
et ils me laissent sans secours ! Je meurs, et personne ne pleure
sur moi. Toute consolation m'est refusée. La pitié s'arrête sur
les bords de l'abîme où le criminel se plonge. Les remords le
20 déchirent, et ses cris ne sont pas entendus !
    Et toi, que j'ai outragé ; toi, dont l'estime ajoute à mon
supplice ; toi, qui seul enfin aurais le droit de te venger, que
fais-tu loin de moi ? Viens punir une femme infidèle. Que je
souffre enfin des tourments mérités. Déjà je me serais soumise à
25 ta vengeance : mais le courage m'a manqué pour t'apprendre ta
honte. Ce n'était point dissimulation, c'était respect. Que cette
lettre au moins t'apprenne mon repentir. Le ciel a pris ta cause ;
il te venge d'une injure que tu as ignorée. C'est lui qui a lié ma
langue et retenu mes paroles ; il a craint que tu ne me remisses
30 une faute qu'il voulait punir. Il m'a soustraite à ton indulgence,
qui aurait blessé sa justice.
    Impitoyable dans sa vengeance, il m'a livrée à celui-là même
qui m'a perdue. C'est à la fois, pour lui et par lui que je souffre.
Je veux le fuir, en vain, il me suit ; il est là ; il m'obsède sans
35 cesse. Mais qu'il est différent de lui-même ! Ses yeux n'expriment
plus que la haine et le mépris. Sa bouche ne profère que l'insulte

et le reproche. Ses bras ne m'entourent que pour me déchirer. Qui me sauvera de sa barbare fureur ?

40 Mais quoi ! c'est lui... Je ne me trompe pas ; c'est lui que je revois. Oh ! mon aimable ami ! reçois-moi dans tes bras ; cache-moi dans ton sein : oui, c'est toi, c'est bien toi ! Quelle illusion funeste m'avait fait te méconnaître ? combien j'ai souffert dans ton absence. Ne nous séparons plus, ne nous séparons jamais. Laisse-moi respirer. Sens mon cœur, comme il palpite ! Ah ! ce
45 n'est plus de crainte, c'est la douce émotion de l'amour. Pourquoi te refuser à mes tendres caresses ? Tourne vers moi tes doux regards ! Quels sont ces liens que tu cherches à rompre ? pourquoi prépares-tu cet appareil de mort ? qui peut altérer ainsi tes traits ? que fais-tu ? Laisse-moi : je frémis ! Dieu ! c'est ce mons-
50 tre encore ! Mes amies, ne m'abandonnez pas. Vous qui m'invitiez à le fuir, aidez-moi à le combattre ; et vous qui, plus indulgente, me promettiez de diminuer mes peines, venez donc auprès de moi. Où êtes-vous toutes deux ? S'il ne m'est plus permis de vous revoir, répondez au moins à cette lettre ; que je sache que
55 vous m'aimez encore.

Laisse-moi donc, cruel ! quelle nouvelle fureur t'anime ? Crains-tu qu'un sentiment doux ne pénètre jusqu'à mon âme ? Tu redoubles mes tourments ; tu me forces de te haïr. Oh ! que la

---

Lettre 161
Le chant du cygne

1. Ultime et magnifique envoi de Mme de Tourvel, chant du cygne où se manifeste le dérèglement désormais général du code épistolaire : quels en sont les indices (à qui s'adresse-t-elle ? est-ce une lettre qu'on puisse envoyer ?) ?
2. D'où vient la force étrange de ce texte ? Quels en sont les leitmotiv obsédants, les reprises et les rythmes qui l'organisent comme un moment lyrique (« Le lyrisme est le développement d'un cri », disait Paul Valéry) ?
3. Délire polyphonique, quelles diverses voix fait-il entendre ? Comment le texte assure-t-il sa cohésion ?
4. Chant du cygne, la lettre porte à son achèvement la note racinienne et rousseauiste qui distinguait si fortement le discours amoureux de Mme de Tourvel : quels tours, termes et figures replacent dans l'univers de la tragédie cette nouvelle Phèdre, associant à ses tourments les fureurs d'Oreste ? Avec cette lettre, on quitte le système épistolaire pour entrer dans le monologue de tragédie.
5. C'est aussi le registre du psalmiste, le discours biblique de la déréliction qui se fait entendre ici (§ 1-2) : Valmont n'était-il pas le nouveau Dieu de la présidente ?...

haine est douloureuse ! comme elle corrode le cœur qui la dis-
60 tille ! Pourquoi me persécutez-vous ? que pouvez-vous encore
avoir à me dire ? ne m'avez-vous pas mise dans l'impossibilité
de vous écouter, comme de vous répondre ? N'attendez plus rien
de moi. Adieu. Monsieur.

Paris, ce 5 décembre 17**.

LETTRE CLXIX

LE CHEVALIER DANCENY À MADAME DE ROSEMONDE

Madame,

[...] Si vous convenez que la vengeance est permise, disons
mieux, qu'on se la doit, quand on a été trahi dans son amour,
dans son amitié, et, surtout, dans sa confiance ; si vous en
convenez, mes torts vont disparaître à vos yeux. N'en croyez pas
5   mes discours mais lisez ; si vous en avez le courage, la correspondance que je dépose entre vos mains*. La quantité de lettres qui
s'y trouvent en original paraît rendre authentiques celles dont il
n'existe que des copies. Au reste, j'ai reçu ces papiers, tels que
j'ai l'honneur de vous les adresser, de M. de Valmont lui-même.
10 Je n'y ai rien ajouté, et je n'en ai distrait que deux lettres que
je me suis permis de publier.

L'une était nécessaire à la vengeance commune de M. de
Valmont et de moi, à laquelle nous avions droit tous deux, et
dont il m'avait expressément chargé. J'ai cru, de plus, que c'était
15 rendre service à la société, que de démasquer une femme aussi
réellement dangereuse que l'est madame de Merteuil, et qui,
comme vous pouvez le voir, est la seule, la véritable cause de
tout ce qui s'est passé entre M. de Valmont et moi.

Un sentiment de justice m'a porté aussi à publier la seconde
20 pour la justification de M. de Prévan, que je connais à peine,
mais qui n'avait aucunement mérité le traitement rigoureux qu'il
vient d'éprouver, ni la sévérité des jugements du public, plus
redoutable encore, et sous laquelle il gémit depuis ce temps, sans
avoir rien pour s'en défendre.

---

* C'est de cette correspondance, de celle remise pareillement à la mort de madame
de Tourvel, et des lettres confiées aussi à madame de Rosemonde par madame de
Volanges, qu'on a formé le présent recueil, dont les originaux subsistent entre les
mains des héritiers de madame de Rosemonde.

Vous ne trouverez donc que la copie de ces deux lettres, dont
je me dois de garder les originaux. Pour tout le reste, je ne crois
pas pouvoir remettre en de plus sûres mains un dépôt qu'il
m'importe peut-être qui ne soit pas détruit, mais dont je rougirais
d'abuser. Je crois, Madame, en vous confiant ces papiers, servir
aussi bien les personnes qu'ils intéressent, qu'en les leur remettant à elles-mêmes ; et je leur sauve l'embarras de les recevoir de
moi, et de me savoir instruit d'aventures, que sans doute elles
désirent que tout le monde ignore.

Je crois devoir vous prévenir à ce sujet, que cette correspondance ci-jointe, n'est qu'une partie d'une collection bien plus
volumineuse, dont M. de Valmont l'a tirée en ma présence, et
que vous devez retrouver à la levée des scellés, sous le titre, que
j'ai vu, de *Compte ouvert entre la marquise de Merteuil et le
vicomte de Valmont*. Vous prendrez, sur cet objet, le parti que
vous suggérera votre prudence.

Je suis avec respect, Madame, etc.

P.-S. Quelques avis que j'ai reçus, et les conseils de mes amis
m'ont décidé de m'absenter de Paris pour quelque temps : mais
le lieu de ma retraite, tenu secret pour tout le monde, ne le sera
pas pour vous. Si vous m'honorez d'une réponse, je vous prie
de l'adresser à la Commanderie de***, par P..., et sous le couvert
de M. le commandeur de ***. C'est de chez lui que j'ai l'honneur
de vous écrire.

*Paris, ce 12 décembre 17**.*

LETTRE CLXXV

MADAME DE VOLANGES À MADAME DE ROSEMONDE

Le sort de madame de Merteuil paraît enfin rempli, ma chère
et digne amie, et il est tel que ses plus grands ennemis sont
partagés entre l'indignation qu'elle mérite, et la pitié qu'elle
inspire. J'avais bien raison de dire que ce serait peut-être un
bonheur pour elle de mourir de sa petite vérole. Elle en est
revenue, il est vrai, mais affreusement défigurée ; et elle y a
particulièrement perdu un œil. Vous jugez bien que je ne l'ai
pas revue ; mais on m'a dit qu'elle était vraiment hideuse.

Le marquis de ***, qui ne perd pas l'occasion de dire une
10 méchanceté, disait hier, en parlant d'elle, que la maladie l'avait
retournée, et qu'à présent son âme était sur sa figure. Malheureusement tout le monde trouva que l'expression était juste.

Un autre événement vient d'ajouter encore à ses disgrâces et à
ses torts. Son procès a été jugé avant-hier et elle l'a perdu tout
15 d'une voix. Dépens, dommages et intérêts, restitution des fruits,
tout a été adjugé aux mineurs : en sorte que le peu de sa fortune
qui n'était pas compromis dans ce procès est absorbé, et au-delà,
par les frais.

Aussitôt qu'elle a appris cette nouvelle, quoique malade encore,
20 elle a fait ses arrangements, et est partie seule dans la nuit et en
poste. Ses gens disent, aujourd'hui, qu'aucun d'eux n'a voulu la
suivre. On croit qu'elle a pris la route de la Hollande.

Ce départ fait plus crier que tout le reste ; en ce qu'elle a
emporté ses diamants, objet très considérable, et qui devait ren-
25 trer dans la succession de son mari ; son argenterie, ses bijoux ;
enfin, tout ce qu'elle a pu ; et qu'elle laisse après elle pour près
de 50 000 livres de dettes. C'est une véritable banqueroute.

La famille doit s'assembler demain pour voir à prendre des
arrangements avec les créanciers. Quoique parente bien éloignée,
30 j'ai offert d'y concourir : mais je ne me trouverai pas à cette
assemblée, devant assister à une cérémonie plus triste encore.
Ma fille prend demain un habit de postulante. J'espère que vous
n'oublierez pas, ma chère amie, que dans ce grand sacrifice que
je fais, je n'ai d'autre motif, pour m'y croire obligée, que le
35 silence que vous avez gardé vis-à-vis de moi.

M. Danceny a quitté Paris, il y a près de quinze jours. On dit
qu'il va passer à Malte, et qu'il a le projet de s'y fixer. Il serait
peut être encore temps de le retenir ?... Mon amie !... ma fille
est donc bien coupable ?... Vous pardonnerez sans doute à une
40 mère de ne céder que difficilement à cette affreuse certitude.

Quelle fatalité s'est donc répandue autour de moi depuis quelque temps, et m'a frappée dans les objets les plus chers ! Ma
fille, et mon amie !

Qui pourrait ne pas frémir en songeant aux malheurs que peut
45 causer une seule liaison dangereuse ? et quelles peines ne s'évi-
terait-on point en y réfléchissant davantage ! Quelle femme ne
fuirait pas au premier propos d'un séducteur ? Quelle mère
pourrait, sans trembler, voir une autre personne qu'elle parler à
sa fille ? Mais ces réflexions tardives n'arrivent jamais qu'après
50 l'événement ; et l'une des plus importantes vérités, comme aussi

peut-être des plus généralement reconnues, reste étouffée et sans usage dans le tourbillon de nos mœurs inconséquentes.

Adieu, ma chère et digne amie ; j'éprouve en ce moment que notre raison, déjà si insuffisante pour prévenir nos malheurs, l'est encore davantage pour nous en consoler*.

55

Paris, ce 14 janvier 17**.

* *Des raisons particulières et des considérations que nous nous ferons toujours un devoir de respecter nous forcent de nous arrêter ici.*

Nous ne pouvons, dans ce moment, ni donner au lecteur la suite des aventures de mademoiselle de Volanges, ni lui faire connaître les sinistres événements qui ont comblé les malheurs ou achevé la punition de madame de Merteuil.

Peut-être quelque jour nous sera-t-il permis de compléter cet ouvrage ; mais nous ne pouvons prendre aucun engagement à ce sujet : et quand nous le pourrions, nous croirions encore devoir auparavant consulter le goût du public, qui n'a pas les mêmes raisons que nous de s'intéresser à cette lecture.

Note de l'Éditeur.

Lettre 175

• **« Le sort de Mme de Merteuil paraît enfin rempli... » (l. 1)**

La lettre 173 avait montré « la cruelle scène » essuyée au théâtre, lieu prédestiné. Que penser de l'accumulation des désastres dont Mme de Volanges dresse le catalogue, paragraphe par paragraphe : conventions romanesques (dont la défiguration) ? conventions du genre tragique ? choix du romancier lui-même ?

• **La perte d'un œil**

Pour une femme à la lucidité diabolique, habile à percer à jour sans être vue, ce châtiment ne vous paraît-il pas admirablement significatif ? N'était-elle pas une lectrice par effraction, comme nous, lecteurs du roman ?... Et la perte de son œil n'est-elle pas la condition de l'accès pour notre regard à l'ensemble des lettres (cf. l'étude de la forme épistolaire, p. 6 et suiv.) ?

• **Un avenir pour la marquise ?**

La mort de Valmont et la relégation de la marquise sont-elles deux formes d'élimination équivalentes ? Tout avenir est-il fermé à celle-ci ? (A-t-elle *tout* perdu ? Commentez cette remarque de M. Delon : « Sa survie suppose d'échapper au monde clos de la mondanité et de s'ouvrir à l'aventure romanesque [...]. Par sa fuite en Hollande, plaque tournante de nombre d'aventuriers du temps, elle accède à un nouvel univers. »)

• **Le mot de la fin ?**

Mme de Volanges a-t-elle le mot de la fin ? Quel point de vue représente-t-elle (cf. la « préface du Rédacteur ») ? Est-il autorisé ?

ÉTUDE LITTÉRAIRE

Le jeu du titre

« Dois-je faire cette réponse ? se disait madame de Chasteller. Ne serait-ce pas commencer une correspondance ? » (Stendhal, *Lucien Leuwen*, ch. 23).

Sans doute le titre s'inscrit-il, pour le lecteur du XVIIIe siècle, sur un « horizon d'attente » : nombreux sont les textes, de fiction ou de moralistes, qui mettent en garde les jeunes gens contre le danger des liaisons dans le monde. Mais Laclos a su exploiter de façon originale les données d'une tradition littéraire. Le titre n'est pas étroitement thématique : la présentation d'ensemble de l'intrigue, l'analyse du tissu de relations progressivement étendu et diversifié ont montré que *l'ensemble* des personnages est victime, d'une façon ou de l'autre, des liaisons. De plus, le titre renvoie à la forme même choisie : la liaison est, d'abord, l'échange épistolaire lui-même. Titre dont la polysémie pourrait se déployer ainsi :

1. Danger des liaisons pour les jeunes gens inexpérimentés, et c'est la problématique de l'éducation des filles. Cécile Volanges est la victime choisie, engagée dans des liaisons avec Danceny, la marquise, Valmont. N'oublions pas le sous-titre de l'œuvre : *Lettres recueillies dans une société et publiées pour l'instruction de quelques autres*. Qu'on récapitule ainsi tout le parcours du chevalier Danceny, amant, puis « homme à bonnes fortunes ».

2. Danger des liaisons pour les femmes trop sûres de leur vertu : on relira la lettre de mise en garde de Mme de Volanges à Mme de Tourvel (32, § 2).

3. Danger des liaisons pour les scélérats eux-mêmes : Mme de Merteuil « se plaît à conduire un char entre les rochers et les précipices » (sous la plume de Mme de Volanges, lettre 32, § 4). Cette virtuosité orgueilleuse ne la sauvera pas de l'échec. Les deux protagonistes s'entre-tuent au terme d'une rivalité sensible dès le début, lutte pour la suprématie sur l'autre, impatience d'une supériorité redoutée, et ressentie chez le partenaire, que la surenchère des entreprises voudrait contraindre à l'admiration absolue.

Ainsi, la publication d'une correspondance, pour manifester la chute d'une de leurs victimes qui auraient eu l'imprudence d'écrire, se retourne-t-elle contre les roués : la lettre 162 non donnée révèle par la plume de Danceny qu'il a eu connaissance par la marquise des messages cyniques envoyés par Valmont au long de la liaison entretenue par celui-ci avec Cécile Volanges : d'où le duel proposé à Valmont... Cette même lettre amorce d'autres révélations : la correspondance de Merteuil va être rendue publique, ce sont deux lettres d'abord (168, 169 en racontent la divulgation), puis l'ensemble, c'est-à-dire le livre.

Fatalité, le mot est prononcé par plusieurs personnages au dénouement qui amplifie l'exclamation de Mme de Tourvel quittant le château de

Mme de Rosemonde pour fuir Valmont : « Ah ! ce fatal voyage m'a perdue... » (102, § 2). Mais il a perdu aussi Cécile Volanges, hôte du même château, comme Valmont, pris au piège de la lettre d'amour.

4. Le danger des liaisons s'est manifesté presque matériellement pour le lecteur par le progressif brouillage des correspondances et la perversion croissante de la communication.

C'est que la liaison de certains personnages aux mots est elle-même dangereuse. Les victimes ne sont pas libres à l'égard des mots : « Un mot pour l'autre peut changer toute une phrase ; le même a quelquefois deux sens... » (Danceny, lettre 92). Cécile Volanges, du moins, ne se pose même pas ces questions, que le chevalier, de façon remarquablement symétrique, et amoureux cette fois de la marquise, continuera d'agiter dans la fameuse lettre 150 sur le pouvoir des lettres : « Une lettre est le portrait de l'âme ».

On pourrait ainsi imaginer un entretien... épistolaire sur les rapports aux mots entre Danceny et Mme de Tourvel, victime du « pouvoir » des mots, à la prise desquels Valmont l'a livrée (et il notera, tout au long de l'œuvre, leur travail sur elle). On se rappelle la gigantesque équivoque qu'est la lettre 48, et les leçons de décryptage données par les deux libertins ici et là, aptes à faire entrer leurs victimes dans les registres et les champs linguistiques qu'ils leur imposent, comme à exploiter leur attachement aux expressions stéréotypées où ils viennent se prendre, que ce soit le langage de l'amoureux naissant, Danceny, de la vertu aveugle (Mme de Volanges), ou de la passion (Mme de Tourvel).

Mais la très remarquable vigilance des libertins à l'égard des autres les garantit-elle à l'égard l'un de l'autre ?... Dans une remarquable étude, J.-L. Seylaz montre qu'ils n'échappent pas eux-mêmes au pouvoir des mots : « Ils jouent avec les mots. Mais il y a aussi du "jeu" dans cette belle mécanique [...] : Laclos installe l'ambiguïté à la source même, dans ce qui sert à donner aux héros une existence romanesque : leur langage » (art. cit.).

Nature et fonction des lettres

« Vous trouverez dans l'antichambre de l'appartement que vous occupez, sous la grande armoire à main gauche, une provision de papier, de plumes et d'encre... » (Valmont à Cécile Volanges, lettre 73).

Trois grandes catégories de lettres

1. Tous les personnages envoient des rapports, relations, comptes rendus, qu'on peut appeler des « bulletins de campagne » quand ils donnent à la marquise des informations sur le progrès ou les lenteurs des opérations engagées sur le « front Tourvel », ou plutôt contre la « citadelle Tourvel » (21, 23) ; ou encore 96, et le récit par Cécile, 97. Ce peut être des récits très circonstanciés (10, 21, 23, 125), où le narrateur note les attitudes, gestes, silences avec minutie, sans rapport direct avec l'intrigue principale (l'affaire Vressac, 71, ou l'affaire Prévan, 85) ; mais le rapport

demeure indirect). Les 13 dernières lettres formant l'épilogue abondent
en récits.

2. La séduction se fait essentiellement par lettre : une lettre se relit
dans la solitude (16), elle suggère au-delà des mots et exerce l'imagination,
nulle résistance immédiate ne peut être opposée (Mme de Tourvel
l'éprouvera), elle est une arme : « C'est bien par ses douze lettres que
Valmont a raison des préjugés, de la dévotion et des principes austères
de la présidente beaucoup plus que par des entretiens vite évités ou par
une présence à laquelle il craint qu'on ne s'habitue [...]. C'est en répétant
inlassablement les mots d'amour, de passion, d'émotion, de volupté que
Valmont finit par imposer à la présidente la curiosité du bonheur »
(L. Versini, *Le Roman épistolaire,* p. 157). On a vu (p. 9) combien Laclos
avait utilisé les ressources de la lettre comme acte, développant un élément
romanesque qui jouait déjà un rôle dans *L'Astrée* et, surtout, dans *La
Princesse de Clèves* (la fameuse lettre de Mme de Thémines au vidame
de Chartres, et non seulement son contenu, mais sa circulation avec
toutes ses conséquences).

Davantage, on a affaire à un roman véritablement épistolaire, où les
récits eux-mêmes font avancer l'action parce que le scripteur a une
intention précise en les envoyant à son correspondant. Cet aspect illo-
cutoire du message ne doit jamais être perdu de vue dans les rapports
circonstanciés envoyés à Mme de Merteuil, qui sont encore, ou déjà, des
actes de guerre, menés par d'autres moyens. (On pensera à la fonction
des récits dans *L'École des femmes*, de façon analogue, et à leur intégra-
tion à l'action, dont ils sont un des moteurs.) Le récit est preuve de la
défaite de l'adversaire, qui sera publiée, avertissement, démonstration de
force ou d'indocilité, défi lancé au partenaire (cf. M. Butor, *Répertoire,*
II) : « La "victoire" ne sert à rien si l'on n'a pas en main des lettres qui
permettent de la tourner en "gloire" [...]. La lettre est l'arme essentielle,
mais toujours à double tranchant. Elle doit obliger l'autre à s'"exposer",
mais elle "expose" aussi son auteur. »

3. Les héroïdes, enfin, qui disent les tourments de la séparation,
ramènent au lyrisme et à l'une des traditions non romanesques auxquelles
se rattache le roman épistolaire. Lettre de Danceny (65, et, non repro-
duites, 72, 80, 93), de Cécile, surtout de Valmont (36) et de Mme de
Tourvel (102, 124, 135).

Une lettre, en position centrale, l'autobiographie de la marquise (81),
tout en se rattachant à la première catégorie, tend à ramener le roman
vers une autre de ses origines.

Le réseau épistolaire : entrelacs, interférences, décalages et discontinuité

Une présentation d'extraits ne permet pas de faire goûter pleinement
l'ingéniosité et les effets de la disposition des lettres. Celle-ci obéit à des
constantes déterminant « le roman le mieux composé du siècle avec *La
Nouvelle Héloïse* [...], qui obéit à une dynamique de la lettre, devenue
l'instrument d'une progression » (L. Versini, *Laclos et la tradition,* p. 426).
Autant les Mémoires se développent librement à l'époque, constituant

pour le roman un modèle de souplesse allant jusqu'à la désinvolture, emboîtant anecdotes et conversations, déroulant des réflexions et petites dissertations morales ou satiriques (cf. les romans de Marivaux), autant *Les Liaisons dangereuses* échappent aux « romans-listes » *(ibid.)* et se soucient de leur composition.

« L'originalité de Laclos, c'est d'avoir donné une valeur dramatique à la composition par lettres, d'avoir fait de ces lettres l'étoffe même du roman [...]. Le coup de maître, c'est d'avoir conçu l'intrigue comme une espèce de toile d'araignée que Mme de Merteuil tisse à coups de lettres. C'est surtout l'invention du couple Valmont-Merteuil. En effet, l'auteur installe au centre du roman deux personnages que leurs caractères, leurs "principes" et leur passé déterminent à agir, à vivre en quelque sorte par leur correspondance » (J.-L. Seylaz, ouvr. cité, p. 19).

On s'est attaché plus haut à montrer l'enrôlement progressif et l'implication des personnages dans l'échange par lettres jusqu'à « l'exposition » et à la révélation finale de l'ensemble que nous avons eu entre les mains le temps de la lecture. On donnera maintenant quelques exemples de la merveilleuse polyphonie épistolaire chez Laclos.

1. *Les récits doubles du même événement :* 21 et 23 (récits de Valmont) — 22 (Mme de Tourvel) ; 96 (Valmont) — 97 (Cécile Volanges).

2. *Les effets d'antithèse :* 1 (Cécile) — 2 (Mme de Merteuil) ; 4 (Valmont) — 8 (portrait de Valmont par Mme de Tourvel) ; 17 (1re lettre de Danceny) — 24 (1re lettre de Valmont à Mme de Tourvel) ; 85 (« l'affaire Prévan » racontée à Valmont) — 87 (racontée à Mme de Volanges) ; 124 (fin de la 3e partie et résolutions de Mme de Tourvel) — 125 (triomphe de Valmont) ; et, dans la 4e partie, le duo Rosemonde-Tourvel par rapport aux autres échanges. (Lettres 17, 24, 85, 87 non données.)

3. *Les effets de parallélisme* ironiques ou pathétiques entre les deux entreprises de séduction : 11 (confiance de Mme de Tourvel en Valmont) — 16, non donnée, de Cécile Volanges en Mme de Merteuil ; résolutions de Cécile Volanges envers Danceny et de Mme de Tourvel à l'égard de Valmont dans les lettres 49 et 50 non données ; et la dégradation progressive de Cécile Volanges, parallèlement à la conquête définitive de Mme de Tourvel (fin de la 3e partie, 4e partie).

Déjà dans la 1re partie, les lettres 26 (Mme de Tourvel essaie de justifier à Valmont les larmes versées à la suite de la scène de bienfaisance) et 27 (Cécile Volanges justifie ses larmes devant Mme de Merteuil). Ces parallélismes « suggèrent que la vertu avertie ne résiste ni plus efficacement ni beaucoup plus longuement que l'innocence naïve, qu'elles sont également vulnérables ; bref, qu'il n'y a pas de femme insensible ou invincible. C'est la vérification même des principes de Valmont ou de madame de Merteuil » (J.-L. Seylaz, p. 136).

Parallélismes et antithèses dans les envois juxtaposés de Mme de Merteuil à Mme de Volanges et à sa fille (104 et 105), qui manifestent de façon très matérielle la duplicité et les calculs des roués. Le lecteur bénéficie d'une position privilégiée, puisqu'il a toutes les lettres en mains, alors même que les interceptions de correspondance par les protagonistes ne s'étendent pas à tous les échanges ; et il peut seul, par exemple, sentir toute l'évolution des deux jeunes gens, en lisant le groupe 116-118, où

la duplicité contagieuse les a gagnés : une lettre de Cécile Volanges,
dictée par Valmont, est encadrée par deux lettres de Danceny, l'une
adressée à elle-même, l'autre à Mme de Merteuil, dont l'absence commande en fait l'écriture de la première...

Rythmes de la lecture

Le rythme de la lecture est commandé par les entrelacs des diverses
correspondances ; jamais de série uniforme ; des voix reviennent nous
parler par intervalles variables, leur résonance est chaque fois différente,
par l'écho encore perceptible des lettres intercalées. Dialogues parallèles
ou plutôt superposés, alternance, aussi, de lettres comptes rendus et de
lettres d'exhortation ou de supplique. Laclos a remarquablement tiré parti
de la discontinuité même du genre épistolaire (cf. p. 13) tout en donnant
un ensemble homogène, puisqu'à la différence de *La Nouvelle Héloïse*
aucune lettre n'est un exposé philosophique ou satirique. Le lecteur est
très sensible aux dissonances et ruptures de ton entre la fin d'une lettre
et l'attaque de la suivante. « Polyphonie », sans doute, mais il ne faudrait
pas rester sourd aussi à ces silences où retombe la parole de chacun,
s'effaçant devant une autre avant de renaître de façon imprévisible, selon
les délais (ironiques parfois) de la poste. Les réponses ont dû être écrites
avec sous les yeux la lettre reçue que nous avons lue, nous, il y a déjà
quelques pages : décalage cette fois, entre les scripteurs et les lecteurs
réels, qui accroît à sa façon la discontinuité et frappe comme d'incertitude
la communication entre eux.

Porte-voix et voix surprises

L'alternance et la superposition des voix sont d'autant plus intéressantes que certains personnages se voient souffler leur rôle par d'autres, qui
les manœuvrent. C'est leur voix qui se fait entendre encore, mais prêtée
à un discours qu'ils n'ont pas eux-mêmes composé. Danceny et Cécile
Volanges sont plusieurs fois les « porte-voix » de Valmont (cas extrême,
117, lettre dictée par lui). Orchestrée par l'auteur, la polyphonie l'est
aussi par les deux maîtres du mensonge. C'est toute l'originalité de Laclos
d'avoir systématiquement pratiqué les violations au code de l'échange
épistolaire ; une voix prend une autre résonance d'être entendue par des
oreilles indiscrètes : des lettres sont incluses dans l'envoi d'une autre ;
Valmont (73) se fait remettre toute la correspondance reçue de Danceny
par Cécile Volanges ou envoie à la marquise une lettre de Danceny
(qu'une note dit perdue) et une autre de Mme de Tourvel (77) ; il
intercepte sa correspondance avec Mme de Rosemonde dans la 4e partie.

Cette polyphonie va s'emplir de stridences, dissonances et discordances
dans un dérèglement qui se retourne contre ceux-là mêmes qui l'avaient
instauré. Dérisoire, dès lors, la lettre 150, où Danceny croit, dans l'enthousiasme de sa relation commençante avec Mme de Merteuil (et face
au scepticisme d'un lecteur averti maintenant du « danger des liaisons »)
que le discours épistolaire restitue la présence et la qualité d'âme de l'être
aimé, dont il parvient même à tenir lieu (§ 2, fin). Le petit modèle de
lettre de rupture (141) dictée, en fait, à Valmont — porte-voix maintenant... — est un exemple de cette polyphonie sombrant dans le bruit et

la fureur : lettre polyphonique elle-même, qui va provoquer les cris d'égarement de Mme de Tourvel, sa véritable destinatrice. Le discours de la marquise elle-même s'amenuise en une phrase nominale et exclamative (fin de la lettre 153).

La rotation des points de vue

L'absence d'un narrateur unique (cf. p. 12), le silence d'un auteur qui dissimule sa voix derrière une pluralité de correspondants après avoir pris les masques plutôt dissemblables du « rédacteur » et de l'« éditeur », et poursuivi son jeu dans les ironiques notes au bas des pages, donnent au lecteur une position qu'aucun romancier optant pour cette forme n'a jamais constituée aussi forte et... aussi précaire en même temps. Il a accès à toutes les séries de lettres, et domine les deux protagonistes eux-mêmes, pourtant maîtres voyeurs. En surplomb, il peut comparer les témoignages des uns sur les autres : Valmont tel qu'il se révèle de propos délibéré, tel qu'il se découvre peut-être à lui-même, sensible, tel que le voient au début du roman Mme de Volanges (9), Mme de Merteuil et Mme de Tourvel (8 et 11) ; celle-ci, à son tour, telle qu'elle apparaît (11 et 22), telle qu'elle est et qu'elle se révélera peu à peu, telle que Mme de Merteuil en trace le portrait (5). Laclos le place en situation de voyeur, loi même du genre dès lors qu'une lettre privée est publiée. Il doit en effet épouser d'abord le point de vue des meneurs de jeu sur les autres personnages. « Aux yeux du lecteur qui a une vue panoramique de la situation, chacun occupe une position qui se rapproche plus ou moins des catégories définies dans le tableau suivant :

destinateur transparent/destinataire aveugle
destinateur masqué/destinataire perspicace [...].

Se dessine ainsi une structure pyramidale dont le sommet figure l'œil du lecteur » (D. Masseau, art. cité dans la bibliographie). Ainsi le point de vue du clairvoyant séducteur n'est-il pas toujours le plus vrai, comme le point de vue de Mme de Merteuil sur sa rivale est entaché de jalousie ; ajoutons aussi — et la critique en a trop peu tenu compte — que leurs lettres sont des représentations flatteuses qu'ils donnent d'eux-mêmes à un complice blasé, difficile à éblouir et dont il faut forcer l'admiration : dans quelle mesure ces déterminations essentielles à la prise de parole, outre leur goût de l'écriture et de la manipulation ludique des mots, ne pèsent-elles pas sur l'énoncé lui-même ?...

La dégradation progressive de leur relation, à travers les lenteurs à obéir, à répondre ou le persiflage permanent qui se mue en agressivité mal contenue dans la dernière partie, introduit comme un principe de variation supplémentaire dans leurs points de vue. On se souvient des récits doubles d'événements importants, des images différentes et contrastées qui en sont proposées : quelle sera la version la plus véridique ? quel est le témoin le plus autorisé, le plus exempt de parti-pris, de sentimentalisme, de jactance ou de naïveté ?...

Ajoutons que Laclos a joué aussi avec ce que Henri Coulet a nommé « les lettres occultées », comme ce portefeuille (ou ce mémoire, matériau de Mémoires) remis par Valmont à Danceny et qui nous échappe, où la genèse de leur scélératesse, leurs relations d'autrefois auraient pu fournir cet arrière-plan qui manque très certainement à une forme romanesque qui est « écriture au présent » (seule la lettre 81, de loin la plus longue, nous ouvre le passé lointain de Mme de Merteuil, et encore de façon très stylisée).

Rappelons les questions types posées par le lecteur curieux au début de *Jacques le Fataliste* : « Comment s'étaient-ils rencontrés ? [...] D'où venaient-ils ? [...] Que disaient-ils ? »

Comment, en particulier, juger de Valmont, après le coup qui atteint Mme de Tourvel, sans une lettre qu'il lui avait fait apporter au couvent et dont seule l'existence nous est apprise par Mme de Volanges (149) ? Nouvelle surprise trois jours plus tard (154) avec l'annonce d'une lettre du même qui la prenait comme confidente (elle était son ennemie) et médiatrice auprès de Mme de Tourvel... Laclos s'est dérobé, curieusement (ou fidèle à son parti-pris de maintenir l'incertitude) dans une note affirmant que le désespoir de Valmont était peut-être feint. D'ailleurs, en ces dernières pages du roman, c'est Mme de Rosemonde qui, relayant Mme de Merteuil, devient notre guide ; elle n'apparaissait pas, et n'apparaît toujours pas, comme l'interprète la plus clairvoyante.

Confidents partiellement abusés, protagonistes pas toujours crédibles, kaléidoscopes de récits, silences et lacunes : « En même temps qu'il exploite avec la plus extrême précision les possibilités techniques du roman par lettres, Laclos renvoie sans cesse le lecteur à son incertitude. L'exactitude formelle de l'œuvre ne fait qu'aggraver l'indécision quant à son interprétation. » (M. Delon, étude signalée dans la bibliographie.)

Faut-il rappeler, enfin, que le roman lui-même donne les pièces d'un débat sur la crédibilité de la lettre (33, 34, 70, 81, 150, à ajouter aux deux textes liminaires) ?

Le libertinage dans « Les Liaisons dangereuses »

Le libertinage, séduction et déduction

« Moi qui aime les méthodes nouvelles et difficiles [...]. » (Valmont, lettre 70, l. 52.)

La formule de L. Versini, « La séduction est déduction » (*Le Roman épistolaire*, p. 157), rend excellemment compte d'un aspect majeur du libertinage dans le roman de Laclos. La marquise et Valmont ne proclament-ils pas assez leur mépris — leur crainte, peut-être aussi ?... — du sentiment, des *sentimentaires* (144), tels Danceny ou, quoique différemment, Mme de Tourvel ? D'un côté l'instinct, les élans de sensibilité, l'aliénation à la nature, de l'autre l'intelligence analytique, la libération — liberté et libertinage — des pulsions et de la dépendance de l'amour, la pleine disposition de ses facultés intellectuelles pour se connaître, connaître à fond les passions et les sentiments qui meuvent hommes et femmes, dûment classés d'abord en catégories.

Car on a pu mettre le roman de Laclos en perspective avec la psychologie déterministe d'un Condillac ou d'un Diderot, pour lesquels « l'homme s'apprend comme la mécanique ou la chimie » (L. Versini). Et la connaissance procure ici, d'abord, un plaisir d'ordre supérieur, une ivresse véritable de l'intelligence : admiration où nous plonge l'autobiographie de la marquise exposant la genèse de son discours de la méthode (81), éloquence de Valmont appréciant la distinction entre Mme de Tourvel, enfin vaincue, et les autres femmes, et définissant en elle l'objet idéal de la conquête (133), cri de joie quand il a reçu la confidence de Danceny : « Enfin, je le sais par cœur, ce beau héros de roman » (57).

Dans le récit très circonstancié des ultimes manœuvres de séduction (125), Valmont fait alterner la mention d'un geste, d'un silence, d'une parole, et la loi psychologique qui lui sert de garant. Dès la lettre 21 (la comédie de la bienfaisance), on avait admiré cette science qui ne laisse absolument rien au hasard — mais le cœur a ses raisons, et Valmont n'y pourra rien...

La double séduction lui offre l'occasion de manifester son sens de l'adaptation, jamais pris en défaut, et son étonnante souplesse, qui font de lui un autre Protée, Protée des salons et des alcôves. On se souvient que les deux protagonistes possèdent un talent corollaire, celui du pastiche, car ils savent se travestir pour se mettre à la portée de leurs adversaires ou de leurs victimes, dont ils ont étudié les habitudes de langage, la rhétorique, les valeurs et les mots clés, pour mieux les assujettir et actionner, littéralement, leurs ressorts (un des chefs-d'œuvre est la dernière lettre de la 2e partie, où la marquise, victorieuse de Prévan, se présente, pour Mme de Volanges, comme sa victime pudique, offensée ; elle se présente comme sa confidente, après avoir bien travaillé contre elle et l'avoir mise en état, justement, de recourir à sa confiance).

Les libertins moralistes

« Descendue dans mon cœur, j'y ai étudié celui des autres. » (81, l. 287-288.)

Cette descente dans les replis du cœur de l'homme et les constats cyniques qu'elle en retire ne sont pas sans évoquer l'entreprise de « démystification » d'un autre aristocrate, La Rochefoucauld. Ne pourrait-on constituer un corps de maximes auquel s'adossent leurs manœuvres, d'une inspiration aussi désabusée ? « A force de chercher de bonnes raisons, on en trouve, on les dit, et après on y tient, non pas tant parce qu'elles sont bonnes que pour ne pas se démentir » (33, § 3, fin). Ou encore : « Femme qui consent à parler d'amour, finit bientôt par en prendre, ou au moins par se conduire comme si elle en avait » (76, § 3). Leur absence totale d'illusions sur le compte de l'homme, en amour principalement, rejoint, par d'autres voies, La Rochefoucauld : « Quelque envie qu'on ait de se donner, quelque pressée que l'on en soit, encore faut-il un prétexte, et y en a-t-il de plus commode pour nous, que celui qui nous donne l'air de céder à la force ? » Qu'on relise les réflexions de Mme de Merteuil sur les illusions de l'amour (lettre 104, à Mme de

Volanges), ou cette maxime d'excellente facture : « Le ridicule qu'on a augmente toujours en proportion qu'on s'en défend ! » (141). On constituera un florilège dans la lettre 81 de formules remarquablement frappées.

Distinctions et typologies

Outre les maximes et observations, les libertins disposent d'une autre arme, les distinctions et les typologies : ce sont les « femmes à délire », les « femmes vaines », les « femmes actives dans leur oisiveté » (lettre 81), dominées respectivement par les sens, la vanité, le sentiment, ou, dans une leçon de « caractères » (au sens classique du terme) administrée au vicomte, les deux classes de femmes ayant dépassé la cinquantaine (113). La grande tradition classique du portrait est ici recueillie et filtrée pour donner des caractérisations plus abstraites, mais toujours dans une pratique mondaine (ici épistolaire) de l'analyse psychologique.

C'est justement la confusion entre les ordres, le sentiment et l'intelligence, que Mme de Merteuil décèle chez Valmont, à l'évidence, dans la 4e partie (134, § 2).

La pesée des mots

Ne pas se payer, ni se laisser payer de mots : que les hommes s'aveuglent, qu'ils prennent un mot pour un autre, qu'ils aient peur des mots, si ce n'est des choses, les libertins, eux, mettent la propriété des termes au-dessus de tout, sauf à la bafouer pour parvenir à leur fin, mais de façon maîtrisée. On aura remarqué le souci des retouches correctives, la recherche des nuances exactes, et des synonymes : « Elle [Mme de Tourvel] est prude et dévote, et de là vous la jugez froide et inanimée ? » (6, § 2), en réponse à la lettre 5, portrait par Mme de Merteuil (§ 3) : « En est-il [du plaisir] avec les prudes ? j'entends celles de bonne foi [...], votre prude est dévote, et de cette dévotion de bonne femme [...] ». On goûtera les oppositions synonymiques, à propos des « inséparables » : « Ce bonheur si vanté était, comme celui des rois, plus envié que désirable » (79), ou de Prévan, dont se joue la marquise : « Il était galant, il devint tendre [...]. Son regard, devenu moins vif, était plus caressant ; l'inflexion de sa voix plus douce, son sourire n'était plus celui de la finesse, mais du contentement. Enfin, dans ses discours, éteignant peu à peu le feu de la saillie, l'esprit fit place à la délicatesse » (85). Valmont se verra administrer une leçon de clairvoyance quand elle étudiera et définira le sentiment qu'il éprouve pour Mme de Tourvel par des reprises et retouches disposées en batterie (141, § 4).

De là ce goût marqué et ce penchant irrésistible pour... l'explication de texte ! Dans la 4e partie surtout, incertain peut-être, à force de tricher, s'il aime Mme de Tourvel, et s'en défendant peut-être assez mal, Valmont fournit à la sagacité de la marquise matière à de subtiles « lectures » de ses lettres : rien ne lui échappe, dans la lettre 134, du choix et de la place des termes, cités pour être mis dans toute leur lumière (cf. aussi Valmont lui-même, lettre 99, « Nous sommes d'accord, Madame de Tourvel et moi, sur nos sentiments, nous ne disputons plus que sur les mots »).

Ainsi les protagonistes sont-ils les héritiers, extrêmement actifs, de la tradition mondaine de l'analyse romanesque (de Mlle de Scudéry à Marivaux) et des genres comme la maxime, le portrait, la réflexion morale. Mais pour les retourner contre l'honnêteté et le sentiment...

Le libertinage, une éducation diabolique

« Je vois son petit cœur se développer... et c'est un spectacle ravissant. » (Mme de Merteuil à Valmont, lettre 20.)

Si la séduction est déduction, elle est aussi expérimentation sur des natures vierges. On se rappelle l'itinéraire de Cécile Volanges, sortant du couvent à l'ouverture du roman, et y entrant quand il se clôt (lettres 1 et 170)... Pour des cœurs dépravés, il reste toujours la ressource de s'amuser par la corruption des cœurs neufs ; *Les Liaisons dangereuses* sont un roman de formation : deux éducateurs prennent en charge deux jeunes gens, qui se révèlent très vite vulnérables. Une cire qu'ils vont modeler à quatre mains, les deux protagonistes apportant chacun leur propre contribution. La progression du roman est marquée par les bulletins annonçant périodiquement les progrès des élèves confiés à ces « maîtres », à travers une série d'épreuves construites comme autant d'expériences, jusqu'au viol et à la grossesse de la jeune fille. Cf. le satisfecit accordé par Valmont (110) : « L'écolière est devenue presque aussi savante que le maître ». La voilà donc formée pour la première nuit de son mariage avec le comte de Gercourt.

Tout en faisant assimiler son « catéchisme de débauche », Valmont s'amuse du contraste piquant entre les restes de la candeur et l'attrait naissant pour la grivoiserie. Bien sûr, le plaisir de l'éducation est redoublé de le dire, et la verve du conteur éclate dans toute cette fin de la 3e partie, tandis que l'inconstance du tendron ne suscite bientôt plus que mépris. Il faudrait suivre, parallèlement, l'évolution de la « pupille », selon le terme cher aux complices, de cachotteries en mensonges, de mensonges en regrets et aux larmes, avant de la voir s'installer dans « une vie commode et réglée » avec son « maître ».

Quant à Mme de Merteuil, elle se fait aussi l'initiatrice de Danceny, confondant dans sa personne, comme l'avait fait Valmont, ce rôle et ceux de confidente et amante bientôt. Dans cette tâche, elle relaie et supplante Valmont, qui devait « former » Cécile Volanges au second degré, en quelque sorte, par l'« éducation » de son jeune amant Danceny. On a vu comment le chassé-croisé amenait la marquise à devenir la maîtresse, en un autre sens, de Danceny ; et le dérèglement des conventions initiales (rivalité de Valmont et Danceny) va peser lourd sur le dénouement.

Ainsi, c'est son originalité, Laclos a-t-il fait du séducteur, au sens romanesque du terme, et du séducteur, au sens de suborneur, un seul et même personnage. Le plaisir de mener à son terme la perversion des ingénus est une composante essentielle du libertinage.

Ingénus ? Si une éducation se fait au nom de principes ou de postulats, les expériences « pédagogiques » des deux libertins doivent confirmer leur mépris de la nature humaine et leur scepticisme quant à la solidité, et à la légitimité, des règles morales assurant le respect de soi-même et de l'autre. On se rappelle le « credo » de la marquise : « N'avez-vous pas encore remarqué que le plaisir, qui est bien l'unique mobile de la réunion des deux sexes, ne suffit pas pour former une liaison entre eux ? » (131, § 2)

Si l'instinct sexuel mène le monde, que signifient *amour, réserve, pudeur* ? Dans ce jeu de massacre dont Cécile Volanges est le dérisoire objet, c'est la fragilité et l'hypocrisie, à leurs yeux, des défenses morales, que ses « instituteurs » veulent dénoncer. Leurs expériences les confortent dans leur mépris des créatures asservies à la nature (entendons par là sentimentalité et sensualité).

Projet littéralement diabolique : faire chuter l'homme et ricaner de sa chute ; tel est l'enjeu véritable du « projet éducatif » ici (cf. l'étude du personnage de Merteuil, nouveau Lucifer, et aussi l'histoire parallèle à la séduction des « ingénus », la chute lente et inexorable de Mme de Tourvel, « la céleste dévote »). Avec son intelligence de la forme épistolaire, Laclos a réinséré le schéma de la direction de conscience, pour le subvertir : cette notion, d'origine religieuse, est au principe de l'échange de lettres dans lequel les « maîtres » font tomber leurs « disciples » trop confiants. Dans et par la lettre, ils assurent leur toute-puissance en se faisant à la fois scripteurs substitués, lecteurs indiscrets et messagers pervers, c'est-à-dire mauvais « anges »...

Éducation des femmes et guerre des sexes

La portée métaphysique et spirituelle de ce grand livre ne doit pas dissimuler qu'il pose aussi une question qui a passionné tout le siècle, depuis *L'Éducation des filles* de Fénelon (1687). Citons la marquise de Lambert, *Avis d'une mère à sa fille* (1728). Mme d'Épinay, *Conversations d'Émilie* (1774), et Diderot, Helvetius, Mme de Genlis, etc. Zélia, dans un autre roman épistolaire à succès, *Lettres d'une Péruvienne* (1747), examinant les coutumes de l'Europe où elle a été entraînée, écrit : « Il m'a fallu beaucoup de temps, mon cher Aza, pour approfondir la cause du mépris que l'on a presque généralement ici pour les femmes [...] ; l'éducation qu'on leur donne est si opposée à la fin qu'on se propose, qu'elle me paraît être le chef-d'œuvre de l'inconséquence française » (lettre XXXIV).

Laclos (cf. p. 4) a écrit des pages sur le sujet, théoriques d'abord, dans un premier essai inachevé, puis repris et développé, plus pratiques ensuite en proposant un programme de lectures pour les jeunes filles. Il faut considérer comme un tout ces textes et la fiction elle-même, puisque la première lettre montre une toute jeune fille sortant du couvent et donnant à son insu une image éloquente de l'éducation qui lui y fut donnée ; on a vu celle que les libertins se chargent ensuite de lui inculquer... La grande lettre-confession de Mme de Merteuil, au centre même du livre, est à relire de ce point de vue-là (81).

La véhémence de la marquise de Merteuil dénonçant la situation faite aux femmes, et montant en première ligne dans ce qu'il faut bien appeler une guerre des sexes, rappelle tout à fait les formules tranchantes du polémiste Laclos : « L'éducation prétendue donnée aux femmes jusqu'à ce jour ne mérite pas en effet le nom d'éducation, nos lois et nos mœurs s'opposent également à ce qu'on puisse leur en donner une meilleure, et si, malgré les obstacles, quelques femmes parvenaient à se la procurer, ce serait un malheur de plus pour elles ou pour nous. » *(Discours pour l'Académie de Châlons-sur-Marne.)* L'essayiste lance un appel — très rousseauiste — aux femmes : « Approchez, et venez m'entendre [...]. Venez apprendre comment, nées compagnes de l'homme, vous êtes devenues son esclave, comment, tombées dans cet état abject, vous êtes parvenues à vous y plaire, à le regarder comme votre état naturel ; comment enfin, dégradées de plus en plus par une longue habitude de l'esclavage, vous avez préféré les vices avilissants mais commodes aux vertus plus pénibles d'un être libre et respectable ». Mme de Merteuil n'est-elle pas le modèle de ces femmes évoquées à la fin du premier extrait ? Les protestations du second texte peuvent être illustrées par la « genèse » de l'héroïne (lettre 81). Laclos a transféré à l'analyse du rapport entre les sexes celle que Rousseau développait dans son *Discours sur l'origine et les fondements de l'inégalité parmi les hommes* sur la société en général.

Serait-il légitime de rapprocher l'évolution des créatures romanesques, Cécile Volanges, Mme de Tourvel, d'un bout à l'autre du roman, de la « carrière » que les femmes ont parcourue des origines à l'époque où Laclos écrit « combien elles se sont égarées » (deuxième *Discours*) ? Ainsi, l'une des conditions du bonheur pour la femme est d'être élevée « sous les yeux d'une institutrice également indulgente, sage et éclairée qui, sans jamais la contraindre, et sans l'ennuyer de ses leçons, lui aura donné toutes les connaissances utiles et l'aura exemptée de tous les préjugés » (chapitre VIII). Laclos fait la genèse de la séduction, comme mon personnage de fiction dans la lettre 81 : « Elles [les femmes] sentirent enfin ça, puisqu'elles étaient plus faibles, leur unique ressource était de séduire ; elles connurent que si elles étaient dépendantes des hommes par la force, ils pouvaient le devenir d'elles par le plaisir. Plus malheureuses que les hommes, elles durent penser et réfléchir plus tôt qu'eux [...] » (chapitre X). Il affirme « l'état de guerre perpétuelle qui subsiste entre elles et les hommes » (chapitre X), ce que suggérait la lecture de la fiction : la lettre 168 se fait l'écho des derniers moments de Valmont, sa réconciliation avec Danceny à l'issue du duel, la remise de papiers à celui-ci, et la première démarche, commune, aboutissant à la publication des lettres de Mme de Merteuil qu'ils veulent ainsi confondre : on se souvient d'une réconciliation parallèle, cette fois avant un duel, entre Prévan et les amants des « inséparables » : « Le déjeuner n'était-il pas fini, qu'on y avait déjà répété dix fois que de pareilles femmes ne méritaient pas que d'honnêtes gens se battissent pour elles » (79). Rivalité et solidarité masculines.

Valmont offre le spectacle d'un conquérant affrontant pour les soumettre autant de femmes qu'il y aurait de sortes d'ennemis : Cécile Volanges, Mme de Tourvel, Mme de Merteuil, et les autres : « Je suis bien aise d'ailleurs de faire savoir que si j'ai le talent de perdre les femmes, je n'ai pas moins, quand je veux, celui de les sauver » (71, § 2). C'est toujours s'affirmer, dans la générosité aussi bien, comme un conquérant à la merci duquel les femmes sont réduites à se placer.

Un texte, enfin, de critique littéraire, signé de Laclos, peut contribuer à éclairer le roman. Présentant la tradition d'un roman écrit par une femme, miss Burney, *Cecilia ou les Mémoires d'une héritière*, en 1784, il affirme qu'il serait « utile et facile de montrer combien on peut aisément se jouer de tous ces séducteurs prétendus si redoutables, en n'employant contre eux que les seules ressources de l'honnêteté et de quelque justesse d'esprit. Nous voudrions enfin qu'après les avoir combattus avec les armes de l'indignation qu'ils sont accoutumés à braver, on essayât celles du ridicule, plus faites pour les intimider » (éd. Pléiade, p. 459).

Libertinage, maîtrise et jouissance du langage

La séduction que leurs lettres opèrent d'emblée sur nous introduira naturellement à la connaissance — mais jusqu'à quel point s'y prêtent-ils ?... — des deux protagonistes. On a trop peu mis en valeur ce goût d'écrire et de se donner à lire, sensible à chaque moment de leur échange, et dans les épîtres mensongères adressées à leurs victimes. Pour tous les personnages le moment de l'écriture est celui où ils vivent, chacun à leur manière, avec le plus d'intensité (cf. les remarques sur la lettre 1). « Le sort de Mme de Merteuil paraît enfin rempli » (175) lorsqu'elle n'écrit plus... Dans cette forme romanesque où les personnages sont d'abord scripteurs, Valmont et Merteuil révèlent une vocation littéraire : quelle jubilation, quelle allégresse à manier les conventions de la lettre, les divers styles adaptés à leurs divers correspondants, à raconter anecdotes et scandales de la société galante ! Peut-être est-ce un aspect qui nous touche particulièrement que ce rapport très maîtrisé et très jubilatoire au langage ; dès la lettre 2, la marquise songe à composer des *Mémoires* ; Valmont conte en jouant avec des schémas romanesques et théâtraux, tandis que le jeu des citations et allusions donne la mesure de leur imprégnation par les textes ; « êtres de papier », au sens ordinaire du terme si l'on veut, mais plus essentiellement, si l'on peut dire, par leur rapport intense à la chose écrite, par leur goût irrépressible pour la manipulation (dans tous les sens du mot) des textes...

L'étude détaillée permet d'en savourer toutes les modalités, toute la virtuosité. On a dit avec raison (J. Fabre, L. Versini) combien leur « érotisme de tête » trouve dans l'écriture un plaisir accru. « Leur triomphe — et leur perte ! — ne consiste pas à faire le mal, ni même à le dire, mais à l'écrire » (J. Fabre). La scabreuse lettre 48, une femme transformée en pupitre, est, en ce sens, exemplaire de ce lien étroit entre pratique épistolaire et érotisme (cf. aussi 10, 23, 96, 99, 110, 125).

Un jargon

Le plaisir d'écrire se manifeste de différentes façons. A l'attaque des lettres, d'abord, où éclatent l'aisance, l'esprit de repartie, les mille nuances de l'ironie, et, symétriquement, dans leurs chutes. D'autre part, l'échange passe par *l'utilisation d'un jargon* : extension de sens donnée à un mot (2, le mot *former*, l. 39 ; 5, *espèce*, l. 46 ; *encroûter*, l. 45) ; néologismes (5, *demi-jouissances*, l. 30 ; ailleurs d'autres composés du même type ;

10, la *véritable*, l. 83, et ailleurs d'autres adjectifs substantivés de même forme) ; hyperboles (2, *j'en suis dans une fureur*, l. 21 ; *monstre*, l. 24 ; 70, *un homme noyé*, l. 45) ; jeux de mots, assez lestes souvent (2, *user*, *abuser*, l. 7-8 ; 6, *sauter le fossé*, l. 40 ; et toute la lettre 48) ; usage dépréciatif de *cela* pour désigner une personne (2, l. 42) ; mots favoris, comme *noirceur*. Le premier paragraphe de la lettre 74 (« affaire Prévan ») offre un joli assemblage de ces façons de parler.

« Malgré le caractère en apparence spontané et détendu de la plupart de ces lettres, celles-ci sont très concentrées, nous sentons que les personnages se surveillent dans leur langage, qu'ils respectent certaines règles, qu'ils rivalisent dans un certain jeu » (J.-L. Seylaz).

Le « discours italique »

Dès la première lecture, l'attention est attirée par l'italique : reprise de termes entre les protagonistes, reprise ironique d'un mot de l'opinion commune ou d'un correspondant que l'on veut manœuvrer ou ridiculiser. « Le soulignement devient une des caractéristiques de l'écriture libertine [...]. L'italique signale les mots de passe et les jeux de la rhétorique libertine », note Michel Delon dans *Le Discours italique dans « Les Liaisons dangereuses »* (in *Laclos et le libertinage*). Le libertinage fait du langage un « signe de reconnaissance », un « instrument de pouvoir » pour « piéger l'autre dans son langage ». Ressource typographique dont les « esprits éclairés » du XVIIIe siècle font grand usage pour marquer leurs distances envers les discours et les idées reçues, frapper d'étrangeté ou d'arbitraire ce qui apparaissait comme naturel ou fondé, rompre le consensus du préjugé. Les deux complices pratiquent, eux aussi, ce recul critique, cette attitude qu'on appellerait métalinguistique, et qui est faite d'abord de défiance envers les mots, ceux des autres, les siens, peut-être aussi d'un refus de se laisser entraîner par eux (on a vu chez Mme de Merteuil le réflexe consistant à rétablir le mot propre occulté par un synonyme hypocrite : cf. 33, § 3, dans le contexte d'une critique des illusions propres à l'échange épistolaire). Signe tangible de leur scepticisme envers les réalités du sentiment et de l'amour (*sentimentaire*, 144, pour discréditer Danceny au lieu de *sensible* ; cf. aussi la lettre 81, à propos des femmes « qui se disent à sentiment », l. 91, ou 85, avec la distinction entre « mot essentiel » et « mots parasites ») ; marque orgueilleuse de leur différence avec les autres, de leurs différends, aussi : les reprises de termes d'une lettre à l'autre sont le signe d'une tension, de la belligérance latente ; ainsi le terme *usagé* (« au courant des usages », 51, l. 28) change-t-il d'acception dans la lettre 155 où son sens courant et peu flatteur s'applique à la marquise de Merteuil (lettre de Valmont à Danceny). L'italique apparaît, dans la 3e et la 4e partie, lors des explications de textes démystificatrices conduites impitoyablement par Mme de Merteuil, escarmouches autour du mot *attachante* appliqué par Valmont à Cécile Volanges.

L'apparence de fragilité donnée à un mot, à une expression écrite en italique est adéquate à une entreprise réductrice et ruineuse comme celle du libertinage lettré. L'assurance que le roman épistolaire était un gage d'authenticité, « langage du cœur parlant au cœur », s'en trouve elle-même lézardée, puisque les hommes se laissent piéger ou bien par les mots (écrits ou lus) de l'opinion reçue, ou par les mots que leur fournissent, et que leur soufflent insidieusement les tentateurs...

Le passage leur est aisé de la manipulation ludique des mots à la manipulation cynique des êtres par les mots (cf. les pastiches, 87, et 104 surtout, de Mme de Merteuil qui accumule les expressions stéréotypées, autant de masques pour berner Mme de Volanges).

Mais dans ce roman de l'ironie, les libertins ont-ils eux-mêmes la totale maîtrise du langage ?... Le critique analyse en effet leurs emplois des mots *amour* et *aimer*, pour conclure aux limites de leur supériorité linguistique (article du numéro spécial *Laclos* de la *Revue d'histoire littéraire de la France*, juillet-août 1982).

Le monde du théâtre et le théâtre du monde

Le plaisir du jeu

« C'est de vos soins que va dépendre le dénouement de cette intrigue : jugez du moment où il vous faudra réunir les Acteurs » (Mme de Merteuil, lettre 63, fin).

« Vous connaissez mon chasseur, trésor d'intrigue et vrai valet de Comédie » (Valmont, lettre 15, dernier §).

C'est à l'Opéra que la liaison dangereuse de Cécile Volanges avec son mentor la marquise de Merteuil devait commencer (12). C'est à l'Opéra que s'ouvre l'affaire Prévan-Merteuil (74, § 2), qui se clôt aux Italiens par la chute de l'intrigante. Valmont, quant à lui, a l'imagination peuplée de scènes, de canevas et de personnages de théâtre. Ces références insistantes au monde du spectacle seront une voie d'accès privilégiée, car souvent négligée, à la connaissance des deux meneurs de jeu. Divertissement mondain, le théâtre et l'opéra sont aussi, et surtout, des modèles qui règlent et valorisent à leurs yeux leur conduite et la représentation, si l'on ose dire, qu'ils s'offrent l'un à l'autre dans et par leurs lettres (21, 23, 74, 76, 85, 96, 125).

Car les modèles théâtraux opèrent de différentes façons. Ils sont à la fois acteurs, metteurs en scène minutieux, spectateurs mais aussi dramaturges et chroniqueurs du spectacle dans le théâtre du monde (« ce que nous appelons le grand théâtre », 70).

La lettre 81 montre le dur apprentissage que Mme de Merteuil s'est imposé pour ajuster tel ou tel masque à volonté et provoquer chez les autres les sentiments qu'elle a programmés. Elle est bien l'héritière de l'orateur cicéronien et de la tradition classique du théâtre qui s'en réclame : ses lettres ne sont-elles pas des masques de mots, aptes à faire entrer les destinataires dans la « comédie » qu'elle construit ? Elle domine ses passions et les soubresauts de l'émotion pour triompher des êtres sensibles ou sincères, éliminant le naturel pour lui substituer le jeu de l'acteur, devenu seconde nature. Toute sa défiance envers la lettre (33) est à rappeler ici : elle lui dénie l'efficacité de la parole vive soutenue par le geste, dans l'immédiateté de la présence.

A-t-elle médité le *Paradoxe sur le comédien* de Diderot ?... « Moi, je lui veux beaucoup de jugement ; il me faut dans cet homme un spectateur froid et tranquille ; j'en exige, par conséquent, de la pénétration et nulle sensibilité, l'art de tout imiter, ou, ce qui revient au même, une égale aptitude à toutes sortes de caractères et de rôles ». Ou se souvient-elle des pages où Diderot compare le séducteur et le comédien tel qu'il le souhaite ? « Il est mille circonstances pour une où la sensibilité est aussi nuisible dans la société que sur la scène. Voilà deux amants, ils ont l'un et l'autre une déclaration à faire. Quel est celui qui s'en tirera le mieux ? Ce n'est pas moi. Je m'en souviens, je n'approchais de l'objet aimé qu'en tremblant ; le cœur me battait, mes idées se brouillaient [...]. Tandis que, sous mes yeux, un rival gai, plaisant et léger, se possédant, jouissant de lui-même [...] amusait, plaisait, était heureux [...]. » Ou, pour reprendre la comparaison qui pourrait venir sous la plume de Mme de Merteuil, « dans la grande comédie, la comédie du monde, toutes les âmes chaudes occupent le théâtre ; tous les hommes de génie sont au parterre. »

Excellents acteurs (cf. la scène de la bienfaisance, 21, 23 ; ou le jeu avec Prévan, 85 ; et les pastiches de Mme de Merteuil), aimant à travestir leurs gens (10), à les employer dans un rôle de comédie (15), pratiquant divers genres, la comédie galante (10, 44, 71), la tragédie (réminiscences de moments raciniens, mais *Zaïre* de Voltaire est une référence explicite dans une lettre), l'opéra à machines (76), le drame (21, savoureuse parodie) — la comédie à la façon de Beaumarchais et de Molière, avec la leçon de musique de l'amant à l'ingénue n'est pas à leur répertoire, mais ils la favorisent —, ils sont surtout de formidables dramaturges-démiurges, et la référence au modèle théâtral introduira à un autre enjeu, décisif sans doute, leur dimension théologique.

L'enjeu diabolique

Dramaturges, ils le sont comme Diderot l'écrivait dans l'œuvre citée : « Ce n'est pas l'homme violent qui est hors de lui-même qui dispose de nous ; c'est un avantage réservé à l'homme qui se possède [...]. Les hommes chauds, violents, sensibles sont en scène ; ils donnent le spectacle, mais ils n'en jouissent pas [...]. Les grands poètes [dramatiques] sont les êtres les moins sensibles. » Ils sont aussi, et la marquise surtout, comme des divinités impassibles et toutes-puissantes qui auraient fixé à chacun, pour s'en divertir, le rôle à jouer sur la scène du monde, en tirant de cette manipulation orgueil et sentiment délicieux de puissance, qu'ils ne laissent voir que dans la coulisse.

La fin de la Renaissance et le XVIIᵉ siècle avaient de mille manières exploité l'image du monde et de la vie comme un théâtre. Ici, l'assimilation reprend et transpose le schéma reçu en l'appliquant à la réalité mondaine seule : à travers le langage spécialisé de la scène s'opère le passage continuel des vrais théâtres aux autres *lieux mondains qu'ils transforment en théâtres* où ils jouent et font jouer à leurs victimes et à leurs complices leurs intrigues, tout en détournant à leur profit la fonction assignée à la divinité, qui se donnait le spectacle du monde. Le théâtre témoigne de façon éclatante de leur conception de la vie, jeu où l'on manipule les êtres sous le regard, qu'on cherche à éblouir, d'un témoin averti, jeu où l'on peut prendre tous les masques — c'est le rapport essentiel du libertinage et de l'hypocrisie — en faisant tomber ceux des autres pour leur imposer sa domination dans la dérision.

Éblouir l'autre, mais s'éblouir aussi soi-même. A. Malraux notait que « les personnages significatifs de Laclos ont pour agir sur le lecteur une raison profonde : ils portent d'autant plus à l'imitation qu'eux-mêmes imitent leur propre personnage [...]. Cette fascination par son personnage est la seule passion véritable du vicomte. » (*Laclos, in Tableau de la littérature française,* Gallimard.)

La lettre 63 contient une splendide déclaration : « Me voilà comme la Divinité ; recevant les vœux opposés des aveugles mortels, et ne changeant rien à mes décrets immuables. » Dans la lettre 85 (§ 3) la comparaison, pour être différente, n'en atteste pas moins la prégnance du modèle dans l'esprit de la marquise : « Je suis pour vous une fée bienfaisante. Vous languissez loin de la beauté qui vous engage ; je dis un mot, et vous vous retrouvez auprès d'elle », lance-t-elle cette fois à Valmont lui-même... Depuis son superbe isolement parisien, elle réussit à réunir tous les acteurs au château de Mme de Rosemonde, véritable *Fatum* qui décide du sort des trois victimes, comme Valmont leur dictait des lettres, rôles écrits pour conduire à leur ruine les créatures qu'il avait décidé de perdre.

Un contre-éloge du libertinage

Un réquisitoire ?

« Cet ouvrage historique surpasse en invraisemblance tous ceux qu'on a tant accusés d'exagération dans la peinture des mauvaises mœurs de *la bonne compagnie.* On se convaincra, par sa lecture, que les fictions atroces ou scandaleuses, à l'aide desquelles les romanciers dévoilaient et combattaient les caractères infâmes qu'ils mettaient en scène, étaient encore au-dessous de la réalité. On y découvrira aussi l'intérêt qu'avaient tant *d'honnêtes gens* à crier au scandale contre de *pareils hommes* : on y reconnaîtra enfin que la révolution n'était pas moins nécessaire pour le rétablissement des mœurs que pour celui de la liberté. »

Ce texte marginal, recueilli dans l'édition de la Pléiade (p. 642-643), éclaire fortement le centre. Laclos y rend compte des prétendus mémoires du maréchal de Richelieu, un des princes du libertinage au XVIIIe siècle.

L'écriture épistolaire déréglée

Ici Laclos, avec ironie, retourne contre les libertins l'arme tournée par eux contre la société : la correspondance. C'est le dérèglement, à leur dépens, cette fois, du jeu épistolaire, qui est la manifestation tangible et, si l'on ose dire, littérale, de leur perte. L'auteur a magistralement inscrit sa pensée dans une forme dont il a utilisé à fond les conventions. Notre introduction a montré à cet égard que Laclos voyait d'abord dans la lettre, très concrètement, un texte volant, susceptible de circuler de main en main, et dont la seule existence est pièce à conviction. L'événement est la communication elle-même, et notre présentation d'ensemble de l'intrigue a été faite de ce point de vue d'abord. On y a vu comment le code même de l'échange était perturbé et brouillé de plusieurs façons, et selon un crescendo : interceptions (110), violations de correspondance (44), signatures trompeuses, équivoques sur la situation d'énonciation (48), Laclos a fait de la violation, inhérente à toute correspondance publiée, un puissant ressort romanesque. La lettre 141 offre un exemple achevé de ce brouillage : tout y est décalé, le rédacteur n'étant que partiellement l'auteur, le destinataire, Mme de Tourvel, l'attribuant à Valmont, qui n'a fait que recopier le modèle dicté par la marquise, tandis qu'un troisième lecteur s'ajoute aux deux prévus.

C'est, selon l'expression de Jean Rousset, un « monstre épistolaire ». Son regard sur « les lecteurs indiscrets » (cf. Bibliographie) note que le roman s'achève par « un retournement qui renverse les rapports d'intrusion [...] ; il y a retournement parce que ce sont les victimes et les innocents qui se transforment en lecteurs indiscrets, mais malgré eux, et sans l'avoir cherché : Danceny d'abord, intermédiaire de vengeances qui s'opèrent par la divulgation de lettres secrètes, puis madame de Volanges, lecteurs transitaires par qui les correspondances des roués, de Cécile, de madame de Tourvel, s'acheminent vers cette réceptrice lointaine, inactive, hors circuit : madame de Rosemonde [...]. Dans cette fonction centralisatrice, la bonne Rosemonde succède à la méchante Merteuil ».

Le dévoiement de la relation épistolaire aboutit à la révélation scandaleuse des pensées et des actes de la marquise. Le personnage voyeur par excellence est à son tour exhibé, et sur un plus vaste théâtre, la société mondaine tout entière (167). Maîtresse du secret, elle avait transgressé elle-même la loi qu'elle avait observée aux dépens des autres : « Il n'est personne qui n'y [dans son cœur] conserve un secret qu'il lui importe qui ne soit point dévoilé [...]. Nouvelle Dalila, j'ai toujours, comme elle, employé ma puissance à surprendre ce secret important » (81, l. 292). Et, qu'est-ce que la lettre 81 sinon le dévoilement de son propre secret ?... Le lecteur l'avait déjà surprise dans les replis intimes de sa pensée. Didier Masseau (*Le Narrataire des « Liaisons dangereuses »*) donne une interprétation allégorique fine et convaincante d'un aspect conventionnel du dénouement, la petite vérole qui s'abat, avec d'autres infortunes, sur Mme de Merteuil (175, § 1) et la prive d'un œil. Laclos donne une signification forte à un procédé romanesque facile : la lectrice pirate, ce regard dominateur qui surveillait l'ensemble des personnages, scrutant, interceptant, surprenant, sans être vu, est symboliquement déchue de son pouvoir divin et immolée sur le théâtre du monde. « Alors que l'exercice de sa domination était symbolisé par la possibilité de voir sans être vue, la marquise de Merteuil est désormais condamnée à porter son "âme sur sa figure" » (175, § 2).

La maîtrise du commerce épistolaire allait de pair avec la manipulation des personnes, le libertinage avec la dénaturation de l'échange, Laclos ayant amalgamé à la perfection roman libertin et roman épistolaire : « L'érotisme des *Liaisons* consiste moins à faire qu'à dire, et à placer un correspondant et le lecteur en situation de voyeur et d'arbitre » (L. Versini,

Le Roman épistolaire, p. 162). Jean Fabre notait aussi : « Les exploits ou fantaisies érotiques des séducteurs [...] n'ont à leurs propres yeux de prix, voire d'existence qu'à condition d'être mis en forme par leur style. » La lettre (cf. notre introduction p. 7), gage d'authenticité, véhicule de la spontanéité, mais aussi expression de l'honnêteté, au sens classique du terme, est l'instrument de la rhétorique mensongère des séducteurs et de leur hypocrisie. Par un juste retour des choses, elle devient, dans la savante économie romanesque de Laclos — officier du génie... — le moyen de les démasquer et de les perdre. L. Versini a montré que la mission de l'écrivain était bien là, de mettre en garde, mais ironiquement, contre « les ennemis de la sociabilité », qui tournent contre elle le bon ton, la litote, l'art de l'ellipse et du compliment. « Vous voyez bien que, quand vous écrivez à quelqu'un, c'est pour lui et non pour vous : vous devez donc moins chercher à lui dire ce que vous pensez, que ce qui lui plaît davantage », avertissait Mme de Merteuil dans un post-scriptum d'une lettre à Cécile Volanges. Conseil qui, après tout, est une formulation de l'urbanité et du commerce mondain, à laquelle tous les théoriciens de cet art de la conversation (au sens classique de rapports entre des personnes du même monde) pourraient acquiescer. Mais pour ne pas se dévoiler, cette maîtresse d'écriture ne dit pas elle-même ici toute sa pensée, et l'on sait, par l'exemple de sa correspondance avec les Volanges, le sens de cette formule. La lettre 33, en particulier, est un réquisitoire dénonçant les limites et les illusions de l'écriture épistolaire. Mais faisant parler la cynique Mme de Merteuil, Laclos, pour autant, s'en prend-il à l'échange par lettres en général ? Si des personnages comme Mme de Volanges ou le Père Anselme sont aisément abusés par les contrefaçons des virtuoses du pastiche, peut-on attribuer à l'auteur la thèse moderne de la duplicité fondamentale de l'écriture ou dire que le genre épistolaire « devient le mode d'une hypocrisie généralisée » ? « Alors que la forme épistolaire apparaissait aux romanciers et aux lecteurs des Lumières comme une garantie d'authenticité, elle se change dans les *Liaisons* en une redoutable machine à brouiller les certitudes [...]. La morale sociale qui rétablit un consensus final ne représente pas le triomphe de la vertu, mais celui des convenances, des hypocrisies » (M. Delon, chapitre *Laclos* de l'ouvrage cité dans la bibliographie). Dans cette société de la conversation, silence est imposé à la fin aux premiers rôles : « Dans le monde de l'honnêteté, qui n'écrit plus est civilement mort [...]. Les lettres opèrent la liquidation de ceux-mêmes qui en font le plus étourdissant usage » (L. Versini, *Le Roman épistolaire*).

Le dernier mot est-il à Mme de Volanges ? Sans doute la douleur d'avoir vu sa fille abîmée par Valmont et Merteuil, et d'avoir perdu Mme de Tourvel donne-t-elle à ses ultimes propos (175) une résonance que n'avait pas jusqu'alors sa parole ; mais on ne peut croire, bien sûr, qu'elle représentait la pensée de Laclos, sauf pour se retrouver avec lui dans le constat de « nos mœurs inconséquentes » : mais il appellerait, lui (cf. ses essais), une société où le mot de vertu aurait retrouvé toute la valeur qu'en disciple de Rousseau il lui donne.

Laclos et Rousseau

« Puissances du Ciel, j'avais une âme pour la douleur : donnez-m'en une pour la félicité » (Rousseau, *La Nouvelle Héloïse*, I, 5 et... Laclos, *Les Liaisons dangereuses*, 110).

Le disciple

Les libertins prenant le masque des personnages de Rousseau ? Ils ont lu de près son roman, et Rousseau, dès l'épigraphe, préside à l'œuvre de Laclos. Abondante la moisson de citations et d'allusions à *La Nouvelle Héloïse* dont l'étude devrait accompagner une œuvre qui lui doit beaucoup, au plan de la technique épistolaire comme pour la mise en scène de la sociabilité.

Mais la forte imprégnation de l'ensemble des écrits de Rousseau par Laclos se manifeste indirectement, ironiquement. Jean Fabre a très précisément dessiné le mouvement opéré par Laclos, « un de ces disciples un peu naïfs du maître, si nombreux vers la fin du siècle, qui ont schématisé sa leçon et réduit une pensée cohérente, certes, mais ambiguë et tragique, à quelques aphorismes simples [...]. "Le danger des liaisons" mettait directement en cause les pratiques de la sociabilité. Mais, pour dénoncer ce danger, il ne suffisait pas d'opérer par la diatribe, de l'extérieur ; il fallait s'en donner et en procurer, au moins littérairement, l'expérience ; entrer dans le jeu, lever le masque de l'honnêteté, dévoiler l'hypocrisie de la politesse mondaine, découvrir, au-delà de ces apparences, leur ironique démenti, un monde fourbe et féroce, sans âme et sans cœur [...]. Du moins s'engageait-il dans son projet avec cette conviction qui lui servait de contre-assurance : si mauvaise qu'elle soit, la société ne réussit pas à étouffer en l'homme la nature : l'amour est plus fort que le vice, la vanité et l'orgueil » (art. cité).

Lecture double

On pourra comparer exactement les deux œuvres à partir des références suivantes :

— L'épigraphe, empruntée à la 1ʳᵉ *Préface* de *La Nouvelle Héloïse* : les deux textes se présentent comme des témoignages sur les mœurs du temps (Laclos l'avouait plusieurs fois dans sa correspondance avec son opiniâtre lectrice, Mme Riccoboni), mais ici pas de société idéale, comme celle de Clarens (nom si éloquent) ; le monde des salons, de l'Opéra, des théâtres, qui ne se transporte dans une campagne que pour y jouer d'autres scènes de la chasse galante (10, et toute l'aventure de Valmont au château de Mme de Rosemonde, la double séduction) ou transforme la nature et la vie rurale en un nouveau théâtre (21, 23, à quoi l'on pourrait opposer la lettre 27 de la 2ᵉ partie de *La Nouvelle Héloïse*). Laclos a fait disparaître toute diatribe d'ordre social pour laisser le lecteur face à face avec les raffinements de la corruption dans la société du bel air, au risque, on l'a vu, de paraître complice.

— Mme de Tourvel doit beaucoup à Julie, « la jolie Prêcheuse » de Jean-Jacques (la première apparition de cette dénomination, 23, renvoie à *La Nouvelle Héloïse*, I, 44-45 ; II, 16, etc.). Mais Cécile Volanges retient aussi une partie de l'héritage dans son aventure avec son maître de chant Danceny (qu'on relise à cet égard leur correspondance ; et la découverte des lettres de celui-ci répond à la lettre II, 28, où Julie annonce que les lettres de Saint-Preux ont été surprises). Dédoublement tout à fait intéressant, tant les deux personnages féminins de Laclos sont différents entre eux.

Dans le détail, à la peinture de la présidente par Valmont (6) correspond celle de Julie par Saint-Preux (I, 8, 23, 38). L'ultime message (161) retrouve d'emblée les mots de Julie (I, 32), mais il est trop tard pour se reprendre (le songe de Saint-Preux, V, 9, nourrit les remords de madame de Tourvel).

— Valmont et Danceny, selon « la nuit et le moment », se partagent l'éloquence et les émois, les audaces et les scrupules de Saint-Preux, avec une distance subtilement variée par rapport au modèle. La parodie (110) par Valmont ne manifeste que sa scélératesse, mais fait éclater aussi sa faiblesse et donne raison à l'univers des belles âmes ; autre le pastiche involontaire d'un Danceny sorti récemment d'une lecture de Rousseau (17, qui s'écrit littéralement avec *La Nouvelle Héloïse* I, 1, 2, 3). Ici encore le dédoublement est délicat entre les deux personnages masculins si contrastés de Laclos.

— La lettre centrale, 81, peut être appréciée aussi comme une antithèse de la confession de Julie (III, 18), et la marquise de Merteuil la parodiait dès la lettre 10 dans ses propos à Belleroche : « Ô mon ami ! lui dis-je [...] », apostrophe habituelle chez Julie, tandis que l'épisode du bosquet (I, 14) ou celui du chalet (I, 36) offrent un modèle à la « surprise » de la petite maison, comme L. Versini l'a montré dans les notes de son édition. On comparera aussi la lettre qu'elle écrit à Cécile Volanges « instruite » par Valmont (105) et les consolations de Claire à son amie Julie, qui a perdu son innocence (I, 30). Il n'est pas chez ce Protée de la correspondance jusqu'à une thèse même qu'elle ne reprenne directement de Rousseau, quand elle met en garde Mme de Volanges contre les dangers d'un mariage pour sa fille inspiré par l'amour (104, non donnée, et III, 20, lettre où Julie expose à Saint-Preux la nature du lien qui l'unit à son époux, M. de Wolmar : « L'amour est accompagné d'une inquiétude continuelle de jalousie ou de privation, peu convenable au mariage, qui est un état de jouissance et de paix. »).

Laclos enfin a porté à son achèvement la polyphonie épistolaire rousseauiste. Mais il a supprimé les lettres-essais (une des fonctions de la lettre dans la fiction), et enrichi le réseau des correspondants, rendu plus complexes et enchevêtrés les modes de la communication, orchestrant un progressif dérèglement des lois de la correspondance, faisant d'elles le moteur même et l'agent de l'intrigue. « Les richesses intellectuelles et sentimentales des personnages rousseauistes trouvent à s'épanouir, celles des personnages de Laclos sont condamnées à la gratuité et à la stérilité. La présidente avait la force d'âme et la générosité du cœur de Julie, Danceny avait sans doute les ressources sentimentales et la fougue amoureuse de Saint-Preux, Valmont et Merteuil se partagent l'intelligence

de Wolmar : tout ce capital humain est voué au gâchis et à la mort »
(M. Delon, ouvr. cité). On estimera cependant que « le dernier mot
appartient à celle qui a su se donner sans arrière-pensée pour faire le
bonheur de l'être aimé » (L. Versini, ouvr. cité. On se reportera aux
analyses détaillées du chapitre « Amour, bonheur et vertu » de la thèse
du même auteur, *Laclos et la tradition*, p. 586, où l'héritage et les
concepts rousseauistes sont examinés au plan de la psychologie, de la
sociologie, de l'éthique et de l'esthétique).

Merteuil et Valmont, une entreprise luciférienne ?

Métaphores obsédantes

Volontiers Valmont joue avec le vocabulaire religieux (culte, prière,
ascèse, apostolat, etc.), file les métaphores ou donne à lire de sacrilèges
équivoques. La présence obsédante de la « céleste dévote », tout comme
le badinage mondain et libertin animent ces déplacements linguistiques.
Il faut faire, sans doute, la part du second degré chez ces maîtres de la
citation et du pastiche (4, 5, 6, 21, 23, 44 [§ 1], 63, 81).

Ce vocabulaire spécialisé, comme le schéma présidant à leur rapport
avec autrui (divinité et créatures), ont-ils une portée autre que ludique ?
Toute la lettre 81 est animée par la revendication d'une puissance et
d'une infaillibilité divines. « Caractère sinistre et satanique » notait Baudelaire, et encore : « La détestable humanité se fait un enfer prépara-
toire. » Est-ce céder à une vision romantique qui leur prêterait une
« beauté grandiose » ? Peut-on récuser, avec L. Versini, la figure d'une
Merteuil-Lucifer et réduire leur entreprise à la dimension des salons ?
(« Le roman ne raconte pas la lutte luciférienne [...] de deux êtres
supérieurs qui mériteraient d'asservir une société contestée et méprisée,
mais l'entreprise isolée de deux mondains [...]. » *Notice* de présentation,
éd. Pléiade, p. 1159).

Une « mythologie de la volonté »

André Malraux voyait dans les *Liaisons* une « mythologie de la
volonté » : « Le personnage le plus érotique du livre, la marquise, est
aussi la plus volontaire, elle est même le personnage féminin le plus
volontaire de la littérature française [...]. Volonté et sexualité se mêlent,
se multiplient, forment un seul domaine, précisément parce que, Laclos
ressentant et exprimant la sexualité avec d'autant plus de violence qu'elle
est liée à une contrainte, la volonté ne se sépare pas de la sexualité,
devient, au contraire, une composante du domaine érotique du livre. »
Cette « érotisation de la volonté » et toute définition du libertin comme
« être de projet », se proposant une conquête propre à exalter toutes ses
ressources de lucidité et d'énergie, ne perdent-elles pas de vue le sens
ultime de l'entreprise, le blasphème et le défi lancé à Dieu ?

Une « mythologie de l'intelligence »

L'étude si fine de J.-L. Seylaz, *Les Liaisons dangereuses et la création romanesque chez Laclos*, est centrée sur la notion de « mythologie de l'intelligence » et la mythologie définie comme « ce qui à travers et par-delà l'anecdote historique, le comportement individuel d'un être, apparaît comme une image symbolique de l'homme ; ce qui dessine une attitude significative et pour ainsi dire idéale ou permanente de l'être humain en face du monde et du destin ». « Le caractère singulier des *Liaisons* de ce point de vue, c'est que la méchanceté y paraît autonome, arbitraire [...]. Le lecteur épouse le sentiment d'être en présence du *mal pur*, d'une méchanceté gratuite, mais sans faille [...]. Cette méchanceté méthodique offre une espèce de plénitude soutenue ; elle est comme un état naturel ; elle a quelque chose de souverainement libre [...]. Le mal pur, c'est ici l'intelligence pure [...]. Jamais livre n'avait offert, dans l'exercice du mal, des personnages plus susceptibles de flatter en tout homme le vieux rêve d'un pouvoir infaillible de l'esprit : en d'autres termes une si séduisante *mythologie de l'intelligence* » (p. 101 ; p. 99).

Satan homicide

Merteuil se fait directrice de conscience perverse de Mme de Volanges et de sa fille, cherche à souiller celle-ci — et elle y parvient par les soins méthodiques de Valmont —, précipite Mme de Tourvel dans la mort lorsqu'elle voit Valmont « sauvé » en quelque sorte du libertinage par l'amour (141, le modèle de lettre de rupture dicté au vicomte). L'expression « la céleste dévote » n'est pas seulement une dénomination plaisante. A travers elle, n'est-ce pas un défi à Dieu lancé par des créatures (la marquise, surtout) impatientes de leur condition finie ?... Puissance qui introduit la mort, Mme de Merteuil (et son auxiliaire) est « régisseur de ténèbres », selon l'expression biblique. Dans le vertige de son intelligence et de sa beauté, elle veut être, comme Satan, à elle-même sa propre règle (81). En termes théologiques, les deux libertins consomment sans cesse un péché d'orgueil qui les conduit à être homicides, comme Satan est « homicide (saint Jean, 8, 44 ; cf. *Livre de la Genèse*, 3, 4, *Livre de la Sagesse,* 2, 24). Haine de l'humanité, mépris — jusqu'à quel point?... — de l'amour, ruses proprement « diaboliques », « Diable », « diabolos », celui qui jette quelque chose (ou se jette) en travers pour faire chuter et confirmer sa dérision haineuse de l'homme. C'est toute la tactique du Diable, tactique de la séparation (cf. *La Genèse*), qui les anime (séparer Mme de Tourvel de Dieu, plus que de son époux, séparer la mère et la fille), comme ils ont séparé tant d'autres personnes. Si Satan est menteur et si tout ce qu'il est ment, on verra le modèle théologique opérer dans le roman. Leur rêve est diabolique, aussi, car ils assujettissent les êtres par une lucidité sans amour.

« Ce livre, s'il brûle, ne peut brûler qu'à la manière de la glace. » A la lumineuse formule de Baudelaire répondrait le propos de Satan déguisé en maquignon dans le roman de Bernanos *Sous le soleil de Satan* : « Pour moi, j'ai froid, je l'avoue... J'ai toujours froid... je suis le froid lui-même. L'essence de ma lumière est un froid intolérable. »

Madame de Merteuil

« Tartuffe femelle, Tartuffe de mœurs, Tartuffe du XVIIIᵉ siècle »

La formule de Baudelaire pourrait caractériser d'abord l'immense talent de comédienne du personnage principal. Elle connaît son répertoire, ravie de pouvoir incarner dans une aventure galante telle scène, telle phrase de la fiction dramatique (cf. le *Zaïre, vous pleurez*, double détournement — significatif du personnage — d'une citation de la tragédie de Voltaire : elle se l'attribue alors que c'est un personnage masculin qui parle, et fait usage du registre de la tragédie dans un contexte de vaudeville, récit de l'aventure avec Prévan, 85)... C'est tout un héritage littéraire qui est détourné pour orner avantageusement et spirituellement la relation de ses hauts faits, se moquer d'un correspondant peu rompu à ces transpositions, pour ravaler une devise respectable, emblème de la sociabilité (le mot célèbre de Térence), qu'elle compromet dans un contexte libertin.

La capacité d'adaptation aux différents interlocuteurs, qui a pour nom *bienséances* (qu'on relise l'attaque et les paragraphes terminaux de ses lettres), devient maîtrise d'autrui. Les multiples jeux de langage sont au service d'un projet de domination : Belleroche, les deux Volanges, Danceny, Prévan, Valmont, autant de proies que cette superbe araignée capte dans le réseau de ses allusions, de son ironie aux diverses facettes, de sa politesse et de l'italique.

Son hypocrisie est un art de vivre déduit de l'observation sans préjugés et, dirait-on, de l'esprit de libre examen, qu'elle a rigoureusement pratiqués dès son jeune âge (81). Elle rêve dès longtemps de réaliser une parfaite transparence de soi à soi, et des autres devant son regard qui les fixe comme autant d'objets à maîtriser selon une lucidité impeccable, classés en genres et espèces définis. L'art mondain du portrait se dépasse vers une science de l'âme. L'éveil de la sexualité est d'abord pour elle l'occasion d'élargir le champ de son analyse : « Douleur et plaisir, j'observai tout exactement, et ne voyais dans ces diverses sensations que des faits à recueillir et à méditer ». On n'est pas loin de Condillac, l'auteur du *Traité des sensations* (1754), et de la 2ᵉ partie du *Discours préliminaire* à l'*Encyclopédie*, de d'Alembert, faisant l'éloge de la physique, de la médecine, de l'histoire naturelle (Mme de Merteuil la pratique sur les différentes classes d'êtres), de la chimie qui se livre à la composition et à la décomposition expérimentales des corps (elle s'est décomposée et composée, si l'on peut dire), des sciences « renfermées dans les faits autant qu'il leur est possible ».

Baudelaire avait relevé la portée sociale de cette hypocrisie : « tartuffe du XVIIIᵉ siècle », dans un jeu de miroirs, entre son époque et celle de Laclos. La lucidité de Mme de Merteuil qualifie toute une époque : « Le mal se connaissant était moins affreux et plus près de la guérison que le mal s'ignorant ; G. Sand inférieure à de Sade [...]. C'était toujours le mensonge, mais on n'adorait pas son semblable. On *le trompait*, mais on *se trompait* moins soi-même. »

Nature et artifice

Tartuffe modèle de l'héroïne, pour Baudelaire, et déjà pour Laclos ; le libertin est un menteur dont les conquêtes requièrent la duplicité et la feinte ; mais Mme de Merteuil fonde son hypocrisie sur le mépris et le dégoût pour le « naturel ». La haine qu'elle éprouve pour Mme de Tourvel n'est pas seulement la jalousie pour une rivale : Valmont, dès la lettre 6 (§ 2), l'a présentée comme « la femme naturelle » eût-on dit à l'époque : « Madame de Tourvel a-t-elle besoin d'illusion ? non ; pour être adorable il lui suffit d'être elle-même. [...] toute parure lui nuit, tout ce qui la cache la dépare [...]. Non, sans doute, elle n'a point, comme nos femmes coquettes, ce regard menteur qui séduit quelquefois et nous trompe toujours. »

Parallèlement, elle méprise Cécile Volanges, comme Baudelaire le fera : « *La jeune fille*. La niaise, stupide et sensuelle, tout près de l'ordure originelle ». Mme de Merteuil a sans doute trouvé dans l'auteur de *Mon cœur mis à nu* et de *L'Éloge du maquillage* (in *Le Peintre de la vie moderne*, XI) un interprète autorisé : « La femme est le contraire du dandy. Donc elle lui fait horreur [...]. La femme est naturelle, c'est-à-dire abominable » (section III du premier ouvrage cité). La grande lettre autobiographique dit l'effort pour se construire (« je puis dire que je suis mon ouvrage ») contre toutes les servitudes pesant sur le sexe féminin, contre toutes les femmes qui, prisonnières de leur sensibilité, de leurs sentiments, se font les complices de la domination masculine. Contre l'instinct, une impitoyable lucidité, « douleur et plaisir, j'observai tout exactement » : que l'on compare avec les formules concentrant la sagesse économe de soi de l'antiquaire dans *La Peau de chagrin*, ou avec les propos de *Monsieur Teste* selon Valéry. On comprendra la fonction profonde des citations littéraires, face aux données brutes du sentiment, et le goût pour l'italique, cette espèce de maquillage ou de travestissement partiel... « Une femme avec des sens actifs et un cœur incapable d'amour » dit Laclos dans la correspondance avec la romancière Mme Riccoboni à propos de cette figure qu'elle trouvait dangereuse mais peu crédible.

Type et projection mythique de soi

A Mme Riccoboni, il explique que si sa créature est monstrueuse, c'est d'abord qu'elle est un assemblage exemplaire de traits saisis dans la vie contemporaine. Dans une optique résolument littéraire, il invoque la création de Tartuffe, l'invention d'un *type* : aucun homme ne fut un Tartuffe, « mais vingt, mais cent hypocrites avaient commis de semblables horreurs : Molière les réunit sur un seul d'entre eux. » Laclos fait alors la typologie de la dépravation féminine, quintessenciée ou grossie en son personnage (lettres publiées dans l'édition de la Pléiade, p. 757-758).

Cette « exagération », selon sa correspondante, « ôte au précepte de la force propre à corriger » (et elle ajoute : « Un homme extrêmement pervers est aussi rare dans la société qu'un homme extrêmement vertueux » ; sans doute est-elle aussi fermée que Mme de Volanges à la perspective littéraire, cf. lettre 32, § 1).

Le personnage lui-même n'avait-il pas obéi, dans la lettre 81, à un comportement « littéraire », s'il est vrai que « l'autobiographie montre dans toute sa vérité [...] la manière dont tout être vit son histoire et la transforme en mythe » (Ph. Lejeune, *L'Autobiographie en France*, à Paris, A. Colin, 1971, p. 84) ?

« Nouvelle Dalila »..., Argus, Protée. Autant de projections mythiques d'elle-même, avouées ou non. Mais les références bibliques sont sans doute une voie privilégiée. Le « Discours de la méthode » de Mme de Merteuil est tributaire, et fortement, d'un modèle religieux, détourné. A l'époque, le développement des autobiographies doit aux méthodes de méditation et d'examen spirituel : la lettre 81 est une transposition des *Exercices spirituels* d'Ignace de Loyola : importance du discernement, combat entre les passions désordonnées ; le personnage est à la fois le « directeur » qui donne les exercices, et le retraitant qui les reçoit ; elle se fait « directrice » de Cécile Volanges, puis de Danceny. A quelle fin ? Non plus lever les obstacles à la volonté de Dieu amoureusement reçue, mais tuer l'amour ; non plus l'amoureuse dépendance envers un Dieu accueilli avec grande libéralité d'âme, mais la maîtrise absolue de soi. Méthodique excision et « dérèglement de tous les sens » dont le récit retient encore la tension et l'orgueil, sensibles dans les clausules impérieuses.

Mais cette surprenante — et imprudente — infraction à sa règle du secret ramène peut-être le mystère sur le personnage.

On ne partagera pas l'avis de Jean Fabre : « S'il est un personnage sans mystère, c'est bien Mme de Merteuil. » Peut-on dire que « voici le "monstre" aussi parfaitement démonté et reconstitué par un romancier non psychologue, mais idéologue, que Vaucanson pouvait le faire du plus perfectionné de ses automates » ?

Rien n'apparaît de son enfance. La stylisation que Laclos s'efforçait de faire comprendre à Mme Riccoboni dissuade de voir en Mme de Merteuil une figure plus psychologique que métaphysique.

Malraux voyait d'ailleurs « que c'est dans le rapport entre les deux domaines du livre, entre sa mythologie et sa psychologie, que se cache le secret des *Liaisons* ». Et il notait que « la lettre biographique de la marquise ne correspond à rien de réel, et sert à renforcer, non son personnage incarné, mais son personnage mythique » (art. cité).

Valmont

« Car Valmont est surtout un vaniteux » (Baudelaire).

Valmont roué et naïf

Grâce d'abord à la polyphonie épistolaire, on a le plaisir de confronter plusieurs images de lui : 8, 9, 81, 113, 133, 134, 163, et aussi la lettre « écartée », dont seule l'existence nous est apprise par Mme de Volanges (149) et qu'il adressait à Mme de Tourvel devenue folle ; il écrivait à son ancienne ennemie une lettre que nous n'avons pas (154 : « Mais que diriez-vous de ce désespoir de M. de Valmont ? D'abord faut-il y croire, ou veut-il seulement tromper tout le monde, et jusqu'à la fin ? »).

Est-ce un libertin surpris par l'amour ?... Le libertinage est-il une seconde nature en lui, masque pour opprimer une nature sensible ? Aux yeux de sa complice, il est manifestement peu fier de ce qu'il pressent peut-être comme une faiblesse. Et elle le voit (134). Il est moins clair-voyant (peut-être, justement, parce qu'amoureux de Mme de Tourvel), en retard sur la marquise dans les conquêtes : le roman peut être lu, schématiquement, comme une compétition où une séduction doit répondre à une autre, la première étant celle de Prévan par Mme de Merteuil, puis viennent celles de Cécile Volanges et de la présidente, et, précipitant leur rivalité en une guerre, celle de Danceny par la marquise. Celle-ci se fait son institutrice et elle le mettra lui-même dans une situation qu'il avait imposée aux ingénus : recopier une lettre dictée par elle (141).

Il est moins d'une pièce que Mme de Merteuil, fixée avec ses rigoureux principes au centre du système épistolaire (la lettre 81 est centrale, si l'on considère comme épilogue les 13 dernières lettres), et il a pu donner lieu à des appréciations différentes de son donjuanisme : pour Jean Fabre, « cette parade de supériorité cache mal un complexe d'infériorité. Dès le début il sait qu'il a trouvé son maître en la Merteuil [...]. L'ironie fondamentale dans laquelle il s'enferme ou plutôt dans laquelle l'empri-sonne Laclos fait de ce roué un naïf » (étude citée).

Dans le même sens, Bernard Bray écrit : « Il y a loin de l'athéisme tendu, provocant, revendicateur du héros de Molière à celui de Valmont. Combien celui-là est plus agressif ! Don Juan veut "marquer des points" contre Dieu. L'horizon de Valmont est libre de préoccupations religieu-ses : l'athéisme chez lui est *triomphant* et non pas *militant* [...]. Il ne s'agit pas pour Valmont d'arracher à Dieu une créature, mais de rendre Mme de Tourvel jalouse de Dieu. Le héros de Laclos fait entrer Dieu dans son jeu beaucoup plus qu'il ne le provoque » (*L'Hypocrisie du libertin*, dans le recueil cité dans la bibliographie).

« Naïf » ? Valmont connaît plutôt la surprise de l'amour, comme eût dit Marivaux. Le roman est bâti sur un parallélisme : le libertin s'ouvre à l'amour (peut-être en eut-il jadis pour la marquise, mais manque la « préhistoire » des six mois), comme la fidèle et dévote Mme de Tourvel devient amante passionnée. Ils s'étaient crus à l'abri de la passion...

Valmont entre cynisme et attendrissement : « C'est un séducteur qui ne peut ignorer l'univers de la sensibilité dont la Merteuil se détourne, et avec lequel il se mesure comme avec l'ennemi le plus digne de lui, sans pouvoir être à l'abri de sa contagion, qui causera finalement sa perte en révélant que Valmont était aussi un "homme sensible" » (L. Versini, éd. citée, p. 1148).

Baudelaire voyait déjà en lui « un reste de sensibilité par quoi il est inférieur à la Merteuil, chez qui tout ce qui est humain est calciné ».

Cette « faiblesse », il en donne des preuves multipliées à mesure que les événements se précipitent, dans la 4e partie. Dès lors, sa mort en duel n'apparaîtrait-elle pas comme un suicide, pour échapper à la contradiction qui est la sienne surtout aux yeux du monde galant ? S'il n'a pu garder la maîtrise de son cœur, il garderait du moins celle de sa mort...

Dimension religieuse de son aventure : un défi « militant », une obsession du vocabulaire de la vie spirituelle (cf. lettres 70 et 115 : « Je montrerai la présidente, ce modèle cité de toutes les vertus ! respectée même de nos plus libertins ! [...] je la montrerai, dis-je, oubliant ses devoirs et sa vertu, sacrifiant à sa réputation et deux ans de sagesse, pour courir après le bonheur de me plaire, pour s'enivrer de celui de m'aimer. »)

On se rappelle Stendhal : « C'est à la religion chrétienne que j'attribue la possibilité du rôle satanique de Don Juan. » (*Les Cenci* , *Chroniques italiennes.*)

BIBLIOGRAPHIE SÉLECTIVE

— Une édition à la précision, à l'érudition et à l'élégance de laquelle celle-ci doit beaucoup : Laclos, *Œuvres complètes* (Bibl. de la Pléiade), texte établi, présenté et annoté par LAURENT VERSINI, 1979.
— L. VERSINI, une somme : *Laclos et la tradition, essai sur les sources et la technique des « Liaisons dangereuses »*, Klincksieck, 1968. Une synthèse : *Le Roman épistolaire*, P.U.F., « Littératures modernes », 1979.
— BAUDELAIRE : Notes sur « *Les Liaisons dangereuses* », *Œuvres complètes*, Bibl. de la Pléiade, 1976, t. 2, pp. 66-75.
— GIRAUDOUX : « Choderlos de Laclos », *Littérature*, Gallimard, « Idées ».
— MALRAUX : préface de l'édition dans la coll. « Folio ».
— JEAN-LUC SEYLAZ, « *Les Liaisons dangereuses* » *et la création romanesque chez Laclos*, Droz-Michel, 1958.
— JEAN ROUSSET : « Le roman par lettres », in *Forme et signification*, Corti, 1962. « Les lecteurs indiscrets », in *Laclos et le libertinage 1782-1982*, Actes du Colloque de Chantilly, P.U.F., 1983.
— RENÉ POMEAU : un article, « Le mariage de Laclos », in *Revue d'histoire littéraire de la France*, janvier-mars 1964, pp. 60-72 (la question des rapports entre biographie et œuvre) ; et une synthèse : *Laclos*, Hatier, coll. « Connaissance des Lettres », 1975.
— H. COULET : *Le Roman jusqu'à la Révolution*, t. 1, Colin, « U », 1967, pp. 471-482. Une étude du traitement de l'espace et du temps dans ce roman, dans *Laclos et le libertinage...* (cf. ci-dessus).
— TZVETAN TODOROV, *Littérature et signification*, Larousse, 1967.
— JEAN FABRE, « Les Liaisons dangereuses », roman de l'ironie, in *Idées sur les romans*, Klincksieck, 1979.
— Dans le recueil *Laclos et libertinage*, une étude de DIDIER MASSEAU : « Le narrataire des *Liaisons dangereuses* ».
— De MICHEL DELON, dans le même recueil, l'étude de l'italique dans la correspondance. Une étude d'ensemble du roman, formelle surtout, « Études littéraires », P.U.F., 1986, et le chapitre « Laclos » dans *De « l'Encyclopédie » aux « Méditations »*, série *Littérature française*, Artaud, 1984.
— Un autre *Laclos*, numéro de la *Revue d'histoire littéraire de la France*, juillet-août 1982.

TABLE DES MATIÈRES

Imprimerie Berger-Levrault, Nancy — 779683-11-1988.
Dépôt légal : novembre 1988.
Imprimé en France